KU-799-726

KOLEKCJA GAZETY WYBORCZEJ
31

Kolekcja Gazety Wyborczej
31

SOLARIS
Stanisław Lem

© Copyright by Stanisław Lem
© Copyright for this edition by Wydawnictwo Literackie
For this edition © Copyright by Mediasat Poland/
Mediasat Rights Kft

ISBN 83-89651-80-7
ISBN 84-9789-871-0

Printed in EU

Mediasat Poland Sp. z o.o.
ul. Mikołajska 26
31-027 Kraków, Polska

Wszystkie prawa zastrzeżone

STANISŁAW
LEM

Solaris

KOLEKCJA GAZETY WYBORCZEJ

Przybysz

O dziewiętnastej czasu pokładowego zeszedłem, mijając stojących wokół studni, po metalowych szczeblach do wnętrza zasobnika. Było w nim akurat tyle miejsca, aby unieść łokcie. Po wkręceniu końcówki w przewód wystający ze ściany, skafander wydął się i odtąd nie mogłem już wykonać najmniejszego ruchu. Stałem – czy raczej wisiałem – w powietrznym łożu, zespolony w jedną całość z metalową skorupą.

Podniósłszy oczy, zobaczyłem przez wypukłą szybę ściany studni i, wyżej, schyloną nad nią twarz Moddarda. Znikła zaraz i zapadła ciemność, bo z góry nałożono ciężki ochronny stożek. Słyszałem ośmiokrotnie powtórzony świst motorów elektrycznych, które dociągały śruby. Potem – syk wpuszczanego do amortyzatorów powietrza. Wzrok przywykał do ciemności. Widziałem już seledynowy kontur jedynego wskaźnika.

– Gotów, Kelvin? – rozległo się w słuchawkach.

– Gotów, Moddard – odpowiedziałem.

– Nie troszcz się o nic. Stacja cię odbierze – powiedział. – Szczęśliwej drogi!

Nim zdążyłem odpowiedzieć, coś zgrzytnęło w górze i zasobnik drgnął. Napiąłem odruchowo mięśnie, lecz nic więcej się nie stało.

– Kiedy start? – spytałem i usłyszałem szmer, jakby ziarenka najdrobniejszego piasku sypały się na membranę.

– Lecisz już, Kelvin. Bądź zdrów! – odpowiedział bliski głos Moddarda. Zanim w to uwierzyłem, na wprost mojej twarzy rozwarła się szeroka szczelina, przez którą zobaczyłem gwiazdy. Na próżno usiłowałem odszukać alfę Wodnika, ku której odlatywał Prometeusz. Niebo tych stron Galaktyki nic mi nie mówiło, nie znałem ani jednej konstelacji, w wąskim okienku trwał roziskrzony kurz. Czekałem, kiedy pierwsza gwiazda zafiluje. Nie dostrzegłem tego. Zaczęły tylko słabnąć i znikały, rozpływając się w rudziejącym tle. Zrozumiałem, że jestem już w wierzchnich warstwach atmosfery. Sztywny, otulony pneumatycznymi poduszkami, mogłem patrzeć tylko przed siebie. Wciąż jeszcze nie było horyzontu. Leciałem i leciałem, wcale tego nie czując, tylko powoli, podstępnie, ciało moje oblewał żar. Na zewnątrz zbudził się cichy, przenikliwy świegot jakby metalu po mokrym szkle. Gdyby nie cyfry, wyskakujące w otworze wskaźnika, nie zdawałbym sobie sprawy z gwałtowności upadku. Gwiazd już nie było. Przeziernik wypełniała ruda jasność. Słyszałem ciężki chód własnego tętna, twarz paliła, na karku czułem zimny powiew klimatyzatora; żałowałem, że nie udało mi się zobaczyć Prometeusza – musiał być już poza zasięgiem widoczności, kiedy automatyczne urządzenie otwarło przeziernik.

Zasobnik zadygotał raz i drugi, zawibrował nieznośnie, drżenie to przeszło przez wszystkie powłoki izolacyjne, przez powietrzne poduszki i wtargnęło w głąb mego ciała – seledynowy kontur wskaźnika rozmazał się. Patrzałem na to bez strachu. Nie przyleciałem z tak daleka, aby zginąć u celu.

– Stacja Solaris – powiedziałem. – Stacja Solaris, Stacja Solaris! Zróbcie coś. Zdaje się, że tracę stabilizację. Stacja Solaris, tu przybysz. Odbiór.

I znowu przegapiłem ważny moment ukazania się planety. Rozpostarła się olbrzymia, płaska; z rozmiaru smug na jej powierzchni mogłem się zorientować, że jestem jeszcze daleko. A właściwie – wysoko, bo minąłem już tę niepochwytną granicę, u której odległość od ciała niebieskiego staje się wysokością. Spadałem. Wciąż spadałem. Czułem to teraz, nawet zamknąwszy oczy. Otwarłem je natychmiast, bo chciałem jak najwięcej widzieć.

Wyczekałem kilkadziesiąt sekund ciszy i ponowiłem wezwania. I tym razem nie otrzymałem odpowiedzi. W słuchawkach salwami powtarzały się trzaski atmosferycznych wyładowań. Ich tłem był szum, tak głęboki i niski, jakby stanowił głos samej planety. Pomarańczowe niebo w przezierniku zaszło bielmem. Jego szkło ściemniało; odruchowo skurczyłem się, na ile pozwoliły pneumatyczne bandaże, zanim, w następnej sekundzie, pojąłem, że to chmury. Jak zdmuchnięta, ławica ich uleciała w górę. Szybowałem dalej, raz w słońcu, raz w cieniu, zasobnik obracał się wzdłuż pionowej osi i olbrzymia, jakby spuchnięta, tarcza słoneczna miarowo przepływała przed moją twarzą, pojawiając się z lewej i zachodząc po prawej. Naraz poprzez szum i trzaski prosto w ucho zaczął gadać daleki głos:

– Stacja Solaris do przybysza, Stacja Solaris do przybysza. Wszystko w porządku. Przybysz pod kontrolą Stacji. Stacja Solaris do przybysza, przygotować się na lądowanie w chwili zero, powtarzam, przygotować się do lądowania w chwili zero, uwaga, zaczynam. Dwieście pięćdziesiąt, dwieście czterdzieści dziewięć, dwieście czterdzieści osiem...

Poszczególne słowa przedzielone były ułamkowymi miauknięciami, świadczącymi o tym, że nie mówi człowiek. To było co najmniej dziwne. Normalnie, kto żyw biegnie na lotnisko, kiedy przybywa ktoś nowy, i do tego jeszcze prosto z Ziemi. Nie mogłem się jednak dłużej nad tym zastanawiać, bo ogromny krąg, jaki zataczało wokół mnie słońce, stanął dęba wraz z równiną, ku której leciałem; po tym przechyle nastąpił drugi, w przeciwną stronę; kołysałem się jak ciężar olbrzymiego wahadła i walcząc z zawrotem głowy, zobaczyłem na wstającym jak ściana przestworzu planety, pręgowanym brudnoliliowymi i czarniawymi smugami, drobniutką szachownicę białych i zielonych kropek – znak orientacyjny Stacji. Zarazem z trzaskiem oderwało się coś od wierzchu zasobnika – długi naszyjnik pierściennego spadochronu, który zafurkotał gwałtownie; w odgłosie tym było coś niewypowiedzianie ziemskiego – pierwszy, po tylu miesiącach, szum prawdziwego wiatru.

Wszystko zaczęło się dziać bardzo szybko. Dotąd wiedziałem tylko, że spadam. Teraz to zobaczyłem. Biało-zielona szachownica rosła gwałtownie, wiedziałem już, że jest wymalowana na wydłużonym, wielorybim, srebrzyście lśniącym korpusie, z wystającymi po bokach igłami radarowych czujników, ze szpalerami ciemniejszych otworów okiennych, że ten metalowy kolos nie spoczywa na powierzchni planety, lecz wisi nad nią, ciągnąc po atramentowoczarnym tle swój cień, eliptyczną plamę ciemności jeszcze głębszej. Równocześnie dostrzegłem nabiegłe fioletem bruzdy oceanu, które ujawniły słaby ruch, naraz chmury odeszły wysoko, objęte na obrzeżach oślepiającym szkarłatem, niebo między nimi stanęło dalekie i płaskie, buropomarańczowe, i wszystko się rozmazało: wpadłem w korkociąg. Nim zdążyłem się odezwać, krótkie uderzenie przywróciło zasobnikowi pionową pozycję, w przezierniku roziskrzył się rtęciowym światłem sfalowany, aż po dymny horyzont, ocean; warczące liny i pierścienie spadochronu odczepiły się nagle i poleciały nad falami, niesione wiatrem, a zasobnik zahuśtał się miękko, owym szczególnym, zwolnionym ruchem, jak zwykle w sztucznym siłowym polu, i obsunął się w dół. Ostatnią rzeczą, jaką zdążyłem zobaczyć, były kratowe katapulty lotnicze i dwa, wznoszące się chyba na kilka pięter, lustra ażurowych radioteleskopów. Coś unieruchomiło zasobnik z przeraźliwym dźwiękiem stali, uderzającej sprężyście o stal, coś odemknęło się pode mną, i z przeciągłym, sapliwym westchnieniem metalowa łupina, w której tkwiłem wyprostowany, zakończyła swoją stuosiemdziesięciokilometrową podróż.

– Stacja Solaris. Zero i Zero. Lądowanie skończone. Koniec – usłyszałem martwy głos kontrolnego urządzenia. Obiema rękami (czułem niewyraźny ucisk na piersi, a wnętrzności stały się wyczuwalne jako niemiły ciężar) ująłem rękojeści na wprost barków i rozłączyłem kontakty. Zajaśniał zielony napis ZIEMIA i ściana zasobnika otwarła się; pneumatyczne łoże pchnęło mnie lekko w plecy, tak że musiałem, aby nie upaść, zrobić krok naprzód.

Z cichym sykiem, podobnym do zrezygnowanego westchnienia, powietrze opuściło zwojnice skafandra. Byłem wolny.

Stałem pod wysokim jak nawa, srebrzystym lejem. Po ścianach schodziły pęki kolorowych rur, znikając w okrągłych studzienkach. Odwróciłem się. Wentylacyjne szyby huczały, wciągając resztki trującej atmosfery planetarnej, które wtargnęły tu podczas lądowania. Puste jak rozpękły kokon cygaro zasobnika stało na wpuszczonej w stalowe wzniesienie czaszy. Jego zewnętrzne blachy osmaliły się na brudnobrązowy kolor. Zeszedłem po małej pochylni. Dalej na metal naspawano warstwę chropawego plastyku. Wytarła się do gołej stali w miejscach, wzdłuż których toczyły się zwykle wózkowe podnośniki rakiet. Naraz sprężarki wentylatorów zamilkły i nastała zupełna cisza. Rozejrzałem się trochę bezradnie, oczekiwałem pojawienia się jakiegoś człowieka, ale wciąż nikt nie nadchodził. Tylko neonowa strzała pokazywała, płonąc, sunący bezgłośnie taśmowy przenośnik. Wszedłem na jego płaszczyznę. Strop hali piękną paraboliczną linią spływał w dół, przechodząc w rurę korytarza. W jego wnękach wznosiły się stosy butli na sprężone gazy, pojemników, pierścienych spadochronów, skrzyń, wszystko zwalone w nieładzie, byle jak. To także mnie zastanowiło. Przenośnik kończył się u okrągłego rozszerzenia korytarza. Panował tu jeszcze większy nieporządek. Pod zwałem blaszanych baniek rozciekła się kałuża oleistego płynu. Niemiła, silna woń wypełniała powietrze. W różne strony szły ślady butów, wyraźnie odciśnięte w owej lepkiej cieczy. Pomiędzy blaszankami, jak gdyby wymiecione z kabin, walały się zwoje białych taśm telegraficznych, poszarpane papiery i śmieci. I znowu zajaśniał zielony wskaźnik, kierując mnie ku środkowym drzwiom. Za nimi biegł korytarz tak wąski, że dwu ludzi ledwo by się w nim minęło. Oświetlenie dawały górne okna, wycelowane w niebo, o soczewkowatych szkłach. Jeszcze jedne drzwi, pomalowane w biało-zieloną szachownicę. Były uchylone. Wszedłem do środka. Na poły kulista kabina miała jedno wielkie, panoramiczne okno; płonęło w nim zawleczone mgłą niebo. W dole przesuwały się bezgłośnie czarniawe pagóry fal. W ścianach pełno było pootwieranych szafek. Wypełniały je instrumenty, książki, szklanki z zaschłym osadem, zakurzone termosy. Na brudnej podłodze stało pięć czy sześć mechanicznych, kroczących stolików, między nimi kilka foteli, oklapłych, bo wypuszczono z nich powietrze. Tylko jeden był wydęty, z oparciem odchylonym w tył. Siedział w nim mały, chuderlawy człowiek z twarzą spaloną słońcem. Skóra złaziła mu całymi płatami z nosa i kości policzkowych. Znałem go. To był Snaut, zastępca Gibariana, cybernetyk. W swoim czasie zamieścił kilka wcale oryginalnych artykułów w almanachu solarystycznym. Nigdy go jeszcze nie widziałem. Miał na sobie siatkową koszulę, przez której oczka wysuwały się pojedyncze siwe włosy płaskiej piersi, i ongiś białe, poplamione na kolanach i spalone odczynnikami płócienne spodnie z licznymi kieszeniami jak u montera. W ręku trzymał plastykową gruszkę, taką, z jakich pije się na statkach pozbawionych sztucznej grawitacji. Patrzał na mnie jakby porażony oślepiającym światłem. Z rozluźnionych palców wypadła mu gruszka i podskoczyła kilka razy jak balonik. Wylało się z niej trochę przezroczystego płynu. Powoli cała krew odpłynęła mu z twarzy. Byłem zbyt zaskoczony, żeby się odezwać, i ta milcząca scena trwała, aż jego strach udzielił mi się w jakiś niepojęty sposób. Zrobiłem krok. Skurczył się w fotelu.

– Snaut... – szepnąłem. Drgnął, jak uderzony. Patrząc na mnie z nieopisaną odrazą, wychrypiał:

– Nie znam cię, nie znam cię, czego chcesz...?

Rozlany płyn szybko parował. Poczułem woń alkoholu. Pił? Był pijany? Ale czemu tak się bał? Stałem wciąż na środku kabiny. Miałem miękkie kolana, a uszy jak zatkane watą. Ucisk podłogi pod stopami przyjmowałem jako coś niezupełnie jeszcze pewnego. Za wygiętą szybą okna miarowo poruszał się ocean. Snaut nie spuszczał ze mnie przekrwionych oczu. Strach ustępował z jego twarzy, ale nie znikało z niej niewymowne obrzydzenie.

– Co ci jest...? – spytałem półgłosem. – Chory jesteś?

– Troszczysz się... – powiedział głucho. – Aha. Będziesz się troszczył, co? Ale dlaczego o mnie? Nie znam cię.

– Gdzie jest Gibarian? – spytałem. Na sekundę stracił dech, jego oczy znowu stały się szkliste, coś się w nich zapaliło i zgasło.

– Gi... giba – wyjąkał – nie! nie!!!

Zatrząsł się od bezgłośnego, idiotycznego chichotu, który nagle ucichł.

– Przyszedłeś do Gibariana...? – powiedział prawie spokojnie. – Do Gibariana? Co chcesz z nim zrobić?

Patrzał na mnie, jak gdybym przestał naraz być dla niego groźny; w jego słowach, a jeszcze bardziej w ich tonie, było coś nienawistnie obelżywego.

– Co ty mówisz... – wybełkotałem ogłuszony. – Gdzie on jest?

Osłupiał.

– Nie wiesz...?

Jest pijany – pomyślałem. Pijany do nieprzytomności. Ogarniał mnie rosnący gniew. Właściwie powinienem był wyjść, ale moja cierpliwość prysła.

– Oprzytomnij! – huknąłem. – Skąd mogę wiedzieć, gdzie jest, jeżeli przyleciałem przed chwilą! Co się z tobą dzieje, Snaut!!!

Szczęka mu opadła. Znowu stracił na chwilę oddech, ale jakoś inaczej, nagły błysk pojawił się w jego oczach. Trzęsącymi się rękami chwycił poręcze fotela i wstał z trudem, aż zatrzeszczały mu stawy.

– Co? – powiedział prawie wytrzeźwiały. – Przyleciałeś? Skąd przyleciałeś?

– Z Ziemi – odparłem wściekły. – Słyszałeś może o niej? Wygląda na to, że nie!

– Z Zie... wielkie nieba... to ty jesteś – Kelvin?!

– Tak. Czego tak patrzysz? Co w tym dziwnego?

– Nic – powiedział, mrugając szybko powiekami. – Nic.

Potarł czoło.

– Kelvin, przepraszam, to nic, wiesz, po prostu zaskoczenie. Nie spodziewałem się.

– Jak to nie spodziewałeś się? Przecież dostaliście wiadomość przed miesiącami, a Moddard telegrafował jeszcze dziś, z pokładu Prometeusza...

– Tak. Tak... zapewne, tylko widzisz, panuje tu pewien... rozgardiasz.

– Owszem – odparłem sucho. – Trudno tego nie widzieć.

Snaut obszedł mnie dokoła, jakby sprawdzał wygląd mego skafandra, najzwyklejszego w świecie, z uprzężą przewodów i kabli na piersi. Zakaszlał kilka razy. Dotknął kościstego nosa.

– Chcesz może wziąć kąpiel...? To ci dobrze zrobi – błękitne drzwi, po przeciwnej stronie.

– Dziękuję. Znam rozkład Stacji.

– Może jesteś głodny...?

– Nie. Gdzie Gibarian?

Podszedł do okna, jakby nie usłyszał mego pytania. Odwrócony plecami, wyglądał znacznie starzej. Krótko ostrzyżone włosy były siwe, kark, spalony słońcem, znaczyły zmarszczki głębokie jak cięcia. Za oknem połyskiwały grzbiety fal, wznoszących się i opadających tak powoli, jakby ocean krzepł. Patrząc tam, odnosiło się wrażenie, że Stacja przesuwa się nieznacznie bokiem, jakby ześlizgując się z niewidzialnej podstawy. Potem wracała do równowagi i tak samo leniwym przechyłem szła w drugą stronę. Ale to było chyba złudzenie. Płaty śluzowej piany o barwie kości zbierały się w kotlinach między falami. Przez mgnienie czułem w dołku mdlący ucisk. Oschły ład pokładów Prometeusza wydał mi się czymś cennym, bezpowrotnie utraconym.

– Słuchaj... – odezwał się niespodziewanie Snaut – chwilowo tylko ja... – Odwrócił się. Zatarł nerwowo ręce. – Będziesz się musiał zadowolić moim towarzystwem. Na razie. Mów mi Szczur. Znasz mnie tylko z fotografii, ale to nic, tak wszyscy mówią. Obawiam się, że na to nie ma rady. Kiedy się zresztą miało rodziców o tak kosmicznych aspiracjach jak ja, dopiero Szczur zaczyna brzmieć jako tako...

– Gdzie jest Gibarian? – spytałem uparcie jeszcze raz. Zamrugał.

– Przykro mi, że cię tak przyjąłem. To... nie tylko moja wina. Zapomniałem zupełnie, tu się wiele działo, wiesz...

– Ach, w porządku – odparłem. – Zostawmy to. Więc co z Gibarianem? Nie ma go na Stacji? Poleciał gdzieś?

– Nie – odparł. Patrzał w kąt zastawiony szpulami kabla. – Nigdzie nie poleciał. I nie poleci. Przez to właśnie... między innymi...

– Co? – spytałem. Wciąż miałem zatkane uszy i zdawało mi się, że gorzej słyszę. – Co to ma znaczyć? Gdzie on jest?

– Przecież już wiesz – powiedział całkiem innym tonem. Patrzał mi w oczy zimno, aż przeszły mnie ciarki. Może i był pijany, ale wiedział, co mówi.

– Nie stało się...?

– Stało się.

– Wypadek?

Kiwnął głową. Nie tylko przytakiwał, aprobował zarazem moją reakcję.

– Kiedy?

– Dziś o świcie.

Dziwna rzecz, nie odczułem wstrząsu. Cała ta krótka wymiana monosylabowych pytań i odpowiedzi uspokoiła mnie raczej swoją rzeczowością. Wydało mi się, że pojmuję już jego niezrozumiałe poprzednio zachowanie.

– W jaki sposób?

– Przebierz się, uporządkuj rzeczy i wróć tu... za... powiedzmy, za godzinę.

Wahałem się chwilę.

– Dobrze.

– Czekaj – powiedział, kiedy zwracałem się ku drzwiom. Patrzał na mnie w szczególny sposób. Widziałem, że to, co chce powiedzieć, nie przechodzi mu przez usta.

– Było nas trzech i teraz, z tobą, znowu jest trzech. Znasz Sartoriusa?

– Jak ciebie, z fotografii.

– Jest w laboratorium na górze i nie przypuszczam, żeby wyszedł stamtąd przed nocą, ale... w każdym razie rozpoznasz go. Gdybyś zobaczył kogoś innego, rozumiesz, nie mnie ani Sartoriusa, rozumiesz, to...

– To co?

Nie wiedziałem, czy śnię. Na tle czarnych fal, połyskujących krwawo w niskim słońcu, usiadł w fotelu z opuszczoną głową jak przedtem i patrzał w bok, na szpule zwiniętego kabla.

– To... nie rób nic.

– Kogo mogę zobaczyć? Ducha?! – wybuchnąłem.

– Rozumiem. Myślisz, że zwariowałem. Nie. Nie zwariowałem. Nie potrafię ci tego powiedzieć inaczej... na razie. Zresztą może... nic się nie stanie. W każdym razie pamiętaj. Ostrzegłem cię.

– Przed czym!? O czym ty mówisz?

– Panuj nad sobą – mówił uparcie swoje. – Zachowuj się, jakby... bądź przygotowany na wszystko. To niemożliwe, wiem. Mimo to spróbuj. To jedyna rada. Innej nie znam.

– Ale CO zobaczę!!! – krzyknąłem prawie. Ledwo powstrzymałem się od porwania go za ramiona i porządnego wstrząśnięcia, kiedy tak siedział, wpatrzony w kąt, z umęczoną, spaloną słońcem twarzą i z widocznym wysiłkiem wyduszał z siebie pojedyncze słowa.

– Nie wiem. W pewnym sensie to zależy od ciebie.

– Halucynacje?

– Nie. To jest – realne. Nie... atakuj. Pamiętaj.

– Co ty mówisz?! – odezwałem się nieswoim głosem.

– Nie jesteśmy na Ziemi.

– Polytheria? Ależ one nie są w ogóle podobne do ludzi! – zawołałem. Nie wiedziałem, co robić, żeby go wytrącić z tego zapatrzenia, z którego zdawał się wyczytywać mrożący krew w żyłach bezsens.

– Dlatego właśnie to takie straszne – powiedział cicho. – Pamiętaj: miej się na baczności!

– Co się stało z Gibarianem?

Nie odpowiedział.

– Co robi Sartorius?

– Przyjdź za godzinę.

Odwróciłem się i wyszedłem. Otwierając drzwi, popatrzałem na niego raz jeszcze. Siedział z twarzą w rękach, mały, skurczony, w poplamionych spodniach. Zauważyłem dopiero teraz, że na kostkach obu rąk ma zapiekłą krew.

Solaryści

Rurowy korytarz był pusty. Stałem chwilę przed zamkniętymi drzwiami, nasłuchując. Ściany musiały być cienkie, z zewnątrz dochodziło zawodzenie wiatru. Na płycie drzwi widniał przylepiony trochę skosem, niedbale, prostokątny kawałek plastra z ołówkowym napisem: „Człowiek". Patrzałem na to nagryzmolone niewyraźnie słowo. Przez chwilę chciałem wrócić do Snauta, ale zrozumiałem, że to niemożliwe.

Obłędne ostrzeżenie brzmiało mi jeszcze w uszach. Poruszyłem się i ramiona zgiął nieznośny ciężar skafandra. Cicho, jakbym się krył bezwiednie przed niewidzialnym obserwatorem, wróciłem do okrągłego pomieszczenia o pięciu drzwiach. Znajdowały się na nich tabliczki: Dr Gibarian, Dr Snaut, Dr Sartorius. Na czwartych nie było żadnej. Zawahałem się, potem nacisnąłem lekko klamkę i otworzyłem je powoli. Gdy odchylały się, doznałem graniczącego z pewnością uczucia, że tam ktoś jest. Wszedłem do środka.

Nie było nikogo. Takie samo, tylko mniejsze, wypukłe okno, wycelowane w ocean, który tutaj – pod słońce – lśnił tłusto, jakby z fal spływała zaczerwieniona oliwa. Szkarłatny odblask wypełniał cały pokój, podobny do okrętowej kabiny. Z jednej strony stały półki z książkami, między nimi, przytroczone pionowo do ściany, na kardanach umocowane łóżko, z drugiej pełno było szafek, wisiały między nimi na niklowych ramkach posklejane pasami lotnicze zdjęcia, w metalowych uchwytach kolby i probówki, pozatykane watą, pod oknem w dwa rzędy ustawiono emaliowane biało pudła, że ledwo można było między nimi przejść. Pokrywy niektórych były odchylone – wypełniało je mnóstwo narzędzi, plastykowych węży, w obu kątach znajdowały się krany, wyciąg dymowy, zamrażalniki, mikroskop stał na podłodze, nie było już dla niego miejsca na dużym stole obok okna. Kiedy się odwróciłem, tuż przy drzwiach wejściowych zobaczyłem sięgającą stropu, nie domkniętą szafę, pełną kombinezonów, roboczych i ochronnych fartuchów, na półkach – bieliznę, między cholewami przeciwpromiennych butów połyskiwały aluminiowe butelki do przenośnych aparatów tlenowych. Dwa aparaty wraz z maskami zwisały, zaczepione o poręcz uniesionego łóżka. Wszędzie panował taki sam, z grubsza tylko, jakby w pośpiechu, byle jak uporządkowany chaos. Wciągnąłem badawczo powietrze, wyczułem słabą woń odczynników chemicznych i ślad ostrego zapachu – czyżby to był chlor? Odruchowo poszukałem oczami kratkowanych wylotów wentylacyjnych w podsufitowych kątach. Przylepione do ich ramek paski papieru wachlowały łagodnie na znak, że sprężarki działają, utrzymując normalny obieg powietrza. Przeniosłem książki, aparaty i narzędzia z dwu krzeseł w kąty, poupychałem je, jak się dało, aż wokół łóżka między szafą a półkami powstała względnie pusta przestrzeń. Przyciągnąłem stojak, żeby powiesić na nim skafander, wziąłem w palce uchwyty zamków błyskawicznych, ale zaraz je puściłem. Nie mogłem się jakoś zdecydować na zrzucenie skafandra, jakbym miał się przez to stać bezbronny. Raz jeszcze ogarnąłem wzrokiem cały pokój, sprawdziłem, czy drzwi są dobrze zatrzaśnięte, a że nie było w nich zamka, po krótkim wahaniu popchnąłem ku nim dwa najcięższe pudła. Zabarykadowawszy się tak prowizorycznie, trzema szarpnięciami wyswobodziłem się z mojej ciężkiej, poskrzypującej powłoki. Wąskie lustro na wewnętrznej powierzchni szafy odbijało część pokoju. Kątem oka pochwyciłem tam jakiś ruch, poderwałem się, ale to było moje własne odbicie. Trykot pod skafandrem był przepocony. Zrzuciłem go i pchnąłem szafę. Odsunęła się, we wnęce za nią zalśniły ściany miniaturowej łazienki. Na podłodze pod tuszem spoczywała spora, płaska kaseta. Wyniosłem ją nie bez trudu do pokoju. Kiedy stawiałem ją na podłodze, wieko odskoczyło jak na sprężynie i zobaczyłem przegródki, wypełnione dziwacznymi eksponatami: pełno skarykaturowanych czy naszkicowanych z grubsza w ciemnym metalu narzędzi, po części analogicznych do tych, które leżały w szafkach. Wszystkie były nie do użytku, niedokształcone, zaokrąglone, nadtopione, jakby wyniesione z pożaru. Najdziwniejsze, że taki sam kształt zniszczenia nosiły nawet ceramitowe, więc praktycznie nietopliwe rękojeści. W żadnym piecu laboratoryjnym niepodobna by osiągnąć temperatury ich pławienia – chyba wewnątrz stosu atomowego. Z kieszeni mego rozwieszonego skafandra wydobyłem mały wskaźnik promienisty, ale czarny pyszczek milczał, kiedy zbliżyłem go do szczątków.

Miałem na sobie tylko slipy i siatkową koszulkę. Jedno i drugie rzuciłem na podłogę jak szmaty i nagi skoczyłem pod tusz. Uderzenie wody odczułem jak ulgę. Wiłem się pod ulewą twardych, gorących strumieni, masowałem ciało, parskałem, wszystko jakoś przesadnie, jakbym wytrząsał, wyrzucał z siebie całą tę mętną, zarażającą podejrzeniami niepewność, która przepełniała Stację.

Wyszukałem w szafie lekki strój treningowy, który można także nosić pod skafandrem, przełożyłem do kieszeni cały mój skąpy dobytek; pomiędzy kartkami notatnika wyczułem coś twardego, był to nie wiadomo jak zawieruszony tam klucz od mego ziemskiego mieszkania, który obracałem chwilę w palcach, nie wiedząc, co z nim począć. W końcu położyłem go na stole. Przyszło mi na myśl, że, być może, będę potrzebował jakiejś broni. Na pewno nie był nią uniwersalny scyzoryk, ale nie miałem nic innego, a nie znajdowałem się jeszcze w takim stanie ducha, żeby rozpocząć poszukiwania jakiegoś miotacza promieni lub czegoś w tym rodzaju. Usiadłem na metalowym krzesełku pośrodku pustej przestrzeni, z dala od wszystkich rzeczy. Chciałem być sam. Z zadowoleniem stwierdziłem, że mam jeszcze ponad pół godziny czasu; trudno, skrupulatność w przestrzeganiu wszelkich, wszystko jedno: ważnych czy nieistotnych, zobowiązań jest moją naturą. Wskazówki na dwudziestoczterogodzinnej tarczy zegara stały na siódmej. Słońce zachodziło. Siódma czasu miejscowego to była dwudziesta pokładów Prometeusza. Solaris musiała już zmaleć na ekranach Moddarda do rozmiarów iskry i nie odróżniała się niczym od gwiazd. Cóż mógł mnie jednak obchodzić Prometeusz? Zamknąłem oczy. Panowała zupełna cisza, jeśli nie liczyć rozlegającego się w regularnych odstępach czasu miaukania rur. Woda cykała cicho w łazience, kapiąc na porcelanę.

Gibarian nie żył. Jeśli dobrze zrozumiałem, co mówił Snaut, to od jego śmierci minęło ledwo kilkanaście godzin. Co zrobili z ciałem? Czy pochowali je? Prawda, na tej planecie nie można było tego zrobić. Zastanawiałem się nad tym rzeczowo przez dłuższą chwilę, jakby los martwego był najważniejszy, aż uświadomiwszy sobie nonsensowność tych rozmyślań, wstałem i zacząłem chodzić po przekątnej pokoju, trącając końcem stopy bezładnie rozrzucone książki, jakąś małą, pustą torbę polową; pochyliłem się i podniosłem ją. Nie była pusta. Zawierała flaszkę z ciemnego szkła, tak lekką, jakby była wydmuchana z papieru. Popatrzyłem przez nią w okno, w ponuro czerwieniejące, zadymione brudnymi mgłami ostatnie światło zachodu. Co się ze mną działo? Dlaczego zajmowałem się byle bzdurą, byle wpadającym w rękę nieważnym drobiazgiem?

Drgnąłem, bo zapaliło się światło. Oczywiście, fotokomórka, wrażliwa na zapadający zmierzch. Pełen byłem oczekiwania, napięcie narastało do tego stopnia, że w końcu nie chciałem mieć za sobą pustej przestrzeni. Postanowiłem z tym walczyć. Przysunąłem krzesło do półek. Wyciągnąłem aż nadto dobrze mi znany drugi tom starej monografii Hughesa i Eugla *Historia Solaris* i zacząłem go wertować, wsparłszy gruby, sztywny grzbiet na kolanie.

Odkrycie Solaris nastąpiło niemal na sto lat przed moim urodzeniem. Planeta krąży wokół dwu słońc – czerwonego i niebieskiego. Przez czterdzieści lat z górą nie zbliżył się do niej żaden statek.

W owych czasach teoria Gamowa-Shapleya o niemożliwości powstania życia na planetach gwiazd podwójnych uchodziła za pewnik. Orbity takich planet bezustannie zmieniają się wskutek grawitacyjnej gry, zachodzącej podczas wzajemnego okrążania się pary słońc. Powstające perturbacje na przemian kurczą i rozciągają orbitę planety i pierwociny życia, jeśli powstaną, ulegają zniszczeniu przez promienisty żar bądź lodowate zimno. Zmiany te zachodzą w okresie milionów lat, więc – wedle skali astronomicznej czy biologicznej (bo ewolucja wymaga setek milionów, jeśli nie miliarda lat) – w czasie bardzo krótkim.

Solaris miała według pierwotnych obliczeń zbliżyć się w ciągu pięciuset tysięcy lat na odległość połowy jednostki astronomicznej do swego czerwonego słońca, a po dalszym milionie – spaść w jego rozżarzoną otchłań.

Ale już po kilkunastu latach przekonano się, że jej tor nie wykazuje wcale oczekiwanych zmian, zupełnie jak gdyby był stały, tak stały, jak tory planet naszego Układu Słonecznego.

Powtórzono, teraz już z najwyższą dokładnością, obserwacje i obliczenia, które potwierdziły tylko to, co było znane: że Solaris posiada orbitę nietrwałą.

Z jednej z kilkuset odkrywanych rokrocznie planet, które kilkuwierszowymi notatkami, podającymi elementy ich ruchu, zostają wciągnięte do wielkich statystyk, Solaris awansowała wówczas do rangi ciała godnego szczególnej uwagi.

Jakoż w cztery lata po tym odkryciu okrążyła ją wyprawa Ottenskjolda, który badał planetę z Laokoona i dwu towarzyszących statków posiłkowych. Wyprawa ta miała charakter prowizorycznego, zaimprowizowanego zwiadu, tym bardziej że nie była zdolna lądować. Wprowadziła na orbity równikowe i biegunowe większą ilość automatycznych satelitów-obserwatorów, których głównym zadaniem były pomiary potencjałów grawitacyjnych. Ponadto zbadano powierzchnię planety, niemal w całości pokrytą oceanem, i nieliczne, wznoszące się nad jego poziom płaskowyże. Ich łączna powierzchnia nie dorównuje obszarowi Europy, choć Solaris ma średnicę o dwadzieścia procent większą od Ziemi. Te skrawki skalistego i pustynnego lądu, rozsiane nieregularnie, skupiają się głównie na półkuli południowej. Poznano też skład atmosfery, pozbawionej tlenu, i dokonano nader dokładnych pomiarów gęstości planety, jak również albeda i innych elementów astronomicznych. Jak to było oczekiwane, nie odnaleziono żadnych śladów życia ani na lądach, ani też nie dostrzeżono ich w oceanie.

W ciągu dalszych dziesięciu lat Solaris, teraz już znajdująca się w ośrodku uwagi wszystkich obserwatoriów tego regionu, wykazywała zdumiewającą tendencję do zachowania swojej ponad wszelką wątpliwość grawitacyjnie nietrwałej orbity. Przez jakiś czas sprawa pachniała skandalem, gdyż winą za taki wynik obserwacji próbowano obarczyć (w trosce o dobro nauki) już to pewnych ludzi, już to maszyny rachujące, którymi się posługiwali.

Brak funduszów opóźnił wysłanie właściwej ekspedycji solarycznej o dalsze trzy lata, aż do chwili, kiedy Shannahan, skompletowawszy załogę, uzyskał od Instytutu trzy jednostki o tonażu C, klasy kosmodromicznej. Półtora roku przed przybyciem ekspedycji, która wystartowała z obszaru alfy Wodnika, druga flota eksploracyjna wprowadziła z ramienia Instytutu automatyczny Sateloid – Lunę 247, na okołosolaryczną orbitę. Sateloid ten po trzech kolejnych rekonstrukcjach, oddzielonych od siebie dziesiątkami lat, pracuje do dnia dzisiejszego. Dane, które zebrał, potwierdziły ostatecznie spostrzeżenie ekspedycji Ottenskjolda o aktywnym charakterze ruchów oceanu.

Jeden statek Shannahana pozostał na wysokiej orbicie, dwa zaś po wstępnych przygotowaniach wylądowały na skalistym skrawku lądu, który zajmuje około sześciuset mil kwadratowych u południowego bieguna Solaris. Prace ekspedycji zakończyły się po osiemnastu miesiącach, przebiegając pomyślnie, z wyjątkiem jednego nieszczęśliwego wypadku, spowodowanego wadliwym działaniem aparatów. W łonie ekipy naukowej przyszło jednak do rozłamu na dwa zwalczające się obozy. Przedmiotem sporu stał się ocean. Uznano go na podstawie analiz za twór organiczny (nazwać go żywym nikt jeszcze podówczas nie śmiał). Gdy jednak biologowie widzieli w nim twór prymitywny – coś w rodzaju gigantycznej zespólni, a więc jak gdyby jedną, spotworniałą w swym wzroście, płynną komórkę (ale nazywali go „formacją prebiologiczną"), która cały glob otoczyła galaretowatym płaszczem, o głębokości sięgającej miejscami kilku mil – to astronomowie i fizycy twierdzili, że musi to być struktura nadzwyczaj wysoko zorganizowana, być może bijąca zawiłością budowy organizmy ziemskie, skoro potrafi w czynny sposób wpływać na kształtowanie orbity planetarnej. Żadnej bowiem innej przyczyny, wyjaśniającej zachowanie się Solaris, nie wykryto, ponadto zaś planetofizycy wykryli związek pomiędzy pewnymi procesami plazmatycznego oceanu a mierzonym lokalnie potencjałem grawitacyjnym, który zmieniał się w zależności od oceanicznej „przemiany materii".

Tak więc fizycy, a nie biologowie, wysunęli paradoksalne sformułowanie „maszyna plazmatyczna", rozumiejąc przez to twór w naszym znaczeniu może i nieożywiony, ale zdolny do podejmowania celowych działań na skalę – dodajmy od razu – astronomiczną.

W sporze tym, który jak wir wciągnął w przeciągu tygodni wszystkie najwybitniejsze autorytety, doktryna Gamowa–Shapleya zachwiała się po raz pierwszy od osiemdziesięciu lat.

Jakiś czas usiłowano jeszcze bronić jej twierdzeniem, że ocean nie ma nic wspólnego z życiem, że nie jest nawet tworem „para-" czy też „prebiologicznym", lecz geologiczną formacją, zapewne niezwykłą, lecz zdolną jedynie do utrwalania orbity Solaris poprzez zmiany siły ciążenia; powoływano się przy tym na regułę Le Chateliera.

Na przekór temu konserwatyzmowi wyrastały hipotezy, głoszące, jak choćby jedna z lepiej opracowanych Civita–Vitty, że ocean jest wynikiem dialektycznego rozwoju: oto od swej postaci pierwotnej, od praoceanu, roztworu leniwie reagujących ciał chemicznych, zdołał pod naciskiem warunków (to znaczy, zagrażających jego istnieniu zmian orbity), bez pośrednictwa wszystkich ziemskich szczebli rozwoju, więc omijając powstanie jedno- i wielokomórkowców, ewolucję roślinną i zwierzęcą, bez narodzin systemu nerwowego, mózgu, przeskoczyć natychmiast w stadium „oceanu homeostatycznego". Inaczej mówiąc, nie przystosowywał się jak organizmy ziemskie przez setki milionów lat do otoczenia, aby dopiero po tak olbrzymim czasie dać początek rasie rozumnej, ale zapanował nad swym otoczeniem od razu.

Było to wcale oryginalne, tylko że w dalszym ciągu nikt nie wiedział, jak syropowata galareta może stabilizować orbitę ciała niebieskiego. Od wieku niemal znane były urządzenia, stwarzające sztuczne pola siłowe i grawitacyjne – grawitory – ale nikt nie wyobrażał sobie nawet, jak rezultatu, będącego – w grawitorach – wynikiem skomplikowanych reakcji jądrowych i olbrzymich temperatur, może dopiąć bezpostaciowa maź. W gazetach, zachłystujących się podówczas ku zaciekawieniu czytelników i ku zgrozie uczonych najniewybredniejszymi wymysłami na temat „tajemnicy Solaris", nie brakło i takich twierdzeń, że ocean planetarny jest... dalekim krewnym ziemskich węgorzy elektrycznych.

Gdy problem udało się, w jakiejś przynajmniej mierze, rozwikłać, okazało się, że wyjaśnienie, jak to nieraz potem bywało z Solaris, na miejsce jednej zagadki podstawiło inną, może jeszcze bardziej zdumiewającą.

Badania wykazały, że ocean nie działa bynajmniej na zasadzie naszych grawitorów (co byłoby zresztą rzeczą niemożliwą), ale potrafi bezpośrednio modelować metrykę czasoprzestrzeni, co prowadzi między innymi do odchyleń w pomiarze czasu na jednym i tym samym południku Solaris. Tak więc ocean nie tylko znał w pewnym sensie, ale potrafił nawet (czego o nas nie można powiedzieć) wykorzystać konsekwencje teorii Einsteina–Boeviego.

Gdy to zostało powiedziane, wybuchła w świecie naukowym jedna z najgwałtowniejszych burz naszego stulecia. Najczcigodniejsze, powszechnie uznane za prawdziwe, teorie waliły się w gruz, w literaturze naukowej pojawiały się najbardziej heretyckie artykuły, alternatywa zaś „genialny ocean" czy „grawitacyjna galareta" rozpaliła wszystkie umysły.

Wszystko to działo się na dobre kilkanaście lat przed moim urodzeniem. Kiedy chodziłem do szkoły, Solaris – za sprawą poznanych później faktów – powszechnie już była uznana za planetę obdarzoną życiem – tyle że posiadającą jednego tylko mieszkańca...

Drugi tom Hughesa i Eugla, który kartkowałem wciąż niemal bezmyślnie, rozpoczynał się od systematyki, tyleż oryginalnie pomyślanej, co zabawnej. Tablica klasyfikacyjna prezentowała kolejno: Typ – Polytheria, Rząd – Syncytialia, Klasa – Metamorpha.

Zupełnie jak gdybyśmy znali Bóg wie ile egzemplarzy gatunku, podczas gdy w rzeczywistości wciąż był tylko jeden, co prawda wagi siedemnastu bilionów ton.

Pod palcami przefruwały mi kolorowe diagramy, barwne wykresy, analizy i widma spektralne, demonstrujące typ i tempo przemiany podstawowej i jej reakcje chemiczne. Im dalej zagłębiałem się w zwalisty tom, tym więcej przemykało na kredowych stronicach matematyki; można było sądzić, że nasza wiedza o tym przedstawicielu klasy Metamorpha, który leżał spowity ciemnością czterogodzinnej nocy, kilkaset metrów pod stalowym dnem Stacji, jest zupełna.

W rzeczywistości nie wszyscy byli jeszcze zgodni co do tego, czy to jest „istota", nie mówiąc już o tym, czy można nazwać ocean rozumnym. Wstawiłem z trzaskiem wielki tom na półkę i wydobyłem następny. Dzielił się na dwie części. Pierwsza była poświęcona streszczeniu protokołów eksperymentalnych wszystkich owych niezliczonych przedsięwzięć, których celem było nawiązanie kontaktu z oceanem. To nawiązanie kontaktu było, pamiętałem aż nazbyt dobrze, źródłem nie kończących się anegdot, kpin i dowcipów w czasie studiów; średniowieczna scholastyka wydawała się klarownym, jaśniejącym oczywistością wykładem wobec dżungli, jaką zrodziło to zagadnienie. Drugą część tomu, liczącą prawie tysiąc trzysta stron, zajmowała sama tylko bibliografia przedmiotu. Oryginalna literatura na pewno nie zmieściłaby się w pokoju, w którym siedziałem.

Pierwsze próby kontaktu odbywały się za pośrednictwem specjalnych aparatów elektronowych, transformujących bodźce, przesyłane w obie strony. Ocean brał przy tym aktywny udział w kształtowaniu tych aparatów. Ale wszystko to działo się w zupełnej ciemności. Co znaczyło, że „brał udział"? Modyfikował pewne elementy zanurzanych weń urządzeń, wskutek czego zapisywane rytmy wyładowań zmieniały się, aparatury rejestrujące utrwalały mrowie sygnałów, jak gdyby strzępy jakichś olbrzymich działań wyższej analizy, ale co to wszystko znaczyło? Może były to dane o chwilowym stanie pobudzenia oceanu? Może impulsy, powodujące powstawanie jego olbrzymich tworów, gdzieś, o tysiące mil od badaczy? Może przełożone na niedocieczone konstrukty elektronowe – odzwierciedlenia odwiecznych prawd tego oceanu? Może jego dzieła sztuki? Któż to mógł wiedzieć, skoro niepodobna było uzyskać dwa razy takiej samej reakcji na bodziec? Skoro raz odpowiedzią był wybuch impulsów, nieomal rozsadzających aparaty, a raz głuche milczenie? Skoro żadnego doświadczenia niepodobna było powtórzyć? Wciąż wydawało się, że stoimy o krok od rozszyfrowania tego, nieustannie powiększającego się, morza zapisów; specjalnie przecież w tym celu budowano mózgi elektronowe o przetwórczej mocy informacyjnej, jakich nie wymagał dotychczas żaden problem. Istotnie, uzyskano pewne rezultaty. Ocean – źródło elektrycznych, magnetycznych, grawitacyjnych impulsów – przemawiał jak gdyby językiem matematyki; pewne sekwencje jego prądowych wyładowań można było klasyfikować, posługując się najbardziej abstrakcyjnymi gałęziami ziemskiej analizy, teorii mnogości, pojawiały się tam homologi struktur, znanych z tej dziedziny fizyki, która zajmuje się rozważaniem wzajemnego stosunku energii i materii, wielkości skończonych i nieskończonych, cząstek i pól – to wszystko skłaniało uczonych do przekonania, że mają przed sobą myślącego potwora, że jest to rodzaj milionokrotnie rozrosłego, opasującego całą planetę, protoplazmatycznego morza-mózgu, który trawi czas na niesamowitych w swej rozpiętości teoretycznych rozważaniach nad istotą wszechrzeczy, a wszystko to, co wychwytują nasze aparaty, stanowi drobne, przypadkowo podsłuchane strzępy owego toczącego się wiekuiście w głębinach, przerastającego wszelką możliwość naszego pojmowania, gigantycznego monologu.

Tyle matematycy. Hipotezy takie określane były przez jednych jako wyraz lekceważenia ludzkich możliwości, jako padanie na twarz przed czymś, czego jeszcze nie rozumiemy, ale co da się zrozumieć jako wydobywanie z grobu starej doktryny „ignoramus et ignorabimus"; inni uważali znów, że są to szkodliwe i jałowe bajędy, że w tych hipotezach matematyków przejawia się mitologia naszych czasów, widząca w mózgu olbrzymim – elektronowym czy plazmatycznym, to wszystko jedno – najwyższy cel istnienia – summę bytu.

A inni jeszcze... ale badaczy i poglądów były legiony. Cóż zresztą stanowiła cała dziedzina prób „nawiązania kontaktu" w porównaniu z innymi gałęziami solarystyki, w których specjalizacja tak się posunęła, zwłaszcza na przestrzeni ostatniego ćwierćwiecza, że solarysta-cybernetyk nie mógł prawie porozumieć się z solarystą-symetriadologiem. „Jak możecie się porozumieć z oceanem, jeżeli nie potraficie już tego uczynić między sobą?" – zapytał kiedyś żartobliwie Veubeke, który był wtedy, podczas moich studiów, dyrektorem Instytutu; w tym żarcie było wiele prawdy.

Bo też ocean nieprzypadkowo zaszeregowano do klasy Metamorpha. Jego falująca powierzchnia mogła dawać początek najbardziej różniącym się od siebie, do niczego ziemskiego niepodobnym formom, przy czym celowość – adaptacyjna, poznawcza czy jakakolwiek inna – owych gwałtownych nieraz erupcji plazmatycznej „twórczości" była zupełną zagadką.

Odstawiając na półkę tom, tak ciężki, że musiałem przytrzymać go obiema rękami, pomyślałem, że nasza wiedza o Solaris, wypełniająca biblioteki, jest bezużytecznym balastem i trzęsawiskiem faktów, i znajdujemy się w takim samym miejscu, w którym poczęto ją gromadzić przed siedemdziesięciu ośmiu laty, a właściwie sytuacja jest o wiele gorsza, ponieważ cały trud tych lat okazał się daremny.

To, cośmy wiedzieli dokładnie, obejmowało same tylko zaprzeczenia. Ocean nie posługiwał się maszynami ani ich nie budował, chociaż w pewnych okolicznościach wydawał się do tego zdolny, gdyż powielał części niektórych zanurzonych w nim aparatów, ale czynił to tylko w pierwszym i drugim roku prac eksploracyjnych; potem ignorował wszelkie ponawiane z benedyktyńską cierpliwością próby, jakby stracił dla naszych urządzeń i produktów (a wynikałoby, że także i dla nas...) wszelkie zainteresowanie. Nie posiadał – kontynuuję wyliczenie naszych „negatywnych wiadomości" – żadnego systemu nerwowego ani komórek, ani struktury przypominającej białkową; nie zawsze reagował na bodźce, nawet najpotężniejsze (tak na przykład całkowicie „zignorował" katastrofę pomocniczego rakietowca drugiej ekspedycji Giesego, który runął z wysokości trzystu kilometrów na powierzchnię planety, niszcząc jądrową eksplozją swych atomowych stosów plazmę w promieniu półtorej mili).

Powoli w kręgach naukowców „sprawa Solaris" brzmieć zaczęła jak „sprawa przegrana", zwłaszcza w sferach naukowej administracji Instytutu, gdzie podnosiły się w latach ostatnich głosy domagające się obcięcia dotacji na dalsze badania. O całkowitym zlikwidowaniu Stacji nikt się dotąd nie ośmielił mówić; byłoby to zbyt jawnym przyznaniem się do klęski. Zresztą niektórzy, w rozmowach prywatnych, powiadali, że wszystko, czego nam trzeba, to strategia możliwie „honorowego" wycofania się z „afery Solaris".

Dla wielu jednak, szczególnie zaś dla młodych, „afera" ta stawała się z wolna czymś w rodzaju kamienia probierczego własnej wartości: „w gruncie rzeczy – mówili – idzie o stawkę większą aniżeli o zgłębienie solaryjskiej cywilizacji, gra toczy się bowiem o nas samych, o granice ludzkiego poznania".

Przez pewien czas popularny był (rozpowszechniany gorliwie przez prasę codzienną) pogląd, że myślący ocean, który opływa całą Solaris, jest gigantycznym mózgiem, przewyższającym naszą cywilizację o miliony lat rozwoju, że to jakiś „kosmiczny yoga", mędrzec, upostaciowana wszechwiedza, która dawno już pojęła płonność wszelkiego działania i dlatego zachowuje wobec nas kategoryczne milczenie. Była to po prostu nieprawda, bo żywy ocean działa, i to jak jeszcze – tyle że według innych, aniżeli ludzkie, wyobrażeń, nie buduje więc miast ani mostów, ani machin latających; nie próbuje też zwyciężyć przestrzeni ani jej przekroczyć (w czym niektórzy obrońcy wyższości człowieka za wszelką cenę upatrywali bezcenny dla nas atut), zajmuje się natomiast tysiącznymi przekształceniami – „autometamorfozą ontologiczną"; już to uczonych terminów nie brak na kartach dzieł solarystycznych! Ponieważ, z drugiej strony, człowieka, uporczywie wczytującego się we wszystkie możliwe solariana, ogarnia nieprzeparte wrażenie, iż ma przed sobą ułamki intelektualnych konstrukcji, być może genialnych, przemieszane bez ładu i składu z płodami jakiegoś kompletnego, graniczącego z obłędem, głuptactwa, powstała jako antyteza koncepcji „oceanu-yogi" myśl o „oceanie-debilu".

Hipotezy te wydobyły z grobu i ożywiły jeden z najstarszych problemów filozoficznych – stosunku materii i ducha, świadomości. Trzeba było niemałej odwagi, aby po raz pierwszy – jak du Haart – przypisać oceanowi świadomość. Problem ten, przez metodologów uznany pospiesznie za metafizyczny, tlił się na dnie wszystkich nieomal dyskusji i sporów. Czy możliwe jest myślenie bez świadomości? Ale czy zachodzące w oceanie procesy można nazwać myśleniem? Czy góra to bardzo wielki kamień? Czy planeta to ogromna góra? Można używać tych nazw, ale nowa skala wielkości wprowadza na scenę nowe prawidłowości i nowe zjawiska.

Problem ten stał się kwadraturą koła naszych czasów. Każdy samodzielny myśliciel usiłował wnieść w skarbnice solarystyki swój wkład; mnożyły się teorie głoszące, że mamy przed sobą produkt degeneracji, uwstecznienia, które nastąpiło po minionej fazie „intelektualnej świetności" oceanu, już to, że ocean jest w samej rzeczy nowotworem-glejakiem, który, narodziwszy się w obrębie ciał dawnych mieszkańców planety, pożarł je wszystkie i pochłonął, stapiając szczątki w postać wiecznie trwającego, samoodmładzającego się, ponadkomórkowego żywiołu.

W białym, podobnym do ziemskiego, świetle jarzeniówek zdjąłem ze stołu aparaty i książki, które na nim leżały, i rozłożywszy na plastykowej płycie mapę Solaris, patrzałem w nią, opierając się rękami o metalowe listwy na krawędziach. Żywy ocean posiadał swoje płycizny i głębie, a jego wyspy, okryte nalotem wietrzejących minerałów, świadczyły o tym, że kiedyś stanowiły jego dno – czy regulował także wyłanianie się i zapadanie formacji skalnych, zanurzonych w swym łonie? Było to zupełnie ciemne. Patrzyłem na olbrzymie, pomalowane różnymi tonami fioletu i błękitu półkule na mapie, doznając, nie wiem po raz który już w życiu, zdumienia równie wstrząsającego, jak owo pierwsze, zaznane, kiedy jako chłopiec dowiedziałem się w szkole o istnieniu Solaris.

Nie wiem, jak to się stało, że otoczenie wraz z czuwającą w nim tajemnicą śmierci Gibariana, że nawet moja niewiadoma przyszłość wydała mi się naraz nieważna, i nie myślałem o niczym, zatopiony w oglądaniu tej przerażającej każdego człowieka mapy.

Poszczególne połacie żywotworu nosiły nazwy od badaczy, którzy poświęcili się ich eksploracji. Wpatrywałem się w opływający równikowe archipelagi glejomasyw Thexalla, kiedy poczułem czyjś wzrok.

Wciąż jeszcze stałem nad mapą, ale już jej nie widziałem, byłem jak sparaliżowany. Drzwi miałem na wprost siebie; były zastawione skrzynkami i przysuniętą do nich szafką. To jakiś automat – pomyślałem – chociaż żadnego nie było przedtem w pokoju, a nie mógł wejść nie zauważony przeze mnie. Skóra na karku i plecach zaczynała mnie piec, uczucie ciężkiego, nieruchomego wzroku stawało się nie do zniesienia. Nie zdawałem sobie sprawy z tego, że wciągając głowę w ramiona, coraz mocniej opieram się o stół, który zaczął wolno sunąć po podłodze; ten ruch jak gdyby wyzwolił mnie. Odwróciłem się gwałtownie.

Pokój był pusty. Przede mną ziało tylko czernią wielkie półkoliste okno. Wrażenie nie ustępowało. Ciemność patrzała na mnie, bezpostaciowa, olbrzymia, bezoka, pozbawiona granic. Mroku za szybami nie rozwidniała żadna gwiazda. Zaciągnąłem światłoszczelne zasłony. Nie byłem na Stacji ani godziny, a zaczynałem już rozumieć, dlaczego zdarzały się na niej wypadki manii prześladowczej. Połączyłem to odruchowo ze śmiercią Gibariana. Znając go, myślałem dotąd, że nic nie mogłoby zaburzyć jego umysłu. Przestałem być tego pewny.

Stałem na środku pokoju obok stołu. Oddech uspokoił się, czułem, jak pot, który wystąpił mi na czoło, stygnie. O czym to pomyślałem przed chwilą? Prawda – o automatach. To, że nie napotkałem żadnego w korytarzu ani w pokojach, było bardzo dziwne. Gdzie się wszystkie podziały? Jedyny, z którym się zetknąłem – na odległość – należał do mechanicznej obsługi lotniska. A inne?

Spojrzałem na zegarek. Właściwie powinienem już pójść do Snauta.

Wyszedłem. Korytarz oświetlały dość słabo świetlówki biegnące pod sufitem. Minąłem dwoje drzwi, aż doszedłem do tych, na których widniało nazwisko Gibariana. Stałem przed nimi długo. Stację wypełniała cisza. Ująłem klamkę. Właściwie wcale nie chciałem tam wejść. Ugięła się, drzwi odsunęły się o cal, powstała szpara, przez mgnienie czarna, potem zapaliło się tam światło. Teraz mógłby mnie dojrzeć każdy przechodzący korytarzem. Przekroczyłem szybko próg i zamknąłem drzwi za sobą, bezgłośnie i mocno. Potem odwróciłem się.

Stałem, dotykając prawie plecami drzwi. Był to pokój większy od mego, też o panoramicznym oknie, w trzech czwartych zasłoniętym przywiezioną niewątpliwie z Ziemi, nie należącą do ekwipunku Stacji, firanką w drobne niebieskie i różowe kwiatki. Wzdłuż ścian ciągnęły się półki biblioteczne i szafki, jedne i drugie emaliowane na bardzo jasną zieleń o srebrzystym połysku. Zawartość ich, wywalona całymi stosami na podłogę, piętrzyła się między stołkami i fotelami. Tuż przede mną zagradzały przejście dwa kroczące stoliczki, obalone i wryte częściowo w sterty czasopism, które wyrywały się z pękniętych teczek. Otwarte, wachlujące kartkami książki zalane były płynami z potłuczonych kolb i flaszek o dotartych korkach, w przeważnej części tak grubościennych, że zwykły upadek na podłogę, nawet ze znacznej wysokości, nie zdołałby ich roztrzaskać. Pod oknem leżało przewrócone biurko z rozbitą lampką roboczą na wysięgowym ramieniu; taboret leżał przed nim, a jego dwie nogi zagłębiły się w na pół wyciągniętych szufladach. Istna powódź kartek, ręcznym pismem pokrytych arkuszy, papierów pokrywała całą podłogę. Poznałem pismo Gibariana i pochyliłem się nad nimi. Podnosząc luźne arkusze, zauważyłem, że moja ręka rzuca nie pojedynczy jak dotąd, ale podwójny cień.

Odwróciłem się. Różowa firanka płonęła, jakby zapalona u góry, ostrą linią gwałtownie błękitnego ognia, który rozszerzał się z każdą chwilą. Szarpnąłem materiał w bok – oczy poraził przeraźliwy pożar. Zajmował trzecią część horyzontu. Gęstwina długich, upiornie rozciągniętych cieni biegła wgłębieniami fal ku Stacji. To był wschód. W strefie, w której znajdowała się Stacja, po godzinnej nocy na niebo wstępowało drugie, błękitne słońce planety. Samoczynny wyłącznik zgasił światła sufitowe, kiedy wróciłem do porzuconych papierów. Trafiłem na zwięzły opis doświadczenia, projektowanego przed trzema tygodniami – Gibarian zamierzał poddać plazmę działaniu bardzo twardych promieni rentgenowskich. Z tekstu zorientowałem się, że był przeznaczony dla Sartoriusa, który miał zorganizować eksperyment – trzymałem w ręku kopię. Białe arkusze papieru zaczynały mnie razić. Dzień, który nastał, był inny od poprzedniego. Pod pomarańczowym niebem stygnącego słońca ocean, atramentowy, z krwawymi odbłyskami, pokrywała niemal zawsze brudnoróżowa mgła, stapiająca w jedno sklepienie, chmury, fale – to wszystko teraz znikło. Nawet przefiltrowane przez różową tkaninę światło płonęło jak palnik potężnej lampy kwarcowej. Opalenizna moich rąk stała się w nim prawie szara. Cały pokój odmienił się, wszystko, co miało odcień czerwony, zbrązowiało i zblakło na kolor wątroby, natomiast przedmioty białe, zielone i żółte wyostrzyły się w kolorze, że zdawały się promieniować własnym blaskiem. Mrużąc oczy, spojrzałem przez szparę firanki: niebo było białym morzem ognia, pod którym drgał i dygotał jak gdyby płynny metal. Zacisnąłem powieki z rozszerzającymi się w polu widzenia czerwonymi kręgami. Na konsolce umywalki (jej brzeg był strzaskany) odkryłem ciemne szkła, zakrywające niemal pół twarzy, i nałożyłem je. Zasłona okienna gorzała teraz jak płomień sodu. Czytałem dalej, podnosząc arkusze z ziemi i układając je na jedynym nie przewróconym stoliku. Części tekstu brakowało.

Szły protokoły doświadczeń już przeprowadzonych. Dowiedziałem się z nich, że poddali ocean napromieniowaniu przez cztery dni w punkcie znajdującym się o tysiąc czterysta mil na północo-wschód od obecnego położenia. Wszystko to razem zaskoczyło mnie, ponieważ użycie promieni rentgenowskich było zakazane konwencją ONZ ze względu na ich zabójcze działanie, a byłem zupełnie pewny, że nikt nie zwracał się do Ziemi, aby uzyskać na te eksperymenty pozwolenie. W pewnej chwili, podnosząc głowę, zobaczyłem w lustrze uchylonych drzwi szafy własne odbicie, śmiertelnie białą twarz z czarnymi szkłami. Niesamowicie wyglądał pokój, płonący bielą i błękitem, ale po kilku minutach dało się słyszeć przeciągłe zgrzytanie i z zewnątrz zasunęły się na okna hermetyczne klapy; wnętrze ściemniało i zapaliło się sztuczne światło, dziwnie teraz blade. Robiło się tylko coraz cieplej, aż miarowy ton, dobywający się z przewodów klimatyzacji, upodobnił się do wytężonego skomlenia. Aparatury chłodnicze Stacji pracowały całą mocą. Mimo to martwy upał wciąż jeszcze rósł.

Dobiegły mnie kroki. Ktoś szedł korytarzem. Dwoma bezszelestnymi stąpnięciami znalazłem się u drzwi. Kroki zwolniły i zamarły. Ten, kto szedł, stał za drzwiami. Klamka pomału ugięła się; nie myśląc, odruchowo chwyciłem ją z mojej strony i przytrzymałem. Ucisk nie wzmagał się, ale i nie słabł. Ten ktoś po drugiej stronie drzwi zachowywał się tak samo bezgłośnie, jak gdyby zaskoczony. Trzymaliśmy klamkę przez dobrą chwilę. Potem odskoczyła mi nagle w dłoni – puszczona wolno, a słaby szelest świadczył, że tamten odchodzi. Stałem jeszcze, nasłuchując, ale panowała cisza.

Goście

Pospiesznie złożyłem we czworo i schowałem do kieszeni notatki Gibariana. Podszedłem z wolna do szafy i zajrzałem do środka – kombinezony i ubrania były ściśnięte i upchane w jeden kąt, jakby ktoś tam stał. Spod stosu papierów na podłodze wystawał rożek koperty. Podniosłem ją. Była zaadresowana do mnie. Ze ściśniętym nagle gardłem rozerwałem kopertę i musiałem się przemóc, żeby rozłożyć małą kartkę papieru, która tkwiła w środku.

Swoim regularnym, nadzwyczaj drobnym, ale czytelnym pismem Gibarian zanotował:

„Ann. Solar. Vol. I. Anex, także: Vot. Separat. Messengera w spr. F.; *Mały apokryf* Ravintzera".

To było wszystko, ani jednego słowa więcej. Pismo nosiło ślady pośpiechu. Czy to była jakaś ważna wiadomość? Kiedy to napisał? Pomyślałem, że muszę jak najszybciej pójść do biblioteki. Ów aneks do pierwszego solarystycznego rocznika znałem, to znaczy, wiedziałem o jego istnieniu, ale nie miałem go nigdy w ręce, przedstawiał bowiem czysto historyczną wartość. Natomiast o jakimś Ravintzerze ani o jego *Małym apokryfie* nigdy nawet nie słyszałem.

Co robić?

Spóźniłem się już o kwadrans. Raz jeszcze, od drzwi, objąłem oczami cały pokój. Teraz dopiero zauważyłem przytwierdzone pionowo do ściany składane łóżko, bo zasłaniała je rozwinięta mapa Solaris. Za mapą coś wisiało. Był to kieszonkowy magnetofon w futerale. Wyjąłem aparat, futerał powiesiłem na dawnym miejscu, a magnetofon wsunąłem do kieszeni. Spojrzałem na licznik – prawie cała szpula była nagrana.

Znowu stałem przez sekundę u drzwi, z zamkniętymi oczami, wsłuchując się z wysiłkiem w ciszę panującą na zewnątrz. Nic. Otworzyłem drzwi, korytarz wydał mi się czarną czeluścią, zdjąłem dopiero teraz ciemne szkła i zobaczyłem słabe światła sufitowe. Zamknąłem za sobą drzwi i poszedłem w lewo, ku radiostacji.

Zbliżałem się do okrągłej komory, z której rozchodziły się korytarze na kształt szprych koła, kiedy mijając jakieś ciasne, boczne przejście wiodące, zdaje się, do łazienek, zobaczyłem wielką, niewyraźną, prawie zlewającą się z półmrokiem postać.

Zatrzymałem się jak wryty. Z głębi owego odgałęzienia szła niespiesznym, kaczkowatym chodem ogromna Murzynka. Zobaczyłem błysk jej białek i prawie równocześnie usłyszałem miękkie, bose plaśnięcia jej stóp. Nie nosiła nic oprócz błyszczącej żółtawo, jakby ze słomy uplecionej spódniczki; miała olbrzymie, obwisłe piersi, a czarne ramiona dorównywały udom normalnego człowieka; minęła mnie, nie spojrzawszy nawet w moją stronę – w odległości metra – i poszła, kołysząc słoniowatymi kłębami, podobna do owych steatopygicznych rzeźb z epoki kamienia łupanego, jakie widuje się czasem w muzeach antropologicznych. Tam, gdzie korytarz zakręcał, zwróciła się w bok i zniknęła w drzwiach kabiny Gibariana. Kiedy je otwierała, przez mgnienie stanęła w mocniejszym świetle, które paliło się w pokoju. Drzwi zamknęły się cicho i zostałem sam. Prawą ręką ująłem kiść lewej i ścisnąłem ją z całej siły, aż kości chrupnęły. Rozejrzałem się nieprzytomnie po otoczeniu. Co się stało? Co to było? Tak nagle, jakby mnie ktoś uderzył, przypomniałem sobie ostrzeżenie Snauta. Co to miało znaczyć? Kim była ta poczwarna Afrodyta? Skąd się wzięła? Zrobiłem jeden, tylko jeden krok w stronę kabiny Gibariana i znieruchomiałem. Wiedziałem aż nadto dobrze, że nie wejdę tam. Łowiłem rozszerzonymi nozdrzami powietrze. Coś się nie zgadzało, coś było nie tak – ach! Odruchowo oczekiwałem wstrętnego, wyraźnego odoru jej potu, ale nawet gdy mijała mnie o krok, niczego nie poczułem.

Nie wiem, jak długo stałem oparty o chłodny metal ściany. Stację wypełniała cisza, a jedynym słyszalnym dźwiękiem był odległy, monotonny odgłos klimatyzacyjnych sprężarek.

Otwartą ręką uderzyłem się lekko w twarz i powoli poszedłem do radiostacji. Gdy naciskałem klamkę, usłyszałem ostry głos:

– Kto tam?

– To ja, Kelvin.

Siedział przy stoliku między stosem aluminiowych pudeł a pulpitem nadajnika i jadł prosto z puszki mięsny koncentrat. Nie wiem, czemu obrał sobie na mieszkanie radiostację. Stałem, ogłupiały, u drzwi, wpatrując się w jego żujące miarowo szczęki, i naraz poczułem, jaki jestem głodny. Podszedłem do półek, wybrałem ze stosu talerzy najmniej zakurzony i usiadłem naprzeciw niego. Jakiś czas jedliśmy w milczeniu, potem Snaut wstał, wyjął ze ściennej szafki termos i nalał nam po szklance gorącego bulionu. Stawiając termos na podłodze, na stoliku nie było już miejsca, spytał:

– Widziałeś Sartoriusa?

– Nie. Gdzie on jest?

– Na górze.

Na górze było laboratorium. Jedliśmy dalej, milcząc, aż blacha zazgrzytała w opróżnionej puszce. W radiostacji panowała noc. Okno było zamknięte szczelnie z zewnątrz, pod sufitem płonęły cztery okrągłe świetlówki. Ich odbicia drgały w plastykowej pokrywie nadajnika.

Napiętą skórę na kościach policzkowych Snauta znaczyły czerwone żyłki. Miał teraz na sobie czarny, luźny, postrzępiony sweter.

– Jest ci coś? – spytał.

– Nie. A co ma mi być?

– Spociłeś się.

Otarłem ręką czoło. Rzeczywiście ociekałem potem; musiała to być reakcja po poprzednim wstrząsie. Patrzał na mnie badawczo. Czy miałem mu powiedzieć? Wolałem, żeby sam okazał mi więcej zaufania. Kto grał tu przeciw komu i w jaki, niepojęty sposób?

– Gorąco jest – powiedziałem. – Przypuszczałem, że klimatyzacja lepiej u was działa.

– Za jakąś godzinę wyrówna się. Jesteś pewny, że to tylko z gorąca? – podniósł na mnie oczy. Żułem sumiennie, jakbym tego nie widział.

– Co masz zamiar robić? – spytał wreszcie, kiedy skończyliśmy jeść. Wrzucił całe naczynie i puste puszki do umywalni pod ścianą i wrócił na swój fotel.

– Zastosuję się do was – odparłem flegmatycznie. – Macie przecież jakiś plan badań? Jakiś nowy bodziec, podobno rentgen czy coś takiego, nie?

– Rentgen? – podniósł brwi. – Gdzie o tym słyszałeś?

– Nie pamiętam już. Ktoś mi mówił. Może na Prometeuszu. A co? Robicie to już?

– Nie znam szczegółów. To był pomysł Gibariana. Zaczął to z Sartoriusem. Ale jak możesz o tym wiedzieć?

Wzruszyłem ramionami.

– Nie znasz szczegółów? Powinieneś przy tym być, przecież to wchodzi w twój zakres – nie dokończyłem. Milczał. Skomlenie dochodzące z klimatyzatorów ucichło, a i temperatura utrzymywała się na znośnym poziomie. W powietrzu wisiał tylko nieustanny, wysoki ton, jak brzęk konającej muchy. Snaut wstał, podszedł do sterującego pulpitu i zaczął pstrykać kontaktami bez żadnego sensu, bo główny wyłącznik stał w martwej pozycji. Bawił się tak chwilę, aż nie odwracając głowy, zauważył:

– Trzeba będzie dopełnić formalności w związku z tym... wiesz.

– Tak?

Odwrócił się i spojrzał na mnie jakby bliski wściekłości. Nie mogę powiedzieć, że umyślnie starałem się wyprowadzić go z równowagi, ale nie rozumiejąc nic z gry, która się tu toczyła, wolałem być wstrzemięźliwy. Oścista grdyka chodziła mu nad czarną rurą swetra.

– Byłeś u Gibariana – powiedział nagle. To nie było pytanie. Podniosłem brwi i patrzałem mu spokojnie w twarz.

– Byłeś w jego pokoju – powtórzył.

Zrobiłem mały ruch głową, jak gdybym mówił „powiedzmy", „dajmy na to".

Chciałem, żeby dalej mówił.

– Kto tam był? – spytał.

Wiedział o niej!!!

– Nikt. A któż by tam mógł być? – spytałem.

– To dlaczego mnie nie wpuściłeś?

Uśmiechnąłem się.

– Bo się przestraszyłem. Po twoim ostrzeżeniu, kiedy klamka się ruszyła, przytrzymałem ją odruchowo. Dlaczego nie powiedziałeś, że to ty? Byłbym cię wpuścił.

– Myślałem, że to Sartorius – powiedział niepewnie.

– Więc co z tego?

– Co sądzisz o tym... co się tam stało? – odparował pytanie pytaniem.

Zawahałem się.

– Musisz wiedzieć lepiej ode mnie. Gdzie on jest?

– W chłodni – odpowiedział natychmiast. – Przenieśliśmy go zaraz rano... ze względu na upał.

– Gdzie go znalazłeś?

– W szafie.

– W szafie? Nie żył już?

– Serce biło jeszcze, ale nie oddychał. To była agonia.

– Próbowałeś go ratować?

– Nie.

– Dlaczego?

Zawahał się.

– Nie zdążyłem. Umarł, nim go położyłem.

– Stał w szafie? Między tymi kombinezonami?

– Tak.

Podszedł do małego biurka w kącie i przyniósł leżący na nim arkusz. Położył go przede mną.

– Spisałem taki prowizoryczny protokół – powiedział. – To nawet dobrze, że obejrzałeś sobie pokój. Przyczyna zgonu... zastrzyk śmiertelnej dawki pernostalu. Tu masz to napisane...

Przebiegłem oczami krótki tekst.

– Samobójstwo... – powtórzyłem cicho. – A przyczyna?

– Rozstrój... depresja... czy jak to nazwać. Znasz się na tym lepiej ode mnie.

– Znam się tylko na tym, co sam widzę – odpowiedziałem i spojrzałem mu z dołu w oczy, bo stał nade mną.

– Co chcesz przez to powiedzieć? – spytał spokojnie.

– Zastrzyknął sobie pernostal i schował się do szafy, tak? Jeżeli tak było, to nie depresja, nie żaden rozstrój, ale ostra psychoza. Paranoja... Pewno mu się zdawało, że coś widzi... – mówiłem coraz wolniej, patrząc mu w oczy.

Odszedł do radiowego pulpitu i znowu zaczął pstrykać kontaktami.

– Tu jest twój podpis – odezwałem się po chwili milczenia. – A Sartorius?

– Jest w laboratorium. Mówiłem ci już. Nie pokazuje się: przypuszczam, że...

– Że co?

– Że się zamknął.

– Zamknął się? Ach. Zamknął się. Proszę. Może się zabarykadował?

– Może.

– Snaut... – powiedziałem – na Stacji przebywa ktoś.

– Widziałeś?!

Patrzał na mnie, pochylony.

– Ostrzegałeś mnie. Przed kim? Czy to halucynacja?

– Co widziałeś?

– To jest człowiek, co?

Milczał. Odwrócił się ku ścianie, jakby nie chciał, żebym obserwował jego twarz. Bębnił palcami po metalowym przepierzeniu. Popatrzałem na jego ręce. Na kostkach nie było już śladu krwi. Doznałem krótkiego, jak błysk, olśnienia.

– Ta osoba jest realna – powiedziałem cicho, prawie szeptem, jakbym przekazywał mu tajemnicę, która może być podsłuchana. – Co? Można ją... dotknąć. Można ją... zranić... ostatni raz widziałeś ją dzisiaj.

– Skąd wiesz?

Nie odwrócił się. Stał przy samej ścianie, dotykając jej piersią tak, jak trafiły go moje słowa.

– Bezpośrednio przed moim lądowaniem... Niedługo przedtem...?

Skurczył się jak od uderzenia. Zobaczyłem jego oszalałe oczy.

– Ty?!!! – wykrztusił – kto TY jesteś?

Wyglądał, jakby się chciał na mnie rzucić. Tego nie oczekiwałem. Sytuacja stanęła na głowie. Nie wierzył, że jestem tym, za kogo się podaję? Co to miało znaczyć!? Patrzał na mnie z najwyższym przerażeniem. Czy to był już obłęd? Zatrucie? Wszystko stawało się możliwe. Ale widziałem ją – tę stworę, a zatem i ja sam... także...?

– Kto to był? – spytałem. Słowa te uspokoiły go. Przez chwilę patrzał na mnie badawczo, jakby mi jeszcze nie dowierzał. Wiedziałem już, że to fałszywe pociągnięcie i że mi nie odpowie, nim jeszcze otworzył usta.

Usiadł powoli na fotelu i ścisnął głowę rękami.

– Co tu się dzieje... – powiedział cicho. – Maligna...

– Kto to był? – spytałem raz jeszcze.

– Jeżeli nie wiesz... – mruknął.

– To co?

– To nic.

– Snaut – powiedziałem – jesteśmy dostatecznie daleko od domu. Zagrajmy w otwarte karty. Wszystko jest i tak pogmatwane.

– O co ci chodzi?

– Żebyś powiedział, kogo widziałeś.

– A ty...? – rzucił podejrzliwie.

– Gonisz w piętkę. Powiem ci i ty mi powiesz. Możesz być spokojny, nie wezmę cię za wariata, bo wiem...

– Za wariata! Wielki Boże! – próbował się roześmiać. – Człowieku, ależ ty nic, zupełnie nic... ależ to byłoby zbawieniem. Gdyby on przez chwilę uwierzył, że to obłęd, nie zrobiłby tego, żyłby...

– Więc to, co napisałeś w protokole o rozstroju, jest kłamstwem?

– Oczywiście!

– Dlaczego nie napiszesz prawdy?

– Dlaczego...? – powtórzył.

Zapadło milczenie. Znowu byłem w zupełnej ciemności, nie pojmowałem niczego, a przez chwilę zdawało mi się, że uda mi się go przekonać i wspólnymi siłami zaatakujemy zagadkę. Dlaczego, dlaczego nie chciał mówić?!

– Gdzie są automaty? – odezwałem się.

– W magazynach. Zamknęliśmy wszystkie, z wyjątkiem obsługi lotniska.

– Dlaczego?

Znowu nie odpowiedział.

– Nie powiesz?

– Nie mogę.

Był w tym jakiś element, którego nie umiałem pochwycić. Może pójść na górę, do Sartoriusa? Naraz przypomniałem sobie kartkę i to wydało mi się w tej chwili najważniejsze.

– Czy wyobrażasz sobie dalszą pracę w takich warunkach? – spytałem.

Wzruszył pogardliwie ramionami.

– Cóż to ma za znaczenie?

– Ach tak? Więc co masz zamiar robić?

Milczał. W ciszy dał się słyszeć daleki odgłos bosego stąpania. Pośród niklowych i plastykowych aparatów, wysokich szaf z elektronową aparaturą, szkieł, precyzyjnych aparatów ów człapiący, rozlazły chód brzmiał jak błazeńska sztuczka kogoś niespełna rozumu. Stąpanie zbliżało się. Wstałem, obserwując z największym napięciem Snauta. Nasłuchiwał z oczami zmrużonymi w szparki, ale wcale nie wydawał się przestraszony. A więc nie j e j się bał??

– Skąd się wzięła? – spytałem. A gdy zwlekał: – Nie chcesz powiedzieć?

– Nie wiem.

– Dobrze.

Stąpanie oddaliło się i ucichło.

– Nie wierzysz mi? – powiedział. – Daję ci słowo, że nie wiem.

Milcząc, otworzyłem szafę ze skafandrami i zacząłem rozpychać ich ciężkie, puste powłoki. Jak się tego spodziewałem, w głębi, na hakach, wisiały pistolety gazowe, służące do poruszania się w bezgrawitacyjnej próżni. Nie były wiele warte, ale stanowiły przecież jakąś broń. Wolałem taką od żadnej. Sprawdziłem ładownicę i przewiesiłem przez ramię rzemyk futerału. Snaut obserwował mnie bacznie. Kiedy regulowałem długość rzemyka, pokazał żółte zęby w szyderczym uśmiechu.

– Szczęśliwych łowów! – powiedział.

– Dziękuję ci za wszystko – odparłem, idąc do drzwi. Zerwał się z fotela.

– Kelvin!

Popatrzyłem na niego. Już się nie uśmiechał. Nie wiem, czy widziałem kiedy tak umęczoną twarz.

– Kelvin, to nie jest... ja... naprawdę nie mogę – wybełkotał. Czekałem, czy jeszcze coś powie, ale tylko poruszał ustami, jakby chciał coś z nich wyrzucić.

Odwróciłem się i wyszedłem bez słowa.

Sartorius

Korytarz był pusty. Prowadził najpierw prosto, potem zakręcał w prawo. Nie byłem nigdy na Stacji, ale przez sześć tygodni mieszkałem – w ramach wstępnego treningu – w jej dokładnej kopii, znajdującej się w Instytucie, na Ziemi. Wiedziałem, dokąd prowadzą schodki o aluminiowych stopniach. Biblioteka była nie oświetlona. Po omacku odnalazłem kontakt. Kiedy wyszukałem w kartotece pierwszy tom solaryjskiego rocznika wraz z aneksem, po naciśnięciu klawisza zapaliło się czerwone światełko. Sprawdziłem w rejestratorze – książka znajdowała się u Gibariana, podobnie jak druga – ów *Mały apokryf*. Zgasiłem światło i wróciłem na dół. Bałem się wejść do jego kabiny mimo zasłyszanych przedtem kroków. Mogła tam wrócić. Jakiś czas stałem przed drzwiami, aż, zaciskając szczęki, przemogłem się i wszedłem.

Oświetlony pokój był pusty. Zacząłem przerzucać książki leżące na podłodze u okna; w pewnej chwili podszedłem do szafy i zamknąłem ją. Nie mogłem patrzeć w to puste miejsce pomiędzy kombinezonami. Pod oknem aneksu nie było. Przekładałem metodycznie tom za tomem, aż dotarłszy do ostatniej kupy książek, spoczywających między łóżkiem a szafą, odnalazłem poszukiwany tom.

Miałem nadzieję, że odnajdę w nim jakąś wskazówkę, i rzeczywiście – w spisie nazwisk tkwiła zakładka; czerwonym ołówkiem zakreślone zostało nazwisko, które mi nic nie mówiło: André Berton. Występowało na dwu różnych stronach. Zajrzałem najpierw w miejscu wcześniejszym i dowiedziałem się, że Berton był rezerwowym pilotem statku Shannahana. Następna wzmianka o nim znajdowała się z górą sto stron dalej. Bezpośrednio po lądowaniu ekspedycja postępowała z nadzwyczajną ostrożnością, ale gdy po szesnastu dniach okazało się, że plazmatyczny ocean nie tylko nie wykazuje żadnych oznak agresywności, ale cofa się przed każdym zbliżanym do jego powierzchni przedmiotem i, jak może, unika bezpośredniego kontaktu z aparatami czy ludźmi, Shannahan i jego zastępca Timolis znieśli część podyktowanych ostrożnością obostrzeń postępowania, gdyż nad wyraz utrudniały i opóźniały prowadzenie prac.

Ekspedycja została wówczas rozbita na małe, dwu- i trójosobowe grupy, dokonujące kilkusetmilowych nieraz lotów nad oceanem; używane poprzednio jako osłona miotacze, zamykające teren prac, umieszczono w Bazie. Pierwsze cztery dni po tej zmianie metodyki upłynęły bez jakichkolwiek wypadków, jeśli nie liczyć trafiających się od czasu do czasu uszkodzeń aparatury tlenowej skafandrów, gdyż wylotowe zawory okazały się wrażliwe na korodujące działanie trującej atmosfery. W związku z tym trzeba je było codziennie prawie zmieniać na nowe.

W dniu piątym, a dwudziestym pierwszym, licząc od momentu lądowania, dwu badaczy, Carucci i Fechner (pierwszy był radiologiem, a drugi fizykiem), dokonało eksploracyjnego lotu nad oceanem, w małym dwuosobowym aeromobilu. Nie był to pojazd latający, ale ślizgowiec, który porusza się na poduszce zgęszczonego powietrza.

Gdy po sześciu godzinach nie wrócili, Timolis, który zawiadywał Bazą pod nieobecność Shannahana, zarządził alarm i wysłał wszystkich dostępnych ludzi na poszukiwania.

Fatalnym zbiegiem okoliczności łączność radiowa urwała się tego dnia, około godziny po wyruszeniu grup eksploracyjnych; przyczyną była wielka plama czerwonego słońca, wysyłająca silne promieniowanie korpuskularne w wierzchnie warstwy atmosfery. Działały jedynie aparaty fal ultrakrótkich, umożliwiając porozumiewanie się na odległość nie przekraczającą dwudziestu kilku mil. Na domiar złego przed zachodem słońca mgła zgęstniała i poszukiwania trzeba było przerwać.

Już kiedy grupy ratownicze wracały do Bazy, jedna odkryła aeromobil w odległości zaledwie 80 mil od brzegu. Silnik pracował i maszyna, nie uszkodzona, unosiła się nad falami. W przezroczystej kabinie znajdował się jeden tylko, na pół przytomny człowiek – Carucci.

Aeromobil doprowadzono do Bazy, a Carucciego poddano zabiegom lekarskim; jeszcze tego samego wieczoru wrócił do przytomności. O losie Fechnera nic nie mógł powiedzieć. Pamiętał tylko, że w czasie gdy zamierzali już wracać, jął odczuwać duszności. Zawór wydechowy jego aparatu zacinał się i do wnętrza skafandra przy każdym wdechu dostawała się niewielka ilość trujących gazów.

Fechner, usiłując naprawić jego aparat, musiał odpiąć pasy i wstać. To była ostatnia rzecz, jaką pamiętał Carucci. Przypuszczalny bieg wypadków był – według oceny fachowców – następujący: naprawiając aparat Carucciego, Fechner otworzył dach kabiny, prawdopodobnie dlatego, że pod niską kopułką nie mógł się swobodnie poruszać. Było to dopuszczalne, gdyż kabina takich maszyn nie jest hermetyczna i stanowi jedynie osłonę przed wpływami atmosferycznymi i wiatrem. Podczas tych manipulacji musiał zepsuć się aparat tlenowy Fechnera, który, zamroczony, wspiął się na górę, wydostał się przez otwór kopułki na grzbiet maszyny i spadł do oceanu.

Taka jest historia pierwszej ofiary oceanu. Poszukiwania ciała – w skafandrze winno się było unosić na falach – nie dały żadnego rezultatu. Zresztą może i pływało: dokładne przetrząśnięcie tysięcy mil kwadratowych prawie nieustannie okrytej łachami mgieł, falującej pustyni przekraczało możliwości ekspedycji.

Do zmierzchu – wracam do wypadków poprzednich – wróciły wszystkie aparaty ratownicze, z wyjątkiem dużego, towarowego helikoptera, na którym wyleciał Berton.

Ukazał się nad Bazą prawie w godzinę po zapadnięciu ciemności, kiedy poważnie się już o niego lękano. Znajdował się w stanie szoku nerwowego; wydostał się z aparatu o własnych siłach tylko po to, aby się rzucić do ucieczki; powstrzymywany, krzyczał i płakał; u mężczyzny, który miał za sobą siedemnaście lat kosmicznej żeglugi w najcięższych nieraz warunkach, było to zdumiewające.

Lekarze przypuszczali, że i Berton uległ zatruciu. Po dwu dniach Berton, który nawet wróciwszy do pozornej równowagi, nie chciał ani na chwilę opuścić wnętrza głównej rakiety ekspedycji, ani nawet podejść do okna, z którego otwierał się widok na ocean, oświadczył, że pragnie złożyć raport ze swego lotu. Nalegał na to, twierdząc, że jest to rzecz najwyższej wagi. Raport ów po zbadaniu go przez radę ekspedycji uznany został za chorobliwy twór umysłu, zatrutego gazami atmosfery i jako taki dołączony nie do historii ekspedycji, ale do historii choroby Bertona, na czym się cała rzecz zakończyła.

Tyle mówił aneks. Domyślałem się, że sedno sprawy stanowił, oczywiście, sam raport Bertona – to, co doprowadziło owego pilota dalekiego zasięgu do nerwowego załamania. Po raz wtóry wziąłem się do wertowania książek, ale *Małego apokryfu* nie udało mi się odnaleźć. Byłem coraz bardziej zmęczony, odłożyłem więc dalsze poszukiwania do jutra i opuściłem kabinę. Kiedy mijałem aluminiowe schody, zobaczyłem leżące na stopniach płaty padającego z góry światła. A więc Sartorius pracował wciąż jeszcze, o tej porze! Pomyślałem, że powinienem go zobaczyć.

Na górze było nieco cieplej. W szerokim, niskim korytarzu buszował słaby powiew. Pasemka papieru furkotały zapamiętale nad wylotami wentylacyjnymi. Drzwi głównego laboratorium tworzyła gruba płyta chropawego szkła, ujęta w metalową ramę. Od wewnątrz szkło było przesłonięte czymś ciemnym; światło dobywało się tylko przez wąskie podsufitowe okna. Nacisnąłem sztabę. Jak się tego spodziewałem, drzwi nie poddały się. W środku panowała cisza, od czasu do czasu rozlegał się słaby pisk jakby gazowego płomienia. Zapukałem – żadnej odpowiedzi.

– Sartorius! – zawołałem. – Doktorze Sartorius! To ja, nowy, Kelvin! Muszę się z panem zobaczyć, proszę, niech pan otworzy!

Słaby szmer, jakby ktoś stąpał po zmiętym papierze, i znowu cisza.

– To ja, Kelvin! Przecież pan o mnie słyszał! Przyleciałem Prometeuszem przed paru godzinami! – wołałem, zbliżając usta do miejsca, w którym odrzwia stykały się z metalową framugą. – Doktorze Sartorius! Tu nikogo nie ma, tylko ja! Niech mi pan otworzy.

Milczenie. Potem słaby szmer. Kilka szczęknięć, bardzo wyraźnych, jakby ktoś układał metalowe narzędzia na metalowej tacy. I naraz osłupiałem. Rozległa się seria drobniutkich stąpnięć, jakby truchcik dziecka: gęste, pospieszne drobienie małych nóżek. Chyba... chyba ktoś imitował je nadzwyczaj zręcznie palcami na jakimś pustym, dobrze rezonującym pudle.

– Doktorze Sartorius!!! – ryknąłem. – Otwiera pan czy nie?!

Żadnej odpowiedzi, tylko znów ten dziecinny trucht i równocześnie kilka szybkich, słabo słyszalnych, zamaszystych kroków, jak gdyby ten człowiek szedł na palcach. Ale jeśli szedł, to nie mógł przecież równocześnie imitować chodu dziecka? Co mnie to zresztą obchodzi! – pomyślałem i nie hamując już wściekłości, która zaczynała mnie ogarniać, huknąłem:

– Doktorze Sartorius!!! Nie po to leciałem przez szesnaście miesięcy, żeby mnie zastopowały wasze komedie!!! Liczę do dziesięciu. Potem wysadzę drzwi!!!

Wątpiłem, czy mi się to uda.

Odrzut pistoletu gazowego nie jest bardzo silny, ale byłem zdecydowany spełnić moją groźbę tak albo inaczej, choćbym miał udać się na poszukiwanie wybuchowych ładunków, których na pewno nie brakło w magazynie. Powiedziałem sobie, że nie wolno mi ulec, to znaczy, nie mogę grać wciąż tymi szaleństwem znaczonymi kartami, które wpycha mi w ręce sytuacja.

Rozległ się taki odgłos, jakby ktoś się z kimś mocował albo coś pchał, zasłona w środku odsunęła się może o pół metra, smukły cień padł na taflę matowych, jak gdyby szronem okrytych drzwi, i z lekka ochrypły dyszkant przemówił:

– Otworzę, ale musi pan przyrzec, że nie wejdzie do środka.

– To po co pan chce otwierać!? – huknąłem.

– Wyjdę do pana.

– Dobrze. Przyrzekam.

Rozległ się lekki trzask obracanego w zamku klucza, potem ciemna sylwetka, zasłaniająca połowę drzwi, starannie zaciągnęła na powrót zasłonę, toczyły się tam jakieś zawiłe operacje – słyszałem trzeszczenie jakby przesuwanego drewnianego stolika, na koniec jasna tafla uchyliła się na tyle, że Sartorius prześliznął się do korytarza. Stał przede mną, zasłaniając sobą drzwi. Był nadzwyczaj wysoki, chudy, pod kremowym trykotem ciało jego zdawało się składać z samych tylko kości. Szyję miał owiniętą czarną chustką; przez ramię zwisał mu złożony we dwoje, popalony odczynnikami, ochronny płaszcz laboratoryjny. Nadzwyczaj wąską głowę trzymał bokiem. Prawie pół twarzy zasłaniały mu wygięte czarne szkła, tak że nie mogłem dostrzec jego oczu. Miał długą dolną szczękę, sinawe usta i olbrzymie, jakby odmrożone, bo także sinawe, uszy. Był nie ogolony. Z przegubów zwisały mu na pętlicach przeciwpromienne rękawice z czerwonej gumy. Staliśmy tak chwilę, patrząc na siebie z nieukrywaną niechęcią. Resztki jego włosów (wyglądał, jakby się sam strzygł na jeża maszynką) były ołowiane, zarost – całkiem siwy. Czoło opalone, jak u Snauta, ale opalenizna kończyła się mniej więcej w połowie jego wysokości poziomą linią. Widać nosił stale na słońcu jakąś myckę.

– Słucham – powiedział wreszcie. Wydawało mi się, że nie tyle czeka na to, co mam mu powiedzieć, ile wsłuchuje się z natężeniem w przestrzeń poza sobą, wciąż przywierając plecami do szklanej tafli. Dobrą chwilę nie wiedziałem, jak się odezwać, żeby nie strzelić głupstwa.

– Nazywam się Kelvin... musiał pan o mnie słyszeć – zacząłem. – Jestem, to znaczy... byłem współpracownikiem Gibariana...

Jego chuda twarz, cała w pionowych liniach – tak musiał wyglądać Donkiszot – była bez wyrazu. Czarna wygięta płytka wycelowanych we mnie okularów utrudniała mi w najwyższym stopniu mówienie.

– Dowiedziałem się, że Gibarian... nie żyje. – Zawiesiłem głos.

– Tak. Słucham?...

Zabrzmiało to niecierpliwie.

– Czy popełnił samobójstwo?... Kto znalazł ciało, pan czy Snaut?

– Dlaczego zwraca się pan z tym do mnie? Czy doktor Snaut nie powiedział panu...?

– Chciałem usłyszeć, co p a n ma w tej sprawie do powiedzenia...

– Pan jest psychologiem, doktorze Kelvin?

– Tak. A co?

– Uczonym?

– No tak. Jaki to ma związek...

– Myślałem, że pan jest urzędnikiem kryminalnym lub policjantem. Jest teraz druga czterdzieści, a pan, zamiast starać się wciągnąć w tok prac prowadzonych na Stacji, co byłoby ostatecznie zrozumiałe, mimo tej brutalnej próby wtargnięcia do laboratorium, wypytuje mnie, jakbym co najmniej był podejrzanym.

Opanowałem się z wysiłkiem, od którego pot wystąpił mi na czoło.

– Pan j e s t podejrzany, Sartorius! – powiedziałem zduszonym głosem.

Chciałem go ugodzić za wszelką cenę, dlatego dorzuciłem zaciekle:

– I pan o tym doskonale wie!

– Jeżeli pan tego nie odwoła i nie przeprosi mnie, złożę na pana zażalenie w meldunku radiowym, Kelvin!

– Za co mam pana przeprosić? Za to, że zamiast przyjąć mnie, zamiast uczciwie wprowadzić w to, co się tu dzieje, zamyka się pan i barykaduje w laboratorium?! Czy pan zupełnie już stracił rozum?! Kim pan właściwie jest – uczonym czy nędznym tchórzem?! Co? Może mi pan odpowie?! – Nie wiem sam, co krzyczałem, nawet nie drgnął. Po bladej, porowatej skórze ściekały mu grube krople potu. Nagle zorientowałem się: w ogóle mnie nie słuchał! Obie ręce ukrył za sobą, z całej siły przytrzymywał nimi drzwi, które zadrgały lekko, jakby ktoś napierał na nie z drugiej strony.

– Niech... pan... odejdzie... – wystękał naraz dziwnym, piskliwym głosem. – Niech pan... na miłość boską! niech pan idzie! niech pan idzie na dół, ja przyjdę, przyjdę, zrobię wszystko, co pan tylko chce, ale proszę iść!!!

Taka męka była w jego głosie, że całkiem osłupiały podniosłem odruchowo rękę, chcąc mu pomóc w przytrzymaniu tych drzwi, bo o to najwyraźniej walczył, ale on wydał wtedy okropny krzyk, jakbym zamierzył się na niego nożem, zacząłem więc cofać się tyłem, to krzyczał wciąż falsetem „Idź! idź!" – to znowu „Wracam już! już wracam! już wracam!!! Nie! nie!!!"

Uchylił drzwi i rzucił się do środka, wydawało mi się, że na wysokości jego piersi mignęło coś złotawego, jakby jakiś lśniący dysk, z laboratorium dobiegał teraz głuchy rumor, zasłona poleciała w bok, wielki, wysoki cień przemknął po szklanym ekranie, zasłona wróciła na swoje miejsce i nic już nie było widać. Co się tam działo?! Zatupotały kroki, szalona gonitwa urwała się z przeraźliwym, szklanym łomotem i usłyszałem zanoszący się śmiech dziecka...

Nogi trzęsły się pode mną; rozejrzałem się na wszystkie strony. Nastała cisza. Usiadłem na niskim, plastykowym parapecie okiennym. Siedziałem tak chyba z kwadrans, nie wiem, czekając na coś, czy po prostu tak doprowadzony do ostateczności, że nie chciało mi się nawet wstać. Głowa wprost mi pękała. Gdzieś, wysoko, posłyszałem przeciągłe zgrzytanie i równocześnie otoczenie pojaśniało.

Z mego miejsca widziałem tylko część kolistego korytarza, który opasywał laboratorium. Znajdowało się na samym szczycie Stacji, tuż pod tarczą wierzchniego pancerza, dlatego zewnętrzne ściany były wklęsłe i pochyłe, z umieszczonymi co kilka metrów oknami, niczym strzelnice; przesłaniające z zewnątrz klapy unosiły się właśnie w górę, błękitny dzień dochodził kresu. Przez grube szyby buchnął oślepiający blask. Każda niklowa listwa, każda klamka zapłonęła jak małe słońce. Drzwi do laboratorium – ta wielka płyta chropawego szkła – rozjarzyły się niczym otwór paleniska. Patrzałem na moje poszarzałe w tym upiornym świetle, złożone na kolanach ręce. W prawej trzymałem pistolet gazowy, pojęcia nie miałem, kiedy ani jak wyrwałem go z futerału. Wpuściłem go tam na powrót. Wiedziałem już, że nie pomoże mi nawet miotacz atomowy, cóż mógłbym nim zdziałać? Rozwalić drzwi? Wedrzeć się do laboratorium?

Wstałem. Zapadająca w ocean, podobna do wybuchu wodorowego tarcza posłała za mną poziomy pęk promieni, materialnych prawie; kiedy trafiły mój policzek (schodziłem już po stopniach w dół), było to jak przyłożenie rozgrzanej pieczęci.

W połowie schodów rozmyśliłem się i wróciłem na górę. Obszedłem laboratorium dokoła. Jak powiedziałem, korytarz otaczał je: przeszedłszy ze sto kroków, znalazłem się po drugiej stronie, naprzeciw zupełnie podobnych, szklanych drzwi. Nie próbowałem ich otworzyć, wiedziałem, że są zamknięte.

Szukałem jakiegoś okienka w plastykowej ścianie, choćby jakiejś szczeliny; myśl o podpatrywaniu Sartoriusa nie wydała mi się wcale niegodziwa. Chciałem skończyć z domysłami i poznać prawdę, chociaż nie wyobrażałem sobie, jak będę ją mógł zrozumieć.

Przyszło mi na myśl, że światło dają salom laboratoryjnym okna sufitowe, to znaczy, umieszczone w wierzchnim pancerzu, i gdybym wydostał się na zewnątrz, mógłbym, być może, zajrzeć przez nie do środka. W tym celu musiałem zejść na dół po skafander i aparat tlenowy. Stałem u schodów, zastanawiając się, czy gra warta jest świeczki. Było całkiem prawdopodobne, że szkło górnych okien jest matowe, ale cóż mi pozostawało. Zszedłem na średni poziom. Musiałem przejść obok radiostacji. Drzwi były otwarte na oścież. Siedział w fotelu tak, jak go zostawiłem. Spał. Na odgłos moich kroków drgnął i otworzył oczy.

– Halo, Kelvin! – odezwał się ochryple. Milczałem.

– No i co, dowiedziałeś się czegoś? – spytał.

– Owszem – odparłem powoli. – On nie jest sam.

Wykrzywił usta.

– No proszę. To już coś. Ma gości, powiadasz?

– Nie rozumiem, dlaczego nie chcecie powiedzieć, co to jest – rzuciłem jakby od niechcenia. – Przecież, zostając tu, i tak dowiem się prędzej czy później. Więc po co te tajemnice?

– Zrozumiesz, jak sam będziesz miał gości – powiedział. Wyglądało mi, że na coś czeka i nie bardzo chce mu się rozmawiać.

– Dokąd idziesz? – rzucił, kiedy się odwróciłem. Nie odpowiedziałem. Hala lotniska była w tym samym stanie, w jakim ją zostawiłem. Na wzniesieniu stał otwarty na oścież mój osmalony zasobnik. Zbliżyłem się do stojaków ze skafandrami, ale raptem odechciało mi się tej eskapady na wierzchni pancerz. Zawróciłem na miejscu i zeszedłem krętymi schodkami w dół, do magazynów. Wąski korytarz pełen był butli i ustawionych jedna na drugiej skrzyń. Ściany stanowił tu nagi, błyszczący sinawo w świetle metal. Jeszcze kilkadziesiąt kroków i ukazały się pod stropem biało oszronione przewody aparatury chłodniczej. Poszedłem ich śladem. Wnikały poprzez ujętą w gruby plastykowy kołnierz mufę do zamkniętego szczelnie pomieszczenia. Gdy otworzyłem ciężkie, grube na dwie dłonie drzwi o gumowym obrzeżu, owionął mnie przenikający do kości mróz. Zadrżałem. Z gęstwiny ośnieżonych zwojnic zwisały lodowe sople. I tu stały warstewką śniegu okryte skrzynie, zasobniki, półki pod ścianami pełne były puszek i opakowanych w przezroczysty plastyk żółtawych brył jakiegoś tłuszczu. W głębi beczkowaty strop obniżał się. Wisiała tam gruba, iskrząca się od lodowych igiełek zasłona. Odgarnąłem jej brzeg. Na legowisku z aluminiowych krat spoczywał okryty szarą materią wielki, podługowaty kształt. Podniosłem skraj płachty i zajrzałem w ściętą twarz Gibariana. Czarne włosy z siwym pasmem nad czołem przylegały gładko do czaszki. Krtań sterczała wysoko, przełamując szyję. Wyschłe oczy patrzały pionowo w strop, w rogu powieki zebrała się mętna kropla lodu. Zimno tak mnie przeszywało, że z trudem powstrzymywałem szczękanie zębów. Nie puszczając całunu, drugą ręką dotknąłem jego policzka. Było to całkiem, jakbym dotknął zmarzłego drewna. Skóra była chropawa od zarostu, który przekłuwał ją czarnymi punkcikami. Wyraz niezmiernej, pogardliwej cierpliwości zastygł w złożeniu warg. Opuszczając skraj materiału, zauważyłem, że po drugiej stronie ciała wysuwa się spod fałd kilka czarnych, podługowatych korali czy ziaren fasoli, od najmniejszych do wielkich. Naraz zamarłem.

To były palce nagich stóp widziane od strony podeszwy, jajowate brzuśce paluchów odstawały z lekka, pod zmiętym skrajem całunu leżała, spłaszczona, Murzynka.

Spoczywała na twarzy, jakby pogrążona w głębokim śnie. Cal za calem odciągnąłem gruby materiał. Głowa, pokryta włosami, zgruźlonymi w małe, sinawe pęczki, leżała w zgięciu tak samo czarnego, masywnego ramienia. Lśniącą skórę pleców napinały wzniesienia kręgosłupa. Kolosalnego cielska nie ożywiał najmniejszy ruch. Raz jeszcze spojrzałem na bose podeszwy jej stóp i uderzyła mnie wtedy dziwna rzecz: nie były spłaszczone ani zbite ciężarem, który musiały podtrzymywać, nie były nawet zrogowaciałe od chodzenia boso, pokrywała je skóra równie cienka jak pleców czy rąk.

Sprawdziłem to wrażenie dotknięciem, które przyszło mi daleko trudniej aniżeli dotknięcie martwego ciała. Stała się wówczas rzecz niewiarygodna: to wydane na dwudziestostopniowy mróz ciało ożyło i poruszyło się. Podciągnęła stopę jak śpiący pies, kiedy go wziąć za łapę.

Zamarznie tu – pomyślałem, ale jej ciało było spokojne i niezbyt chłodne, czułem jeszcze rozwiewający się w opuszkach palców miękki dotyk. Cofnąłem się za zasłonę, opuściłem ją i wróciłem na korytarz. Wydało mi się, że panuje w nim niesamowity upał. Schody wyprowadziły mnie tuż przy hali lotniska. Usiadłem na zwiniętym w rulon pierściennym spadochronie i wziąłem głowę w ręce. Czułem się jak obity. Nie wiedziałem, co się ze mną dzieje. Byłem zdruzgotany, moje myśli osuwały się po jakimś urwisku, grożąc runięciem – utrata świadomości, unicestwienie wydały mi się niewysłowioną, niedosięgłą łaską.

Nie miałem po co iść do Snauta czy Sartoriusa, nie wyobrażałem sobie, żeby ktokolwiek mógł złożyć w całość to, co dotychczas przeżyłem, co widziałem, czego dotykałem własnymi rękami. Jedynym ratunkiem – ucieczką – wytłumaczeniem była diagnoza obłędu. Tak: musiałem oszaleć, i to natychmiast po lądowaniu. Ocean wpłynął tak na mój mózg – przeżywałem halucynacje po halucynacjach, a skoro tak, to nie trzeba marnować sił w daremnych próbach rozwikłania zagadek, nie istniejących w rzeczywistości, ale szukać pomocy lekarskiej, wezwać z radiostacji Prometeusza czy inny jakiś statek, wysłać sygnały SOS.

Stało się wówczas coś, czego bym raczej nie oczekiwał: myśl o tym, że zwariowałem, uspokoiła mnie.

Aż nadto dobrze rozumiałem słowa Snauta – jeśli założyć, że w ogóle istniał jakiś Snaut i że z nim kiedykolwiek rozmawiałem, przecież halucynacje mogły się rozpocząć dużo wcześniej – kto wie, czy nie przebywałem wciąż jeszcze na pokładzie Prometeusza, porażony nagłym atakiem choroby umysłowej, a wszystko, co przeżyłem, było tworem mego podrażnionego mózgu? Jeżeli jednak byłem chory, mogłem wyzdrowieć, a to dawało mi przynajmniej nadzieję wybawienia, której w żaden sposób nie potrafiłem dostrzec w poplątanych koszmarach kilka godzin zaledwie liczących solaryjskich doświadczeń.

Należało zatem przeprowadzić przede wszystkim jakiś pomyślany logicznie eksperyment nad samym sobą – *experimentum crucis* – który wykazałby mi, czy naprawdę oszalałem i jestem ofiarą majaków własnej wyobraźni, czy też, mimo ich absurdalności i nieprawdopodobieństwa, moje przeżycia są realne.

Rozmyślałem tak, przypatrując się metalowemu wspornikowi, który podtrzymywał konstrukcję nośną lotniska. Był to wystający ze ściany, obwałowany wypukłymi blachami, stalowy maszt, pomalowany na seledynowy kolor; w kilku miejscach, na wysokości jakiegoś metra, lakier złuszczył się, zapewne zdarły go przesuwane tędy rakietowe wózki. Dotknąłem stali, ogrzewałem ją chwilę dłonią, puknąłem w wywalcowany brzeg blachy ochronnej; czy majaczenie może osiągnąć taki stopień realności? Może – odpowiedziałem sam sobie; w końcu to była moja dziedzina, znałem się na tym.

A czy wymyślenie owego kluczowego eksperymentu jest możliwe? Początkowo wydawało mi się, że nie, albowiem mój chory mózg (jeżeli rzeczywiście jest chory) będzie produkował wszelkie ułudy, jakich od niego zażądam. Przecież nie tylko w chorobie, ale i w najnormalniejszym śnie zdarza się, że rozmawiamy z nie znanymi nam na jawie osobami, że zadajemy tym śnionym postaciom pytania i słyszymy ich odpowiedzi; przy tym – choć osoby te są w istocie tylko płodami naszej własnej psychiki, niejako wyosobnionymi czasowo jej pseudosamodzielnymi częściami, to nie wiemy, jakie słowa padną z ich ust, dopóty, dopóki się (w owym śnie) nie odezwą do nas. A przecież naprawdę są to słowa spreparowane przez tamtą, wyodrębnioną część naszego własnego umysłu, a zatem powinniśmy je znać już w chwili, kiedyśmy je sami wymyślili, aby włożyć je w usta fikcyjnej postaci. Cokolwiek bym zatem zaplanował i urzeczywistnił, zawsze mogłem sobie powiedzieć, że postąpiłem tak właśnie, jak postępuje się we śnie. Ani Snaut, ani Sartorius nie musieli bynajmniej istnieć w rzeczywistości, stawianie zatem jakichkolwiek pytań im obu było daremne.

Pomyślałem, że mógłbym zażyć jakieś lekarstwo, jakiś silnie działający środek, na przykład peyotl lub inny preparat, który wywołuje omamy i barwne wizje. Przeżycie takich fenomenów udowodniłoby, że to, co zażyłem, istnieje naprawdę i jest częścią materialnej, otaczającej mnie rzeczywistości. Ale i to – kontynuowałem myśl – nie byłoby pożądanym eksperymentem kluczowym, ponieważ wiedziałem, jak środek (który sam musiałem przecież wybrać) p o w i n i e n działać, a zatem mogło być tak, że zarówno zażycie tego lekarstwa, jak i spowodowane przez nie efekty, stanowić będą jednakowo twory mej wyobraźni.

Zdawało mi się już, że zamkniętemu w krąg obłędu nie uda mi się z niego wyrwać – nie można przecież myśleć inaczej aniżeli mózgiem, nie można znaleźć się na zewnątrz samego siebie, aby sprawdzić normalność zachodzących w ciele procesów, kiedy nagle olśniła mnie myśl równie prosta, co trafna.

Zerwałem się ze stosu zwiniętych spadochronów i pobiegłem prosto do radiostacji. Była pusta. Mimochodem rzuciłem okiem na ścienny zegar elektryczny. Dochodziła czwarta godzina nocy, umownej nocy Stacji, na zewnątrz bowiem panował czerwony świt. Uruchomiłem szybko aparaturę radiowej łączności dalekiego zasięgu, a czekając, aż nagrzeją się lampy, raz jeszcze ustaliłem w głowie poszczególne etapy doświadczenia.

Nie pamiętałem, jaki jest wywoławczy sygnał automatycznej stacji okołosolarycznego Sateloidu, ale znalazłem go na tabliczce wiszącej nad głównym pulpitem. Wysłałem wezwanie alfabetem Morse'a i po ośmiu sekundach przyszła odpowiedź. Sateloid, a raczej jego elektronowy mózg, zgłosił się powtarzanym rytmicznie sygnałem.

Zażądałem wówczas, aby mi podał, które południki gwiazdowej czaszy Galaktyki przecina w dwudziestodwusekundowych odstępach, krążąc wokół Solaris, i to z dokładnością do piątego miejsca dziesiętnego.

Potem usiadłem i czekałem na odpowiedź. Przyszła po dziesięciu minutach. Urwałem papierową taśmę z wydrukowanym wynikiem i schowawszy ją do szuflady (a pilnowałem się, żeby nawet okiem na nią nie rzucić), przyniosłem z biblioteki wielkie mapy nieba, tablice logarytmiczne, almanach ruchu dziennego satelity i kilka pomocniczych książek, po czym wziąłem się do wyszukiwania odpowiedzi na to samo pytanie. Bez mała godzina zeszła mi na układaniu równań; nie pamiętam, kiedy ostatni raz tak się naliczyłem, chyba jeszcze podczas studiów, na egzaminie z astronomii praktycznej.

Rachunki przeprowadziłem na wielkim kalkulatorze Stacji. Rozumowanie moje biegło następująco: z map nieba powinienem otrzymać cyfry niezupełnie pokrywające się z danymi dostarczonymi przez Sateloid. Niezupełnie, ponieważ Sateloid podlega bardzo skomplikowanym perturbacjom pod wpływem działania sił grawitacyjnych Solaris, jej obu krążących wokół siebie słońc, jak również lokalnych zmian ciążenia, wywoływanych przez ocean. Kiedy będę miał już dwa szeregi cyfr, podanych przez Sateloid i obliczonych teoretycznie w oparciu o mapy nieba, wprowadzę do moich obliczeń poprawki; wtedy obie grupy wyników powinny pokryć się do czwartego miejsca dziesiętnego; odchylenia pozostaną tylko na miejscach piątych, jako spowodowane przez nieobliczalną działalność oceanu.

Jeżeli nawet cyfry, dostarczone przez Sateloid, nie są rzeczywistością, tylko płodem mego obłąkanego umysłu, to i tak nie będą się mogły pokryć z drugim szeregiem danych liczbowych. Mózg mój może być bowiem chory, ale nie byłby – w żadnych okolicznościach – w stanie przeprowadzić rachunku, wykonanego przez wielki kalkulator Stacji, gdyż wymagałoby to wielu miesięcy czasu. A zatem – jeśli cyfry będą się zgadzały – to wielki kalkulator Stacji istnieje naprawdę i posługiwałem się nim w rzeczywistości, a nie w majaczeniu.

Ręce drżały mi, kiedy wyjmowałem z szuflady papierową taśmę telegraficzną i rozpościerałem ją obok drugiej, szerszej, pochodzącej z kalkulatora. Oba szeregi cyfr zgadzały się tak, jak przewidziałem, do czwartego miejsca. Odchylenia pojawiały się dopiero na piątym.

Schowałem wszystkie papiery do szuflady. A więc kalkulator istniał niezależnie ode mnie; pociągało to za sobą realność istnienia Stacji i wszystkiego, co na niej było.

Miałem już zamknąć szufladę, gdy zauważyłem, że wypełnia ją cały plik arkuszy pokrytych niecierpliwymi obliczeniami. Wyciągnąłem go; jeden rzut oka wskazał, że ktoś przeprowadził już eksperyment, podobny do mego, z tą różnicą, że zamiast danych względem czaszy gwiazdowej zażądał od Sateloidu pomiarów albedo Solaris w czterdziestosekundowych odstępach.

Nie byłem obłąkany. Ostatni promyk nadziei zgasł. Wyłączyłem nadajnik, wypiłem resztkę bulionu z termosu i poszedłem spać.

Harey

Obliczenia przeprowadzałem z jakąś milczącą zaciekłością i ona tylko trzymała mnie na nogach. Byłem tak otępiały ze zmęczenia, że nie potrafiłem rozłożyć łóżka w kabinie i zamiast zwolnić górne uchwyty, ciągnąłem za poręcz, aż cała pościel zwaliła się na mnie; kiedy je nareszcie opuściłem, zrzuciłem ubranie i bieliznę na podłogę, po czym półprzytomny padłem na poduszkę; nawet jej porządnie nie nadąłem. Zasnąłem przy świetle ani wiem kiedy. Otwierając oczy, miałem wrażenie, że spałem ledwo kilka minut. Pokój stał w chmurnym, czerwonym blasku. Było mi chłodno i dobrze. Leżałem nagi, niczym nie przykryty. Naprzeciw łóżka, pod oknem, które było odsłonięte do połowy, w świetle czerwonego słońca siedział ktoś na krześle. Była to Harey, w białej plażówce, nogę miała założoną na nogę, bosa, ciemne włosy sczesane w tył, cienki materiał napinał się na piersiach, opalone do łokci ręce opuściła i patrzała na mnie nieruchomo spod swoich czarnych rzęs. Przypatrywałem się jej długo, całkiem spokojnie. Pierwszą moją myślą było: „jak to dobrze, że to jest taki sen, w którym się wie, że się śni". Mimo to wolałbym, żeby znikła. Zamknąłem oczy i zacząłem życzyć sobie tego bardzo intensywnie, ale kiedy je otworzyłem, siedziała tak samo jak przedtem. Wargi miała złożone po swojemu, jak do gwizdnięcia, ale w oczach nie było nic z uśmiechu. Przypomniałem sobie to wszystko, co myślałem o snach poprzedniego wieczoru, przed zaśnięciem. Wyglądała dokładnie tak samo jak wtedy, kiedym ją ostatni raz widział żywą, a miała przecież wtedy dziewiętnaście lat; teraz musiałaby mieć dwadzieścia dziewięć, ale naturalnie nic się nie zmieniła – umarli pozostają młodzi. Miała te same dziwiące się wszystkiemu oczy i patrzała na mnie. Rzucę w nią czymś – pomyślałem – ale chociaż to był tylko sen, nie mogłem się jakoś zdobyć na to, żeby – nawet we śnie – ciskać rzeczami w umarłą.

– Biedna mała – powiedziałem – przyszłaś mnie odwiedzić, co?

Trochę się przeląkłem, bo głos mój zabrzmiał tak prawdziwie, a cały pokój i Harey – wszystko przedstawiało się tak realnie, jak tylko można sobie wyobrazić.

Jaki plastyczny sen, mało, że kolorowy, widzę tu na podłodze sporo rzeczy, których wczoraj, kładąc się, nawet nie zauważyłem. Kiedy się zbudzę – myślałem – będę musiał sprawdzić, czy one naprawdę tu leżą, czy też są tylko wytworem snu, jak Harey...

– Czy długo masz tak zamiar siedzieć...? – spytałem i zauważyłem, że mówię cicho, jakbym się bał, że mnie ktoś posłyszy, jak gdyby ktokolwiek mógł podsłuchać, co się dzieje we śnie!

Tymczasem słońce już się trochę podniosło. No, pomyślałem, dobre i to. Kładłem się podczas czerwonego dnia, potem powinien być niebieski, a potem dopiero drugi czerwony dzień. Ponieważ nie mogłem bez przerwy spać przez piętnaście godzin, to jest na pewno sen!

Uspokojony, przyjrzałem się dobrze Harey. Oświetlona była od tyłu; promień przechodzący przez szparę firanki złocił aksamitny puszek na jej lewym policzku, a rzęsy rzucały na twarz długi cień. Była śliczna. Proszę, pomyślałem, jaki skrupulatny jestem nawet poza jawą: i ruchu słońca pilnuję, i tego, żeby miała ten swój dołek tam, gdzie nikt inny go nie ma, niżej kąta zdziwionych warg; ale wolałbym, żeby to się jednak skończyło. Muszę przecież wziąć się do jakiejś roboty. I zacisnąłem powieki, usiłując się przebudzić, kiedy usłyszałem naraz skrzypnięcie. Natychmiast otwarłem oczy. Siedziała obok mnie na łóżku i patrzała we mnie z powagą. Uśmiechnąłem się do niej i ona się uśmiechnęła, i pochyliła nade mną; pierwszy pocałunek był lekki, jakbyśmy byli dwojgiem dzieci. Całowałem ją długo. Czy można tak wykorzystywać sen? – myślałem. Ale to przecież nie jest nawet zdrada jej pamięci, bo to ona mi się śni, ona sama. Nigdy mi się to jeszcze nie zdarzyło... Wciąż eśmy nic nie mówili. Leżałem na wznak; kiedy unosiła twarz, mogłem zajrzeć w jej małe, słońcem prześwietlone od strony okna chrapki, które były zawsze barometrem jej uczuć; końcami palców owiodłem jej konchy uszne, których płatki zaróżowiły się od pocałunków. Nie wiem, czy to mnie tak zaniepokoiło; mówiłem sobie wciąż, że to sen, ale serce mi się ściskało.

Zebrałem się w sobie, żeby wyskoczyć z łóżka; byłem przygotowany na to, że mi się nie uda, we śnie bardzo często nie panuje się nad własnym ciałem, które jest jakby sparaliżowane czy też nieobecne, liczyłem raczej na to, że się od tego zamiaru zbudzę. Nie zbudziłem się jednak, tylko usiadłem z nogami spuszczonymi na podłogę. Nie ma rady, muszę to dośnić do końca – pomyślałem, ale dobry nastrój uleciał bez śladu. Bałem się.

– Czego chcesz? – spytałem. Głos miałem ochrypły i musiałem odchrząknąć.

Odruchowo poszukałem bosymi nogami pantofli i zanim sobie przypomniałem, że nie mam tu żadnych pantofli, tak się uderzyłem w palec, że syknąłem. No, teraz będzie koniec! – pomyślałem z satysfakcją.

Ale w dalszym ciągu nic się nie stało. Harey cofnęła się, kiedy usiadłem. Plecami oparła się o poręcz łóżka. Sukienka drgała delikatnie tuż pod koniuszkiem lewej piersi, w takt bijącego serca. Przypatrywała mi się ze spokojnym zainteresowaniem. Pomyślałem, że najlepiej będzie wziąć prysznic, przyszła jednak refleksja, że prysznic, który się śni, nie może przecież zbudzić.

– Skąd się tu wzięłaś? – spytałem.

Podniosła moją rękę i zaczęła ją podrzucać starym gestem, podbijała opuszki moich palców i chwytała je.

– Nie wiem – powiedziała – czy to źle?

I głos był ten sam, niski, i ton roztargnienia. Zawsze mówiła, jakby nie bardzo dbając o wypowiadane słowa, jakby zajęta już czymś innym, robiła przez to czasem wrażenie bezmyślnej, a czasem pozbawionej wstydu, bo wszystkiemu przypatrywała się z przygaszonym zdziwieniem, które uzewnętrzniało się tylko w oczach.

– Czy... ktoś cię widział?

– Nie wiem. Przyszłam zwyczajnie. Czy to ważne, Kris?

Wciąż bawiła się moją ręką, ale jej twarz nie brała już w tym udziału. Nachmurzyła się.

– Harey...?

– Co, miły?

– Skąd wiedziałaś, gdzie jestem?

To ją zastanowiło. W uśmiechu – miała tak ciemne wargi, że kiedy jadła wiśnie, nie było tego znać – pokazała koniuszki zębów.

– Pojęcia nie mam. To śmieszne, nie? Spałeś, jak weszłam, ale cię nie zbudziłam. Nie chciałam cię budzić, bo jesteś złośnik. Złośnik i nudziarz – w takt tych słów podrzuciła energicznie moją dłoń.

– Byłaś na dole?

– Byłam. Uciekłam stamtąd; tam jest zimno.

Puściła moją rękę. Kładąc się bokiem, rzuciła głową w tył, żeby całe włosy przesypały się na jedną stronę, i spojrzała na mnie z tym półuśmiechem, który wtedy dopiero przestał mnie drażnić, kiedy ją pokochałem.

– Przecież... Harey... przecież – bełkotałem.

Pochyliłem się nad nią i uniosłem krótki rękaw sukienki. Tuż nad podobnym do kwiatka znakiem szczepienia ospy czerwieniał drobny ślad po nakłuciu. Chociaż się tego spodziewałem (bo wciąż całkiem odruchowo poszukiwałem strzępów logiki w niemożliwości) – zrobiło mi się mdło. Dotknąłem palcem tej ranki po zastrzyku, który śnił mi się potem latami, że budziłem się z jękiem na potarganej pościeli, zawsze w tej samej pozie, skurczony niemal we dwoje, tak jak ona leżała, kiedy ją znalazłem już prawie zimną – bo usiłowałem we śnie zrobić to samo co ona, jak gdybym chciał w ten sposób przebłagać jej pamięć czy towarzyszyć jej w tych ostatnich minutach, kiedy poczuła już działanie zastrzyku i musiała się bać. Bała się przecież nawet zwykłego skaleczenia, nie mogła nigdy znieść bólu ani widoku krwi i naraz zrobiła taką straszną rzecz, zostawiwszy pięć słów na kartce adresowanej do mnie. Miałem ją w papierach, nosiłem przy sobie stale, wyświechtaną, rozpadającą się wzdłuż zgięć, nie miałem odwagi się z nią rozstać – tysiące razy wracałem do chwili, w której ją pisała, i do tego, co musiała wtedy czuć. Wmawiałem sobie, że chciała to tylko zrobić na niby i przestraszyć mnie, a tylko dawka okazała się – niechcący – zbyt wielka; wszyscy przekonywali mnie, że tak było albo że to musiała być decyzja chwili, spowodowana depresją, nagłą depresją. Nie wiedzieli jednak tego, co powiedziałem jej na pięć dni przedtem i tak, aby ją ugodzić najdotkliwiej, zabrałem rzeczy, a ona, kiedy się pakowałem, powiedziała nadzwyczaj spokojnie: „Wiesz, co to znaczy...?" – a ja udałem, że nie rozumiem, chociaż doskonale rozumiałem, ale miałem ją za tchórza, i powiedziałem jej także i to – a teraz leżała w poprzek łóżka i patrzała na mnie uważnie, jak gdyby nie wiedziała, że ją zabiłem.

– Nic więcej nie potrafisz? – spytała. Pokój był czerwony od słońca, w jej włosach tlał brzask, spojrzała na własne ramię, stało się naraz ważne przez to, że je tak długo oglądałem, a kiedy opuściłem dłoń, położyła na niej chłodny, gładki policzek.

– Harey – wychrypiałem – to nie może być...

– Przestań!

Oczy miała zamknięte, widziałem ich drganie pod napiętymi powiekami, czarne rzęsy dotykały policzków.

– Gdzie my jesteśmy, Harey?

– U nas.

– Gdzie to jest?

Oko jej otwarło się na mgnienie i zaraz zamknęło. Połaskotała rzęsami moją dłoń.

– Kris!

– Co?

– Dobrze mi.

Siedziałem nad nią, nie ruszając się. Podniosłem głowę i zobaczyłem część łóżka, rozburzone włosy Harey i moje nagie kolana w lustrze nad umywalnią. Przyciągnąłem stopą jedno z tych na pół stopionych narzędzi, które walały się po podłodze, i podniosłem je swobodną ręką. Koniec był ostry. Przyłożyłem go do skóry, tuż nad miejscem, gdzie różowiała półokrągła, symetryczna blizna, i wbiłem w ciało. Ból był dotkliwy. Patrzałem na cieknącą krew, która staczała się dużymi kroplami po wewnętrznej powierzchni uda i kapała cicho na podłogę.

To było daremne. Coraz wyraźniejsze stawały się okropne myśli, które chodziły mi po głowie, już nie mówiłem sobie „to sen", dawno przestałem weń wierzyć, myślałem teraz „muszę się bronić". Spojrzałem na jej plecy, przechodzące pod białym materiałem w wygięcie biodra, bose stopy zwiesiła nad podłogą. Sięgnąłem ku nim, lekko ująłem jej różową piętę i przesunąłem palcami po podeszwie stopy. Była delikatna jak u noworodka.

Wiedziałem już właściwie na pewno, że to nie jest Harey – i prawie całkiem – że ona sama o tym nie wie.

Bosa stopa poruszyła mi się w dłoni, ciemne wargi Harey nabrzmiewały śmiechem bez wydania głosu.

– Przestań... – szepnęła.

Łagodnie wyswobodziłem rękę i wstałem. Byłem wciąż jeszcze nagi. Ubierając się pospiesznie, zobaczyłem, jak siadła na łóżku. Patrzała na mnie.

– Gdzie są twoje rzeczy? – spytałem i zaraz tego pożałowałem.

– Moje rzeczy?

– Co, masz tylko tę sukienkę?

Teraz była to już gra. Starałem się zachować umyślnie nonszalancko, zwyczajnie, jak gdybyśmy się rozstali wczoraj, nie, jakbyśmy się w ogóle nigdy nie rozstawali. Wstała i znanym mi lekkim, a silnym ruchem trzepnęła spódniczką, żeby ją rozprostować. Moje słowa zaintrygowały ją, choć nic nie powiedziała. Objęła otoczenie wzrokiem po raz pierwszy rzeczowym, poszukującym, i wróciła do mnie wyraźnie zdziwiona.

– Nie wiem... – powiedziała bezradnie – chyba w szafie...? – dodała i uchyliła drzwi.

– Nie, tam są tylko kombinezony – odparłem. Znalazłem obok umywalni elektryczny aparat i zacząłem się golić. Wolałem nie stać przy tym plecami do dziewczyny, kimkolwiek była.

Chodziła po kabinie, zaglądała we wszystkie kąty, wyjrzała przez okno, na koniec zbliżyła się do mnie i powiedziała:

– Kris, mam takie wrażenie, jakby się coś stało?

Urwała. Czekałem z wyłączonym aparatem w ręku.

– Jakbym coś zapomniała... jakbym dużo zapomniała. Wiem... pamiętam tylko ciebie... i... i nic więcej.

Słuchałem tego, starając się panować nad własną twarzą.

– Czy byłam... chora?

– No... można to tak nazwać. Tak, przez jakiś czas byłaś trochę chora.

– Aha. To pewno z tego.

Już się rozpogodziła. Nie umiem powiedzieć, co przeżywałem. Gdy milczała, chodziła, siadała, uśmiechała się, przeświadczenie, że mam przed sobą Harey, było silniejsze od mojej mdlącej trwogi, to znowu, jak właśnie w tym momencie, wydawało mi się, że to jest Harey uproszczona, zawężona do kilku charakterystycznych odezwań, gestów, ruchów. Podeszła do mnie całkiem blisko, wparła stulone pięści w moją pierś pod szyją i spytała:

– Jak jest z nami? Dobrze czy źle?

– Jak najlepiej – odparłem.

Uśmiechnęła się lekko.

– Kiedy tak mówisz, to jest raczej źle.

– Ależ skąd, Harey, kochanie, muszę teraz wyjść – powiedziałem pospiesznie. – Zaczekasz na mnie, dobrze? A może... jesteś głodna? – dodałem, bo sam odczułem naraz rosnący głód.

– Głodna? Nie.

Potrząsnęła głową, aż zafalowały włosy.

– Mam na ciebie czekać? Długo?

– Godzinkę – zacząłem, ale przerwała mi:

– Pójdę z tobą.

– Nie możesz iść ze mną, bo muszę pracować.

– Pójdę z tobą.

To była zupełnie inna Harey: tamta nie narzucała się. Nigdy.

– Dziecko, to niemożliwe...

Patrzała na mnie z dołu, naraz ujęła mnie za rękę. Powiodłem dłonią wzdłuż jej przedramienia w górę, ramię jej było pełne i ciepłe, nie chciałem tego wcale, ale to była prawie pieszczota. Moje ciało przyznawało się do niej, chciało jej, ciągnęło mnie do niej poza rozumem, poza argumentami i lękiem.

Starając się za wszelką cenę zachować spokój, powtórzyłem:

– Harey, to niemożliwe: musisz tu zostać.

– Nie.

Jak to zabrzmiało!

– Dlaczego?

– N... nie wiem.

Rozejrzała się i znowu podniosła na mnie oczy.

– Nie mogę... – powiedziała całkiem cicho.

– Ależ dlaczego!?

– Nie wiem. Nie mogę. Zdaje mi się... zdaje mi się...

Wyraźnie szukała w sobie odpowiedzi, a kiedy ją znalazła, było to dla niej odkryciem.

– Zdaje się, że muszę cię wciąż... widzieć.

Rzeczowa intonacja odebrała tym słowom sens wyznania uczuć; to było coś zupełnie innego. Pod takim wrażeniem uchwyt, którym ją opasywałem, zmienił się nagle – chociaż zewnętrznie nic się nie zmieniło – stała w moich objęciach; patrząc jej w oczy, zacząłem wyginać jej ręce w tył, ten ruch, zrazu niezupełnie zdecydowany, prowadził już dokądś – znalazł swój cel. Szukałem już wzrokiem czegoś, czym mógłbym ją związać.

Łokcie jej, wykręcone do tyłu, stuknęły lekko o siebie i równocześnie sprężyły się z siłą, która mój chwyt uczyniła daremnym. Walczyłem może przez sekundę. Nawet atleta, przegięty do tyłu jak Harey, ledwo dotykając końcami stóp podłogi, nie zdołałby się wyswobodzić, ale ona z twarzą, która nie brała w tym wszystkim udziału, słabo, niepewnie uśmiechnięta, rozerwała mój chwyt, wyprostowała się i opuściła ramiona.

Jej oczy obserwowały mnie z tym samym spokojnym zainteresowaniem, co na samym początku, kiedy się obudziłem, jak gdyby nie zdawała sobie sprawy z mego rozpaczliwego wysiłku sprzed chwili, podyktowanego atakiem trwogi. Stała teraz bierna i czekała jakby na coś – zarazem obojętna, skupiona i odrobinę tym wszystkim zdziwiona.

Ręce opadły mi same. Zostawiłem ją na środku pokoju i podszedłem do półki przy umywalni. Czułem, że jestem schwytany w niewyobrażalną pułapkę, i szukałem wyjścia, rozważając sposoby coraz bezwzględniejsze. Gdyby mnie ktoś spytał, co się ze mną dzieje i co to wszystko znaczy, nie potrafiłbym wykrztusić ani słowa, ale uświadamiałem sobie już, że to, co się dzieje na Stacji z nami wszystkimi, stanowi jakąś całość, równie straszną, co niezrozumiałą, nie o tym jednak myślałem w tej chwili, usiłowałem bowiem wynaleźć jakiś trick, jakieś pociągnięcie umożliwiające ucieczkę. Nie patrząc, czułem na sobie wzrok Harey. Nad półką znajdowała się w ścianie mała podręczna apteczka. Pobieżnie przejrzałem jej zawartość. Znalazłem słoik z proszkami nasennymi i wrzuciłem cztery tabletki – maksymalną dawkę – do szklanki. Nie bardzo nawet kryłem się z moimi manipulacjami przed Harey. Trudno powiedzieć czemu. Nie zastanawiałem się nad tym. Nalałem do szklanki gorącej wody, zaczekałem, aż proszki się rozpuszczą, i podszedłem do Harey stojącej wciąż na środku pokoju.

– Gniewasz się? – spytała cicho.

– Nie. Wypij to.

Nie wiem, dlaczego przypuszczałem, że mnie usłucha. Rzeczywiście, bez słowa wzięła szklankę z moich rąk i wypiła duszkiem całą zawartość. Odstawiłem pustą szklankę na stolik i usiadłem w kącie pomiędzy szafą i półką biblioteczną. Harey podeszła do mnie wolno i siadła na podłodze przy fotelu, tak jak nieraz to robiła, kuląc pod siebie nogi, i tak samo dobrze znanym mi ruchem odrzuciła włosy w tył. Chociaż wcale już nie wierzyłem, że to ona, za każdym razem, kiedy rozpoznawałem ją w tych małych nawykach, coś chwytało mnie za gardło. Było to niepojęte i okropne, a najokropniejsze to, że i ja sam musiałem zachowywać się przewrotnie, udając, że biorę ją za Harey, ale przecież ona sama miała się za Harey i nie działała w swoim rozumieniu podstępnie. Nie wiem, jak doszedłem do tego, że tak właśnie jest, ale to było dla mnie pewne, jeżeli w ogóle mogło jeszcze istnieć coś pewnego!

Siedziałem, a dziewczyna oparła się plecami o moje kolana, jej włosy łaskotały moją nieruchomą rękę, trwaliśmy tak prawie bez ruchu. Parę razy spojrzałem nieznacznie na zegarek. Upłynęło pół godziny i środek nasenny powinien był już działać. Harey mruknęła coś cichutko.

– Co mówisz? – spytałem, ale nie odpowiedziała. Brałem to za oznaki narastającej senności, chociaż, Bogiem a prawdą, w głębi duszy wątpiłem, czy lekarstwo poskutkuje. Dlaczego? I na to pytanie nie znajduję odpowiedzi, najprawdopodobniej dlatego, że mój wybieg był już nazbyt prosty.

Powoli głowa jej osunęła się na moje kolana, ciemne włosy okryły ją całkiem, oddychała miarowo jak człowiek śpiący. Pochyliłem się, żeby ją przenieść na łóżko, naraz, nie otwierając oczu, chwyciła mnie lekko ręką za włosy i wybuchnęła ostrym śmiechem.

Zdrętwiałem, a ona aż zanosiła się od wesołości. Zmrużonymi w szparki oczami przyglądała mi się z miną zarazem naiwną i chytrą. Siedziałem nienaturalnie sztywno, ogłupiały i bezradny, a Harey zachichotała raz jeszcze, przytuliła twarz do mojej ręki i umilkła.

– Dlaczego się śmiejesz? – spytałem drewnianym głosem. Ten sam wyraz trochę niespokojnego zastanowienia pojawił się na jej twarzy. Widziałem, że chce być rzetelna. Uderzyła palcem swój mały nos i powiedziała wreszcie z westchnieniem:

– Sama nie wiem.

Zabrzmiało w tym szczere zaskoczenie.

– Zachowuję się jak idiotka, nie? – podjęła. – Tak mi się naraz jakoś... ale ty też jesteś dobry: siedzisz nadęty jak... jak Pelvis...

– Jak k t o? – spytałem, bo wydało mi się, że źle słyszę.

– Jak Pelvis, no przecież wiesz, ten gruby...

Otóż Harey ponad wszelką wątpliwość nie mogła znać Pelvisa ani słyszeć o nim ode mnie z tej prostej przyczyny, że wrócił on ze swej wyprawy dobre trzy lata po jej śmierci. Ja także nie znałem go do tego czasu i nie wiedziałem, że przewodnicząc zebraniom Instytutu, ma nieznośny zwyczaj przeciągania posiedzeń w nieskończoność. Nazywał się zresztą Pelle Villis, z czego powstał skrótowy przydomek, także przed jego powrotem nie znany.

Harey oparła łokcie na moich kolanach i patrzała mi w twarz. Położyłem ręce na jej ramionach i przesunąłem je wolno ku barkom, aż zeszły się prawie na pulsującej, nagiej osadzie jej szyi. Mogła to być ostatecznie pieszczota i sądząc z jej wzroku, nie rozumiała tego inaczej. W rzeczywistości przekonywałem się, że jej ciało jest pod dotykiem zwyczajnym, ciepłym ciałem ludzkim i że pod mięśniami kryją się w nim kości i stawy. Patrząc w jej spokojne oczy, poczułem okropną chęć gwałtownego zaciśnięcia palców.

Już prawie mi się zwierały, kiedy naraz przypomniałem sobie zakrwawione ręce Snauta, i puściłem ją.

– Jak ty patrzysz... – powiedziała spokojnie.

Serce tak mi waliło, że nie byłem w stanie się odezwać. Przymknąłem na chwilę powieki.

Naraz ukazał mi się cały plan postępowania, od początku do końca, ze wszystkimi szczegółami. Nie tracąc ani chwili, wstałem z fotela.

– Muszę już iść, Harey – powiedziałem – a jeżeli koniecznie chcesz, to chodź ze mną.

– Dobrze.

Skoczyła na równe nogi.

– Dlaczego jesteś bosa? – spytałem, podchodząc do szafy i wybierając spośród kolorowych kombinezonów dwa, dla siebie i dla niej.

– Nie wiem... musiałam gdzieś zarzucić trzewiki... – powiedziała niepewnie. Puściłem to mimo uszu.

– W sukience nie włożysz tego, będziesz ją musiała zrzucić.

– Kombinezon...? a po co? – spytała, biorąc się od razu do ściągania sukni, ale natychmiast okazało się coś dziwnego: że niepodobna jej było zdjąć, bo nie miała żadnego zapięcia. Czerwone guziki pośrodku były ozdobą. Brakowało jakiegokolwiek zamka, błyskawicznego czy innego. Harey uśmiechała się zmieszana. Udając, że jest to najzwyklejsza rzecz w świecie, podniesionym z ziemi, podobnym do skalpela instrumentem naciąłem materiał tam, gdzie kończył się z tyłu dekolt. Teraz mogła ściągnąć sukienkę przez głowę. Kombinezon był na nią trochę za obszerny.

– Polecimy?... ale ty także? – dopytywała się, kiedy, oboje już ubrani, opuszczaliśmy pokój. Kiwnąłem tylko głową. Bałem się okropnie, że spotkamy Snauta, ale korytarz wiodący na lotnisko był pusty, a drzwi radiostacji, które musieliśmy minąć, zamknięte.

Na Stacji panowała wciąż martwa cisza. Harey przypatrywała się temu, jak małym, elektrycznym wózkiem wytaczałem ze środkowego boksu rakietę na wolny tor. Sprawdziłem kolejno stan mikroreaktora, zdalnie poruszanych sterów i dysz, po czym razem z wózkiem startowym przetoczyłem pocisk na okrągłą rolkową płaszczyznę tarczy startowej pod centralnym lejem kopuły, usunąwszy wpierw stamtąd pusty zasobnik.

Był to stateczek służący do utrzymania łączności między Stacją a Sateloidem, używany do przewozu ładunków towarowych, a nie ludzi, chyba w wyjątkowych wypadkach, bo nie można go było otworzyć od wewnątrz. To właśnie było mi na rękę i stanowiło część planu. Nie zamierzałem naturalnie wystrzelić rakietki, ale robiłem wszystko tak, jakbym przygotowywał ją do prawdziwego startu: Harey, która tyle razy towarzyszyła mi w podróżach, trochę się na tym znała. Sprawdziłem jeszcze w środku stan aparatury klimatyzacyjnej i tlenowej, uruchomiłem jedną i drugą, a kiedy kontrolki zapaliły się po włączeniu głównego obwodu, wylazłem z ciasnego wnętrza i wskazałem je Harey, która stała u drabinki.

– Wejdź do środka.

– A ty?

– Wejdę za tobą. Muszę zamknąć za nami klapę.

Nie wydawało mi się, że mogła przedwcześnie przejrzeć podstęp. Kiedy weszła po drabince do środka, natychmiast wetknąłem przez otwór głowę i spytałem, czy może się wygodnie ulokować, a gdy usłyszałem głuche, zdławione ciasnotą przestrzeni „tak", cofnąłem się i z rozmachem zatrzasnąłem klapę. Dwoma ruchami wrzuciłem oba rygle do oporu i przygotowanym kluczem zacząłem dokręcać pięć śrub mocujących w wyżłobieniach pancerza.

Zaostrzone cygaro stało pionowo, jakby rzeczywiście miało polecieć za chwilę w przestrzeń. Wiedziałem, że zamkniętej w nim nie stanie się nic złego – w rakiecie było pod dostatkiem tlenu, a nawet trochę żywności, zresztą wcale nie miałem zamiaru więzić jej tam w nieskończoność.

Pragnąłem za wszelką cenę zdobyć przynajmniej parę godzin swobody, aby ułożyć plany na dalszą przyszłość i skontaktować się ze Snautem, teraz już na równych prawach.

Gdy dokręcałem przedostatnią śrubę, poczułem, że metalowe zastrzały, w których tkwi rakieta, zawieszona tylko na występach z trzech stron, drżą leciutko, ale pomyślałem, że to ja sam, pracując z rozmachem wielkim kluczem, rozhuśtałem niechcący stalową bryłę.

Kiedy jednak odszedłem parę kroków, zobaczyłem coś, czego nie chciałbym ujrzeć jeszcze raz.

Cała rakieta dygotała, podrzucana seriami padających z wewnątrz ciosów, ale jakich ciosów! Gdyby miejsce czarnowłosej, smukłej dziewczyny zajął w stateczku stalowy automat, na pewno nie potrafiłby wprawić ośmiotonowej masy w tak konwulsyjny dygot!

Odbicia świateł lotniska w jego polerowanej powierzchni mieniły się i drżały. Żadnych uderzeń zresztą nie słyszałem, wewnątrz pocisku panowała bezwzględna cisza, tylko szeroko rozstawione stopy rusztowania, w którym wisiała rakietka, straciły ostrość rysunku, rozdygotane jak struny. Częstotliwość tych drgań była taka, że przestraszyłem się o całość pancerza. Dociągnąłem ostatnią śrubę trzęsącymi się rękami, cisnąłem klucz i zeskoczyłem z drabinki. Cofając się wolno tyłem, widziałem, jak bolce amortyzatorów, obliczonych jedynie na ciągły nacisk, tańczą w swoich obsadach. Wydało mi się, że pancerna powłoka traci swój jednolity blask. Jak oszalały skoczyłem do pulpitu zdalnego sterowania, obiema rękami pchnąłem w górę dźwignię rozruchu reaktora i łączności; wtedy z głośnika, który został połączony z wnętrzem rakiety, buchnął świdrujący ni to skowyt, ni to świst, zupełnie niepodobny do ludzkiego głosu, a mimo to rozróżniłem w nim powtarzające się, wyjące „Kris! Kris! Kris!!!"

Nie słyszałem tego zresztą wyraźnie. Krew leciała mi z rozbitych kostek, tak chaotycznie i gwałtownie usiłowałem uruchomić pocisk. Błękitnawy brzask padł na ściany, ze startowej tarczy pod wylotami buchnął kłębami kurz, zmienił się w słup jadowitych iskier i wszystkie odgłosy nakryło wysokie, przeciągłe huczenie. Rakieta podniosła się na trzech płomieniach, które natychmiast zlały się w jedną kolumnę ognia, i pozostawiając za sobą rozdygotane płaty żaru, wyleciała przez otwartą wyrzutnię. Przesłony natychmiast zamknęły ją, automatycznie uruchomione sprężarki zaczęły przepłukiwać świeżym powietrzem halę, w której kłębił się gryzący dym. Z tego wszystkiego nie zdawałem sobie sprawy. Oparty rękami o pulpit, z twarzą palącą jeszcze żywym ogniem, z włosami skręconymi i osmalonymi od termicznego udaru, łapałem kurczowo powietrze, pełne odoru spalenizny i charakterystycznego jak ozon zapachu jonizacji. Chociaż w chwili startu zamknąłem odruchowo oczy, to jednak płomień wylotowy poraził mię. Dobrą chwilę widziałem tylko czarne, czerwone i złote kręgi. Pomału rozeszły się. Dym, kurz i mgła znikały, wciągane do jęczących przeciągle przewodów wentylacyjnych. Pierwszą rzeczą, jaką udało mi się zobaczyć, był zielonkawo świecący ekran radaru. Zacząłem szukać rakiety, manewrując kierunkowym reflektorem. Kiedy ją wreszcie złapałem, była już ponad atmosferą. W życiu nie wyprawiłem jeszcze pocisku w tak szalony i ślepy sposób, nie mając pojęcia, jakie mu nadać przyspieszenie ani w ogóle dokąd go wysłać. Pomyślałem, że najprościej będzie, jeśli wprowadzę go na orbitę kołową wokół Solaris, mniej więcej na wysokości tysiąca kilometrów, a wtedy będę mógł wyłączyć silniki, bo jak długo pracowały, nie byłem pewny, czy nie nastąpi jakaś nieobliczalna w skutkach katastrofa. Tysiąckilometrowa orbita była – jak przekonałem się z tabeli – stacjonarna. I ona, prawdę mówiąc, niczego nie gwarantowała, było to po prostu jedyne wyjście, jakie widziałem.

Głośnika, który wyłączyłem natychmiast po starcie, nie miałem odwagi włączyć. Uczyniłbym raczej nie wiedzieć co, byle się tylko nie narazić na ponowne usłyszenie tego okropnego głosu, w którym nie było już nic ludzkiego. Wszelkie pozory – to mogłem sobie powiedzieć – zostały zdarte i poprzez pozór twarzy Harey zaczęła przeglądać inna, prawdziwa, wobec której alternatywa obłędu rzeczywiście stawała się wyzwoleniem.

Była pierwsza, kiedy opuściłem lotnisko.

Mały apokryf

Skórę na twarzy i rękach miałem poparzoną. Przypomniałem sobie, że kiedy szukałem środka nasennego dla Harey (śmiałbym się teraz z mojej naiwności, gdybym tylko mógł), zauważyłem w apteczce słoik maści przeciw oparzeniom, poszedłem więc do siebie. Otwarłem drzwi i w czerwonym świetle zachodu zobaczyłem, że w fotelu, przy którym klęczała przedtem Harey, ktoś siedzi. Strach sparaliżował mnie, targnąłem się panicznie wstecz, by rzucić się do ucieczki; trwało to ułamek sekundy. Siedzący podniósł głowę. To był Snaut. Z nogą założoną na nogę, odwrócony do mnie tyłem (wciąż nosił te same popalone odczynnikami, płócienne spodnie), przeglądał jakieś papiery. Cały ich plik leżał obok na stoliku. Na mój widok odłożył wszystkie i jakąś chwilę przypatrywał mi się, zasępiony, ponad opuszczonymi na koniec nosa okularami.

Bez słowa podszedłem do umywalni, wyjąłem z apteczki półpłynną maść i zacząłem smarować nią najbardziej poparzone miejsca na czole i policzkach. Szczęśliwie nie bardzo opuchłem, oczy zaś dzięki temu, że mocno zacisnąłem powieki, ocalały. Kilka większych bąbli na skroni i policzku nakłułem sterylną igłą do zastrzyków i wycisnąłem z nich surowiczy płyn. Potem przykleiłem sobie na twarz dwa płaty zwilżonej gazy. Przez cały czas Snaut przyglądał mi się uważnie. Ignorowałem to. Kiedy wreszcie zakończyłem te zabiegi (a twarz paliła mnie coraz mocniej), siadłem na drugim fotelu. Pierwej musiałem zdjąć z niego sukienkę Harey. Była to zupełnie zwyczajna sukienka, poza historią z zapięciem, którego nie było.

Snaut, z rękami złożonymi na spiczastym kolanie, śledził krytycznie moje ruchy.

– No jak, utniemy sobie pogawędkę? – odezwał się, kiedy usiadłem.

Nie odpowiedziałem, przyciskając płat gazy, który zaczął obsuwać się po policzku.

– Mieliśmy gości, co?

– Tak – odparłem sucho. Nie miałem najmniejszej ochoty dostrajać się do jego tonu.

– I pozbyliśmy się? No, no, impetycznie się do tego zabrałeś.

Dotknął wciąż łuszczącej się skóry na czole. Pokazywały się na nim różowe plamy świeżego naskórka. Wpatrywałem się w nie zbaraniały. Dlaczego dotąd tak zwana opalenizna Snauta i Sartoriusa nie dała mi do myślenia? Przez cały czas myślałem, że to ze słońca – a przecież nikt się nie opala na Solaris...

– Ale zacząłeś chyba skromnie? – mówił, nie zważając na błysk nagłego zrozumienia, które mnie oświeciło. – Różne tam narcotica, venena, wolna amerykanka – co?

– Czego chcesz? Możemy porozmawiać na równych prawach. Jeżeli chce ci się błaznować, to lepiej idź.

– Czasem jest się błaznem mimo woli – powiedział. Podniósł na mnie przymrużone oczy.

– Nie wmówisz mi, że nie użyłeś sznura ani młotka? A kałamarzem nie ciskałeś czasem, jak Luter? Nie? Ej – wykrzywił się – to z ciebie prawdziwy chwat! Nawet umywalnia cała, w ogóle nie próbowałeś roztrzaskać głowy, nic, pokoju wcale nie zdemolowałeś, tylko tak od razu, szast-prast, zapakowałeś, wystrzeliłeś, i kwita?!

Popatrzał na zegarek.

– Jakieś dwie, a może i trzy godziny powinniśmy wobec tego mieć – zakończył. Patrzał na mnie, patrzał z nieprzyjemnym uśmiechem, aż podjął:

– Więc powiadasz, że masz mnie za świnię?

– Za skończoną świnię – przytwierdziłem dobitnie.

– Tak? A uwierzyłbyś, gdybym ci powiedział? Uwierzyłbyś choć w jedno słóweczko?

Milczałem.

– Gibarianowi wydarzyło się to pierwszemu – ciągnął, wciąż z tym fałszywym uśmieszkiem. – Zamknął się w swojej kabinie i rozmawiał tylko przez drzwi. A my, domyślasz się, cośmy orzekli?

Wiedziałem, ale wolałem milczeć.

– No jasne. Uznaliśmy, że oszalał. Powiedział nam coś niecoś przez drzwi, ale nie wszystko. Domyślasz się może nawet, dlaczego zataił, kto u niego jest? No, już przecież wiesz: *suum cuique*. Ale to był prawdziwy badacz. Zażądał, żebyśmy mu dali szansę.

– Jaką szansę?

– No, próbował, przypuszczam, jakoś to zaklasyfikować, dojść z tym do ładu, rozstrzygnąć, pracował w nocy. Wiesz, co robił? Na pewno wiesz!

– Te obliczenia – powiedziałem. – W szufladzie. W radiostacji. To on?

– Tak. Ale wtedy nic jeszcze o tym nie wiedziałem.

– Jak długo to trwało?

– Gościna? Chyba tydzień. Rozmowy przez drzwi. No, co się tam działo. Myśleliśmy, że ma halucynacje i jest pobudzony motorycznie. Dawałem mu skopolaminę.

– Jak to... jemu!?

– No tak. Brał, ale nie dla siebie. Eksperymentował. Tak to szło.
– A wy...?
– My? W trzecim dniu postanowiliśmy dostać się do niego, wyłamać drzwi, jeżeli nie da się inaczej, z zacności chcieliśmy go leczyć.
– A... to dlatego! – wyrwało mi się.
– Tak.
– I tam... w tej szafie...
– Tak, kochany chłopcze. Tak. Nie wiedział, że tymczasem i nas też nawiedzili goście. I już nie mogliśmy się nim zajmować. Ale nie wiedział o tym. Teraz to... to już jest pewną... rutyną.
Powiedział to tak cicho, że ostatniego słowa domyśliłem się raczej, aniżeli je usłyszałem.
– Czekaj, nie rozumiem – powiedziałem. – Więc jakże, przecież musieliście słyszeć. Sam mówiłeś, żeście podsłuchiwali. Musieliście słyszeć dwa głosy, a zatem...
– Nie. Tylko jego głos, a jeśli nawet były tam niezrozumiałe szmery, to chyba rozumiesz, że wszystkie przypisywaliśmy jemu...
– Tylko jego...? Ależ... czemu?
– Nie wiem. Mam, co prawda, pewną teorię na ten temat. Ale myślę, że nie warto się z nią spieszyć, tym bardziej że wyjaśniając to i owo, nie pomaga. Tak. Ale ty musiałeś zobaczyć coś już wczoraj, inaczej wziąłbyś nas obu za wariatów?
– Myślałem, że sam zwariowałem.
– Ach, tak? I nikogo nie widziałeś?
– Widziałem.
– Kogo?!
Jego grymas nie był już uśmieszkiem. Przypatrywałem mu się długo, nim odpowiedziałem:
– Tę... czarną...
Nie odezwał się, ale całe jego skurczone i pochylone do przodu ciało nieznacznie się rozluźniło.
– Mogłeś mnie jednak ostrzec – zacząłem, już z mniejszym przekonaniem.
– Ostrzegłem cię przecież.
– W jaki sposób!
– W jedyny możliwy. Zrozum, nie wiedziałem, k t o to będzie! Tego nikt nie wiedział, nie można tego wiedzieć...
– Słuchaj, Snaut, parę pytań. Ty znasz to... od jakiegoś czasu. Czy ta... to... co się z nią stanie?
– Chodzi ci o to, czy wróci?
– Tak.

– Wróci i nie wróci...

– Co to znaczy?

– Wróci taka jak na początku... pierwszej wizyty. Po prostu nie będzie nic wiedzieć albo, żeby być ścisłym, będzie się zachowywać tak, jakby tego wszystkiego, co wyczyniałeś, aby się jej pozbyć, nigdy nie było. Jeżeli nie zmusisz jej do tego sytuacją, to nie będzie agresywna.

– Jaką sytuacją?

– To zależy od okoliczności.

– Snaut!

– O co ci chodzi?

– Nie możemy sobie pozwolić na luksus zatajania!

– To nie jest luksus – przerwał mi sucho. – Kelvin, mam wrażenie, że ty wciąż jeszcze nie rozumiesz... albo, czekaj!

Oczy mu zabłysły.

– Czy możesz powiedzieć, k t o tu był?!

Przełknąłem ślinę. Opuściłem głowę. Nie chciałem na niego patrzeć. Wolałbym, żeby to był ktoś inny, nie on. Ale nie miałem wyboru. Płat gazy odkleił się i upadł mi na rękę. Wzdrygnąłem się od śliskiego dotknięcia.

– Kobieta, którą...

Nie dokończyłem.

– Zabiła się. Zrobiła sobie... zastrzyknęła...

Czekał.

– Popełniła samobójstwo...? – spytał, widząc, że milczę.

– Tak.

– To wszystko?

Milczałem.

– To nie może być wszystko...

Podniosłem szybko głowę. Nie patrzał na mnie.

– Skąd wiesz?

Nie odpowiedział.

– Dobrze – powiedziałem. Oblizałem wargi. – Pokłóciliśmy się. A właściwie nie. To ja jej powiedziałem, wiesz, jak się mówi w gniewie. Zabrałem manatki i wyniosłem się, dała mi do zrozumienia, nie powiedziała tego wprost, ale jak się z kimś żyje latami, to nie jest potrzebne... Byłem pewny, że tylko tak mówi – że bałaby się to zrobić, i to... też jej powiedziałem. Na drugi dzień przypomniałem sobie, że zostawiłem w szufladzie te... zastrzyki; wiedziała o nich – przyniosłem je z laboratorium, były mi potrzebne – powiedziałem jej wtedy, jakie jest działanie. Przestraszyłem się i chciałem po nie pójść, ale potem pomyślałem, że to by wyglądało, jak gdybym wziął jej słowa serio, i... zostawiłem to tak, ale na trzeci dzień jednak poszedłem, to nie dawało mi spokoju. Już... kiedy przyszedłem, już nie żyła.

– Ach, ty niewinny chłopcze...

Poderwało mnie. Ale kiedy spojrzałem na niego, zrozumiałem, że nie kpi. Zobaczyłem go jakby pierwszy raz. Twarz miał szarą, niewypowiedziane zmęczenie leżało w głębokich bruzdach policzków, wyglądał jak człowiek ciężko chory.

– Dlaczego tak mówisz? – spytałem, dziwnie onieśmielony.

– Dlatego, bo ta historia jest tragiczna. Nie, nie – dodał szybko, widząc, że się poruszyłem – wciąż nie rozumiesz. Oczywiście, możesz to najciężej przeżywać, mieć się nawet za zabójcę, ale... to nie jest najgorsze.

– Co ty mówisz! – powiedziałem szyderczo.

– Cieszę się, że mi nie wierzysz, naprawdę. To, co się stało, może być straszne, ale najstraszniejsze jest to, co się... nie stało. Nigdy.

– Nie rozumiem... – powiedziałem słabo. Naprawdę nic nie rozumiałem. Pokiwał głową.

– Człowiek normalny – powiedział. – Co to jest człowiek normalny? Taki, co nigdy nie popełnił niczego ohydnego? Tak, ale czy nigdy o tym nie pomyślał? A może nie pomyślał nawet, tylko w nim coś pomyślało, wyroiło się, dziesięć albo trzydzieści lat temu, może obronił się przed tym i zapomniał, i nie lękał się tego, bo wiedział, że nigdy nie wprowadziłby tego w czyn. Tak, a teraz wyobraź sobie, że naraz, w pełnym dniu, wśród innych ludzi, spotyka TO ucieleśnione, przykute do siebie, niezniszczalne, co wtedy? Co masz wtedy?

Milczałem.

– Stację – powiedział cicho. – Masz wtedy Stację Solaris.

– Ale... co to w końcu może być? – powiedziałem z wahaniem – nie jesteś przecież zbrodniarzem, ani Sartorius...

– Ale ty jesteś przecież psychologiem, Kelvin! – przerwał mi niecierpliwie. – Któż nie miał kiedyś takiego snu? Rojenia? Pomyśl o... o fetyszyście, który zakochał się, bo ja wiem, w kawałku brudnej bielizny, który, ryzykując skórę, zdobywa groźbą i prośbą ten swój najdroższy, wstrętny łach, to musi być zabawne, co? Który jednocześnie brzydzi się obiektu swej pożądliwości i szaleje za nim i gotów jest narazić dla niego życie, dorównując, być może, uczuciom Romea dla Julii... Takie rzeczy się zdarzają. Prawda, ale rozumiesz chyba, że muszą też istnieć rzeczy... sytuacje... takie, że nikt nie odważył się ich urzeczywistnić, poza swoją myślą, w jakiejś jednej chwili oszołomienia, upadku, szaleństwa, nazwij to, jak chcesz. Po czym słowo staje się ciałem. To wszystko.

– To... wszystko – powtórzyłem bezsensownie, drewnianym głosem. W głowie mi huczało. – Ale, ale Stacja? Co ma z tym Stacja?

– Ty chyba udajesz – mruknął. Patrzał na mnie badawczo. – Przecież wciąż mówię o Solaris, tylko o Solaris, o niczym innym. Nie moja wina, jeśli to się tak drastycznie różni od twoich oczekiwań. Zresztą przeżyłeś już dość, żeby przynajmniej wysłuchać mnie do końca.

Wyruszamy w kosmos, przygotowani na wszystko, to znaczy, na samotność, na walkę, męczeństwo i śmierć. Ze skromności nie wypowiadamy tego głośno, ale myślimy sobie czasem, że jesteśmy wspaniali. Tymczasem, tymczasem to nie chcemy zdobywać kosmosu, chcemy tylko rozszerzyć Ziemię do jego granic. Jedne planety mają być pustynne jak Sahara, inne lodowate jak biegun albo tropikalne jak dżungla brazylijska. Jesteśmy humanitarni i szlachetni, nie chcemy podbijać innych ras, chcemy tylko przekazać im nasze wartości i w zamian przejąć ich dziedzictwo. Mamy się za rycerzy świętego Kontaktu. To drugi fałsz. Nie szukamy nikogo oprócz ludzi. Nie potrzeba nam innych światów. Potrzeba nam luster. Nie wiemy, co począć z innymi światami. Wystarczy ten jeden, a już się nim dławimy. Chcemy znaleźć własny, wyidealizowany obraz; to mają być globy, cywilizacje doskonalsze od naszej, w innych spodziewamy się znowu znaleźć wizerunek naszej prymitywnej przeszłości. Tymczasem po drugiej stronie jest coś, czego nie przyjmujemy, przed czym się bronimy, a przecież nie przywieźliśmy z Ziemi samego tylko destylatu cnót, bohaterskiego posągu Człowieka! Przylecieliśmy tu tacy, jacy jesteśmy naprawdę, a kiedy druga strona ukazuje nam tę prawdę – tę jej część, którą przemilczamy – nie możemy się z tym zgodzić!

– Więc co to jest? – spytałem, wysłuchawszy go cierpliwie.

– To, czegośmy chcieli: kontakt z inną cywilizacją. Mamy go, ten kontakt! Wyolbrzymiona jak pod mikroskopem nasza własna, monstrualna brzydota, nasze błazeństwo i wstyd!!!

W jego głosie drżała wściekłość.

– Uważasz zatem, że to... ocean? Że to on? Ale po co? Mniejsza już w tej chwili o mechanizm, ale na miłość boską, po co?! Czy myślisz serio, że chce się z nami bawić? Albo karać nas?! To jest dopiero prymitywna demonologia! Planeta opanowana przez bardzo wielkiego diabła, który dla zaspokojenia swojej żyłki szatańskiego humoru podsuwa członkom naukowej ekspedycji sukkuby! Sam chyba nie wierzysz w tak skończony idiotyzm?!

– Ten diabeł wcale nie jest taki głupi – mruknął przez zęby. Spojrzałem na niego zaskoczony. Przyszło mi do głowy, że w końcu mógł się załamać nerwowo, nawet jeśli tego, co działo się na Stacji, nie tłumaczyło szaleństwo. Psychoza reaktywna...? – przemknęło mi jeszcze, kiedy nie wydając prawie głosu, zaczął się cichutko śmiać.

– Stawiasz mi diagnozę? Poczekaj jeszcze. W gruncie rzeczy doświadczyłeś tego w tak łagodnej formie, że dalej nic nie wiesz!

– Aha. Diabeł ulitował się nade mną – rzuciłem. Rozmowa zaczynała mnie nużyć.

– Czego właściwie chcesz? Żebym ci powiedział, jakie plany knuje przeciw nam x bilionów metamorficznej plazmy? Być może żadne.

– Jak to żadne? – spytałem osłupiały. Snaut wciąż się uśmiechał.

– Powinieneś wiedzieć, że nauka zajmuje się tylko tym, jak się coś dzieje, a nie dlaczego się coś dzieje. Jak? No, zaczęło się to w osiem czy dziewięć dni po tym rentgenowskim eksperymencie. Może ocean odpowiedział na promieniowanie jakimś innym promieniowaniem, może wysondował nim nasze mózgi i wydobył z nich pewne psychiczne otorbienia.

– Otorbienia?

To zaczęło mnie interesować.

– No tak, procesy oderwane od reszty, zamknięte w sobie, stłumione, zamurowane, jakieś zapalne ogniska pamięci. Potraktował je jako receptę, jako plan konstrukcyjny... przecież wiesz, jak bardzo są do siebie podobne asymetryczne kryształy chromosomów i tych nukleinowych połączeń cerebrozydów, które stanowią substrat procesów zapamiętywania... Plazma dziedziczna jest przecież plazmą „zapamiętującą". Więc wyjął to z nas, wynotował, a potem, wiesz, co było potem. Ale dlaczego to zostało zrobione? Ba! W każdym razie nie po to, żeby nas zniszczyć. To przyszłoby mu dużo łatwiej. W ogóle – przy takiej swobodzie technologicznej – mógł właściwie wszystko, na przykład popodstawiać nam sobowtórów.

– A! – zawołałem – to dlatego tak się przestraszyłeś pierwszego wieczoru, kiedy przyszedłem!

– Tak. Zresztą – dodał – może to i zrobił. Skąd wiesz, czy jestem naprawdę tym poczciwym starym Szczurem, który przyleciał tu przed dwoma laty...

Zaczął się cicho śmiać, jakby moje osłupienie dawało mu Bóg raczy wiedzieć jaką satysfakcję, ale zaraz przestał.

– Nie, nie – mruknął – i bez tego to jest dosyć... Może różnic jest więcej, ale znam tylko jedną: mnie z tobą można zabić.

– A i c h nie?

– Nie radzę ci próbować. Straszne widowisko!
– Niczym?
– Nie wiem. W każdym razie nie trucizną, nożem, strykiem...
– Miotaczem atomowym?
– Spróbowałbyś?
– Nie wiem. Jeśli się wie, że to nie są ludzie.
– Kiedy są, w pewnym sensie. Subiektywnie są ludźmi. Nie zdają sobie wcale sprawy ze swego... pochodzenia. Zauważyłeś to chyba?
– Tak. Więc... jak to jest?
– Regenerują w niesłychanym tempie. W niemożliwym tempie, na oczach, mówię ci, i od nowa zaczynają się zachowywać jak... jak...
– Jak co?
– Jak nasze wyobrażenia o nich, te pamięciowe zapisy, według których...
– Tak. To prawda – przytwierdziłem. Nie zważałem na to, że maść spływa mi z poparzonych policzków i kapie na ręce.
– Czy Gibarian wiedział...? – spytałem nagle. Popatrzał na mnie uważnie.
– Czy wiedział to, co my?
– Tak.
– Prawie na pewno.
– Skąd wiesz, mówił ci?
– Nie. Ale znalazłem u niego pewną książkę...
– *Mały apokryf*?! – zawołałem, podrywając się z miejsca.
– Tak. A skąd ty o tym możesz wiedzieć? – zapytał z nagłym niepokojem, zagłębiając źrenice w mojej twarzy. Wykonałem przeczący ruch głową.
– Spokojnie – powiedziałem. – Widzisz przecież, że jestem oparzony i wcale nie regeneruję? W kabinie był list do mnie.
– Co ty mówisz?! List? Co w nim było?
– Niewiele. Właściwie notatka, nie list. Referencje bibliograficzne do aneksu solaryjskiego, do tego *Apokryfu*. Co to jest?
– Stara rzecz. Możliwe, że ma z tym coś wspólnego. Masz.
Wyciągnął z kieszeni oprawny w skórę, wytarty na rogach, cienki tomik i podał mi go.
– A Sartorius...? – rzuciłem, chowając książkę.
– Co Sartorius? Każdy zachowuje się w takiej sytuacji, jak... potrafi. On usiłuje być normalny – u niego to znaczy oficjalny.
– No, wiesz!
– Ależ tak. Byłem z nim raz w sytuacji, mniejsza o szczegóły, dość że zostało nam na ośmiu pięćset kilogramów tlenu. Jeden po drugim

rzucaliśmy codzienne zajęcia, pod koniec wszyscy chodziliśmy brodaci, on jeden się golił, czyścił buciki, to taki człowiek. Naturalnie, cokolwiek zrobi teraz, będzie udawaniem, komedią albo zbrodnią.

– Zbrodnią?

– A więc nie zbrodnią. Musimy wymyślić na to jakieś nowe słowo. Na przykład „odrzutowy rozwód". Lepiej brzmi?

– Jesteś nadzwyczaj dowcipny – powiedziałem.

– Wolałbyś, żebym płakał? Zaproponuj coś.

– Ach, daj mi spokój.

– Nie, mówię serio: wiesz teraz mniej więcej tyle, co ja. Masz jakiś plan?

– Dobry jesteś! Nie wiem, co pocznę, kiedy... znowu się zjawi, musi się zjawić?

– Raczej tak.

– Którędy właściwie dostają się do środka, przecież Stacja jest hermetyczna. Może pancerz...

Pokręcił przecząco głową.

– Pancerz jest w porządku. Pojęcia nie mam jak, najczęściej mamy g o ś c i po przebudzeniu, a w końcu trzeba od czasu do czasu spać.

– Jakieś zamknięcie?

– Pomaga na krótko. Pozostają środki, no, wiesz, jakie.

Wstał. I ja wstałem.

– Słuchaj no, Snaut... Chodzi ci o likwidację Stacji, tylko chcesz, żeby to wyszło ode mnie?

Potrząsnął głową.

– To nie jest takie proste. Naturalnie, zawsze możemy uciec, choćby na Sateloid, i stamtąd nadać SOS. Potraktują nas, rozumie się, jak szaleńców – jakieś sanatorium na Ziemi, aż do czasu, kiedy wszystko ładnie odwołamy – zdarzają się przecież wypadki zbiorowego obłąkania na takich izolowanych placówkach... To nie byłoby może najgorsze. Ogród, spokój, białe pokoiki, przechadzki z pielęgniarzami...

Mówił całkiem serio, z rękami w kieszeniach, wpatrzony niewidzącymi oczami w kąt pokoju. Czerwone słońce zniknęło już za horyzontem i grzywiaste fale stopiły się w atramentową pustynię. Niebo płonęło. Nad tym dwubarwnym krajobrazem, niewypowiedzianie ponurym, płynęły chmury o liliowych obrzeżach.

– Więc chcesz uciekać? Czy nie? Jeszcze nie?

Uśmiechnął się.

– Niezłomny zdobywco... nie zakosztowałeś jeszcze tego, bobyś tak nie nalegał. Nie chodzi o to, co chcę, tylko o to, co jest możliwe.

– Co?

– Tego właśnie nie wiem.

– Więc zostajemy tu? Myślisz, że znajdzie się środek...

Popatrzał na mnie, chuderlawy, z łuszczącą się skórą twarzy, porytej bruzdami.

– Kto wie. Może to się opłaci – powiedział wreszcie. – O nim nie dowiemy się raczej nic, ale może o nas...

Odwrócił się, podniósł swoje papiery i wyszedł. Chciałem go zatrzymać, ale otwarte usta nie wydały głosu. Nie było nic do zrobienia; mogłem tylko czekać. Podszedłem do okna i patrzyłem na krwawoczarny ocean, prawie go nie widząc. Przyszło mi na myśl, że mógłbym zamknąć się w którejś z rakiet na lotnisku, ale nie myślałem tego serio, było to zbyt głupie; prędzej czy później musiałbym przecież wyjść. Usiadłem przy oknie i wyjąłem książkę, którą dał mi Snaut. Światło było jeszcze wystarczające, zaróżowiło stronicę, cały pokój gorzał czerwienią. Były to – zebrane przez niejakiego Ottona Ravintzera, magistra filozofii – artykuły i prace o niedwuznacznej na ogół wartości. Każdej nauce towarzyszy zawsze jakaś pseudonauka, jej dziwaczne wykoślawienie w umysłach pewnego typu; astronomia ma swego karykaturzystę w astrologii, chemia miała ją kiedyś w alchemii, zrozumiałe więc, że narodzinom solarystyki towarzyszyła istna eksplozja myślowych dziwolągów; książkę Ravintzera wypełniała tego właśnie rodzaju strawa duchowa, poprzedzona zresztą – trzeba lojalnie dodać – wstępem jego pióra, w którym dystansował się od owego panopticum. Uważał po prostu, nie bez racji, że taki zbiór może stanowić cenny dokument czasu, zarówno dla historyka, jak i dla psychologa nauki.

Raport Bertona zajmował w książce poczesne miejsce. Składał się z kilku części. Pierwszą stanowił odpis jego książki pokładowej, bardzo lakoniczny.

Od godziny czternastej do szesnastej czterdzieści umownego czasu ekspedycji zapiski były lakoniczne i negatywne.

Wysokość 1000 – albo 1200 – albo 800 metrów – niczego nie zaobserwowano – ocean pusty. Powtarzało się to kilka razy.

Potem o 16.40: Podnosi się czerwona mgła. Widoczność 700 metrów. Ocean pusty.

O 17.00: Mgła gęstnieje, cisza, widoczność 400 metrów, z przejaśnieniami. Schodzę na 200.

O 17.20: Jestem we mgle. Wysokość 200. Widoczność 20-40 metrów. Cisza. Wchodzę na 400.

O 17.45: Wysokość 500. Ławica mgły po horyzont. We mgle – lejowate otwory, przez które przeciera się powierzchnia oceanu. Coś się w nich dzieje. Próbuję wejść w jeden z tych lejów.

O 17.52: Widzę rodzaj wiru – wyrzuca żółtą pianę. Okolony ścianą mgły. Wysokość 100. Schodzę na 20.

Na tym kończył się zapis książki pokładowej Bertona. Dalszy ciąg tak zwanego raportu stanowił wyciąg z jego historii choroby, a mówiąc ściślej, był to tekst zeznania, podyktowanego przez Bertona, a przerywanego pytaniami członków komisji.

„Berton: Kiedy zeszedłem na trzydzieści metrów, utrzymanie wysokości stało się trudne, bo w tej okrągłej, wolnej od mgły przestrzeni panowały porywiste wiatry. Musiałem przyłożyć się do sterów i dlatego przez jakiś czas – może 10 albo 15 minut – nie wyglądałem z gondoli. Wskutek tego wszedłem niechcący w mgłę, wniósł mnie w nią silny podmuch. Nie była to zwyczajna mgła, ale jak gdyby zawiesina, zdaje się, koloidowa, bo zawlekła mi wszystkie szyby. Z ich oczyszczeniem miałem sporo kłopotu. Była bardzo lepka. Tymczasem zredukowało mi obroty o trzydzieści parę procent wskutek oporów, jakie stawiała śmigłu ta jakaś mgła, tak że zacząłem tracić wysokość. Ponieważ byłem bardzo nisko i obawiałem się, że skapotuję na fali, dałem pełny gaz. Maszyna utrzymała wysokość, ale w górę nie szła. Miałem jeszcze cztery patrony rakietowych przyspieszników. Nie użyłem ich z myślą, że sytuacja może się pogorszyć i będą mi wtedy potrzebne. Przy pełnych obrotach powstała bardzo silna wibracja; domyślałem się, że śmigło oblepia się tą dziwną zawiesiną; na zegarach udźwigu miałem jednak wciąż zero, więc nic na to nie mogłem poradzić. Słońca nie widziałem od chwili, kiedy wszedłem w mgłę, ale w jego kierunku fosforyzowała czerwono. Krążyłem wciąż w nadziei, że w końcu uda mi się wypaść na jedno z tych wolnych od mgły miejsc, i rzeczywiście udało mi się, jakieś pół godziny potem. Wyleciałem na wolną przestrzeń, prawie dokładnie kolistą, o średnicy kilkuset metrów. Jej granicę stanowiła mgła, kotłująca się gwałtownie, jakby unoszona silnymi prądami konwekcyjnymi. Dlatego starałem się pozostać możliwie w środku «dziury» – tam powietrze było najspokojniejsze. Zauważyłem wtedy zmianę powierzchni oceanu. Fale prawie zupełnie znikły, a powierzchniowa warstwa tej cieczy – tego, z czego jest ocean – stała się półprzezroczysta, z zadymieniami, które nikły, aż po krótkim czasie nastąpiło zupełne wyklarowanie i mogłem przez warstwę kilkumetrowej chyba grubości patrzeć w głąb. Gromadził się tam jak gdyby żółty szlam, który cienkimi, pionowymi smużkami szedł w górę, a gdy wypływał na wierzch, stawał się szkliście lśniący, zaczynał się burzyć i pienić, i tężał; podobny był wtedy do bardzo gęstego, przypalonego cukrowego syropu. Ten szlam czy śluz zbierał się w grube węzły, wyrastał nad powierzchnię, tworzył kalafiorowate wyniosłości i powoli formował rozmaite kształty. Zaczęło mnie ściągać ku ścianie mgły, więc musiałem przez parę minut parować ten ruch obrotami i sterem, a kiedy mogłem znowu wyjrzeć, na dole, pode mną, zobaczyłem coś, co przypominało ogród. Tak, ogród. Widziałem karłowate drzewka i żywopłoty, i ścieżki, nieprawdziwe – wszystko to było z tej samej substancji, która całkiem już stężała jak żółtawy gips. Tak to wyglądało; powierzchnia lśniła mocno, opuściłem się, jak tylko mogłem, żeby to dokładnie obejrzeć.

Pytanie: Czy te drzewa i inne rośliny, które widziałeś, miały liście?

Odpowiedź Bertona: Nie. To był tylko taki ogólny kształt – jakby model ogrodu. O, tak! Model. Tak to wyglądało. Model, ale chyba naturalnej wielkości. Po chwili wszystko zaczęło pękać i rozłamywać się, przez szczeliny, które były zupełnie czarne, falami wyciskał się na powierzchnię gęsty śluz i zastygał, część ściekała, a część zostawała, i wszystko zaczęło się coraz energiczniej burzyć, okryło się pianą i nic już oprócz niej nie widziałem. Równocześnie mgła zaczęła ściskać mnie ze wszystkich stron, więc zwiększyłem obroty i wyszedłem na 300 metrów.

Pytanie: Czy jesteś zupełnie pewny, że to, co widziałeś, przypominało ogród – i nic innego?

Odpowiedź Bertona: Tak. Dlatego że zauważyłem tam rozmaite szczegóły; pamiętam na przykład, że w jednym miejscu stały rzędem jak gdyby kwadratowe pudełka. Później przyszło mi do głowy, że to mogła być pasieka.

Pytanie: Później przyszło ci to do głowy? Ale nie w chwili, kiedy to widziałeś?

Odpowiedź Bertona: Nie, bo to było wszystko jak z gipsu. I widziałem inne rzeczy.

Pytanie: Jakie rzeczy?

Odpowiedź Bertona: Nie mogę powiedzieć jakie, bo ich dokładnie nie zdążyłem obejrzeć. Odniosłem wrażenie, że pod kilkoma krzakami leżały jakieś narzędzia, były to podługowate kształty z wystającymi zębami, jak gipsowe odlewy małych maszyn ogrodniczych. Ale tego nie jestem całkiem pewny. Tamtego – tak.

Pytanie: Czy nie pomyślałeś, że to halucynacja?

Odpowiedź Bertona: Nie. Myślałem, że to była fatamorgana. O halucynacji nie myślałem, bo czułem się zupełnie dobrze, a także dlatego, że nigdy w życiu czegoś podobnego nie widziałem. Kiedy wszedłem na trzysta metrów, mgła była pode mną podziurawiona wgłębieniami, wyglądała zupełnie jak ser. Jedne z tych dziur były puste i widziałem w nich falowanie oceanu, a w innych coś się kotłowało. Zeszedłem w jedno z takich miejsc i na czterdziestu metrach zobaczyłem, że pod powierzchnią oceanu – ale całkiem płytko – leży ściana, jak gdyby ściana bardzo wielkiego budynku; przeświecała jasno poprzez fale i miała szeregi regularnych, prostokątnych otworów, jak okna; a nawet wydało mi się, że w niektórych oknach coś się porusza. Tego nie jestem już całkiem pewny. Ta ściana zaczęła się powoli podnosić i wynurzać z oceanu. Ściekał po niej śluz całymi wodospadami i jakieś śluzowate twory, takie żyłkowane zgęszczenia. Nagle rozłamała się na dwie części i poszła w głąb tak szybko, że natychmiast znikła. Podciągnąłem maszynę jeszcze raz w górę i leciałem tuż nad samą mgłą, że prawie dotykałem jej podwoziem. Zobaczyłem następne puste lejowate miejsce – było chyba kilka razy większe od pierwszego.

Już z daleka zobaczyłem coś pływającego, wydało mi się, ponieważ było to jasne, prawie białe, że to jest skafander Fechnera, tym bardziej że kształt przypominał człowieka. Zrobiłem zwrot maszyną, bardzo gwałtowny, bałem się, że mogę minąć to miejsce i już go nie odnajdę; ta postać z lekka uniosła się wtedy i wyglądało, jak gdyby pływała czy też stała po pas w fali. Spieszyłem się i zeszedłem tak nisko, że poczułem uderzenie podwozia o coś miękkiego, o grzbiet fali, przypuszczam, bo była w tym miejscu spora. Ten człowiek, tak, to był człowiek, nie miał na sobie skafandra. Mimo to się poruszał.

Pytanie: Czy zobaczyłeś jego twarz?

Odpowiedź Bertona: Tak.

Pytanie: Kto to był?

Odpowiedź Bertona: To było dziecko.

Pytanie: Jakie dziecko? Czy widziałeś je kiedyś w życiu gdziekolwiek?

Odpowiedź Bertona: Nie. Nigdy. W każdym razie nie przypominam sobie. Zresztą, jak tylko się zbliżyłem – dzieliło mnie od niego ze czterdzieści metrów, może trochę więcej – zorientowałem się, że jest w nim coś niedobrego.

Pytanie: Co przez to rozumiesz?

Odpowiedź Bertona: Zaraz powiem. Nie wiedziałem najpierw, co to jest. Dopiero po chwili zorientowałem się: było nadzwyczaj wielkie. Olbrzymie to jeszcze mało powiedziane. Miało bodajże cztery metry. Pamiętam dokładnie, że kiedy uderzyłem podwoziem o falę, jego twarz znajdowała się nieco powyżej mojej, a chociaż siedziałem w kabinie, to jednak musiałem znajdować się ze trzy metry nad powierzchnią oceanu.

Pytanie: Jeżeli było takie wielkie, to skąd wiedziałeś, że to dziecko?

Odpowiedź Bertona: Bo to było bardzo małe dziecko.

Pytanie: Nie uważasz, Berton, że twoja odpowiedź jest nielogiczna?

Odpowiedź Bertona: Nie. Wcale nie. Bo widziałem jego twarz. A zresztą proporcje ciała były dziecięce. Wyglądało mi na... prawie na niemowlę. Nie, to przesada. Może miało dwa albo trzy lata. Miało czarne włosy i niebieskie oczy, ogromne! I było nagie. Zupełnie nagie; jak nowo narodzone. Było mokre, a raczej śliskie, skóra tak mu błyszczała.

Ten widok okropnie na mnie podziałał. Już nie wierzyłem w żadną fatamorganę. Widziałem je zbyt dokładnie. Unosiło się i opadało zgodnie z ruchem fali, ale niezależnie od tego poruszało się, to było wstrętne!

Pytanie: Dlaczego? Co takiego robiło?

Odpowiedź Bertona: Wyglądało, no, jak w jakimś muzeum, jak lalka, ale jak żywa lalka. Otwierało i zamykało usta i wykonywało rozmaite ruchy, wstrętne. Tak, bo to nie były jego ruchy.

Pytanie: Jak to rozumiesz?

Odpowiedź Bertona: Nie zbliżyłem się do niego bardziej niż na kilkanaście metrów, dwadzieścia może będzie najwłaściwszą oceną. Ale powiedziałem już, jakie było olbrzymie, i dzięki temu widziałem je nadzwyczaj dokładnie. Oczy mu błyszczały i w ogóle sprawiało wrażenie żywego dziecka, tylko te ruchy, tak jakby ktoś próbował... jakby ktoś je wypróbowywał...

Pytanie: Postaraj się wyjaśnić bliżej, co to znaczy.

Odpowiedź Bertona: Nie wiem, czy mi się uda. Odniosłem takie wrażenie. To było intuicyjne. Nie zastanawiałem się nad tym. Te ruchy były nienaturalne.

Pytanie: Czy chcesz powiedzieć, że, dajmy na to, ręce poruszały się tak, jak nie mogą się poruszać ludzkie ręce ze względu na ograniczenia ruchomości w stawach?

Odpowiedź Bertona: Nie. Wcale nie. Tylko... te ruchy nie miały żadnego sensu. Każdy ruch coś znaczy na ogół, służy do czegoś...

Pytanie: Tak uważasz? Ruchy niemowlęcia nie muszą nic znaczyć.

Odpowiedź Bertona: Wiem o tym. Ale ruchy niemowlęcia są bezładne, nieskoordynowane. Uogólnione. A te były, a, wiem! Były metodyczne. Odbywały się po kolei, grupami i seriami. Jak gdyby ktoś chciał zbadać, co to dziecko jest w stanie zrobić rękami, a co torsem i ustami, z twarzą było najgorzej, przypuszczam, że dlatego, bo twarz najwięcej wyraża, a ta była, jak twarz... nie, nie umiem tego nazwać. Była żywa, tak, ale jednak nie była ludzka. To znaczy rysy jak najbardziej, i oczy, i cera, i wszystko, ale wyraz, mimika nie.

Pytanie: Czy to były grymasy? Czy wiesz, jak wygląda twarz człowieka w ataku epileptycznym?

Odpowiedź Bertona: Tak. Widziałem taki atak. Rozumiem. Nie, to było coś innego. W epilepsji są skurcze i drgawki, a to były ruchy najzupełniej płynne i ciągłe, zgrabne, czy jak by powiedzieć, melodyjne. Nie mam innego określenia. A znów twarz, z twarzą było to samo. Twarz nie może wyglądać tak, żeby jedna połowa była wesoła, a druga smutna, żeby jedna jej część groziła albo bała się, a druga triumfowała czy coś w tym rodzaju; ale z tym dzieckiem tak właśnie było. Poza tym te wszystkie ruchy i gra mimiczna odbywały się z niesłychaną szybkością. Ja tam byłem bardzo krótko. Może dziesięć sekund. Nie wiem nawet, czy dziesięć.

Pytanie: I chcesz powiedzieć, żeś to wszystko zdążył zobaczyć w tak krótkim czasie? Zresztą, skąd wiesz, jak długo to trwało, czy sprawdziłeś to na zegarku?

Odpowiedź Bertona: Nie. Nie sprawdzałem na zegarku, ale latam od szesnastu lat. W moim zawodzie musi się oceniać czas z dokładnością do sekundy, mam na myśli chwile, chodzi o refleks. To jest potrzebne przy lądowaniu. Pilot, który nie potrafi bez względu na okoliczności zorientować się, czy jakieś zjawisko trwa pięć sekund czy dziesięć, nigdy nie będzie wiele wart. Tak samo jest z obserwacją. Człowiek się tego uczy z latami, chwytać wszystko w jak najkrótszym czasie.

Pytanie: Czy to już wszystko, co widziałeś?

Odpowiedź Bertona: Nie. Ale reszty nie pamiętam tak dokładnie. Przypuszczam, że dawka była dla mnie zbyt silna. Miałem jak gdyby zakorkowany mózg. Mgła zaczęła się schodzić i musiałem iść w górę. Musiałem, ale nie pamiętam, jak ani kiedy to zrobiłem. Pierwszy raz w życiu o mało nie skapotowałem. Ręce tak mi się trzęsły, że nie mogłem porządnie utrzymać steru. Zdaje się, że krzyczałem coś i wywoływałem Bazę, chociaż wiedziałem, że nie ma łączności.

Pytanie: Czy próbowałeś wtedy wrócić?

Odpowiedź Bertona: Nie. Bo w końcu, kiedy wylazłem na pułap, pomyślałem, że może w którejś z tych dziur jest Fechner. Ja wiem, to brzmi bezsensownie. Mimo to tak myślałem. Skoro dzieją się takie rzeczy – pomyślałem – to może i Fechnera uda mi się znaleźć. Dlatego postanowiłem wchodzić w tyle dziur mgły, jak się tylko da. Ale za trzecim razem, kiedy wyszedłem w górę, po tym, co zobaczyłem, zrozumiałem, że nie dam rady. Nie mogłem. Muszę powiedzieć, to zresztą jest wiadome. Dostałem mdłości i wymiotowałem w gondoli. Nie wiedziałem dotychczas, co to znaczy. Nigdy nie miałem nudności.

Pytanie: To był objaw zatrucia, Berton.

Odpowiedź Bertona: Możliwe. Nie wiem. Ale tego, co zobaczyłem za trzecim razem, nie wymyśliłem, tego nie spowodowało zatrucie.

Pytanie: Skąd możesz o tym wiedzieć?

Odpowiedź Bertona: To nie była halucynacja. Halucynacja to jest przecież to, co wytwarza mój własny mózg, nie?

Pytanie: Tak.

Odpowiedź Bertona: No właśnie. A tego nie mógł wytworzyć. Nigdy w to nie uwierzę. Nie byłby do tego zdolny.

Pytanie: Powiedz raczej, co to było, dobrze?

Odpowiedź Bertona: Najpierw muszę się dowiedzieć, jak zostanie potraktowane to, co dotychczas powiedziałem.

Pytanie: Jakie to ma znaczenie?

Odpowiedź Bertona: Dla mnie – zasadnicze. Powiedziałem, że zobaczyłem coś, czego nie zapomnę już nigdy. Jeżeli komisja uzna, że to, co powiedziałem, jest chociaż w jednym procencie prawdopodobne, tak że należy rozpocząć odpowiednie badania tego oceanu, myślę, w tym kierunku, to powiem wszystko. Ale jeżeli to ma być przez komisję uznane za jakieś moje majaczenia, nie powiem nic.

Pytanie: Dlaczego?

Odpowiedź Bertona: Bo treść moich halucynacji, chociażby wołała o pomstę do nieba, jest moją prywatną sprawą. Natomiast treść moich doświadczeń na Solaris – nie.

Pytanie: Czy to ma znaczyć, że odmawiasz wszelkich dalszych odpowiedzi aż do powzięcia decyzji przez właściwe organy ekspedycji? Bo chyba rozumiesz, że komisja nie jest upoważniona do powzięcia natychmiastowej decyzji.

Odpowiedź Bertona: Tak jest".

Na tym kończył się pierwszy protokół. Był jeszcze fragment drugiego, spisanego w jedenaście dni później.

„Przewodniczący: ...biorąc to wszystko pod uwagę, komisja, złożona z trzech lekarzy, trzech biologów, jednego fizyka, jednego inżyniera mechanika i zastępcy kierownika wyprawy, doszła do przekonania, że przedstawione przez Bertona wypadki stanowią treść halucynatorycznego zespołu, przebiegającego pod wpływem zatrucia atmosferą planety, z objawami pomrocznymi, którym towarzyszyło pobudzenie asocjacyjnych stref kory mózgowej, i że tym wypadkom w rzeczywistości nic lub prawie nic nie odpowiadało.

Berton: Przepraszam. Co to znaczy «nic lub prawie nic»? Co to jest «prawie nic»? Jakie to jest wielkie?

Przewodn.: Jeszcze nie skończyłem. Osobno zaprotokołowane zostało *votum separatum* doktora fizyki Archibalda Messengera, który oświadczył, że to, co opowiedział Berton, mogło, w jego mniemaniu, zdarzyć się w rzeczywistości i godne jest sumiennego zbadania. To wszystko.

Berton: Powtarzam pytanie sprzed chwili.

Przewodn.: Sprawa jest prosta. «Prawie nic» oznacza, że pewne zjawiska realne mogły zapoczątkować twoje halucynacje, Berton. Najnormalniejszy człowiek może podczas wietrznej nocy wziąć poruszający się krzak za jakąś postać. Cóż dopiero na obcej planecie, kiedy umysł obserwatora znajduje się pod wpływem trucizny. To ci nie uchybia, Berton. Jaka jest w związku z powyższym twoja decyzja?

Berton: Pragnąłbym się pierwej dowiedzieć, jakie są konsekwencje tego *votum separatum* doktora Messengera?

Przewodn.: Praktycznie żadne. To znaczy, że badania w tym kierunku nie zostaną podjęte.

Berton: Czy to, co mówimy, jest protokołowane?

Przewodn.: Tak.

Berton: Wobec tego chciałbym powiedzieć, że według mego przekonania komisja uchybiła nie mnie – ja się tu nie liczę – ale duchowi tej wyprawy. Zgodnie z tym, co powiedziałem za pierwszym razem, na dalsze pytania nie odpowiem.

Przewodn.: Czy to wszystko?

Berton: Tak. Ale chciałbym się zobaczyć z doktorem Messengerem. Czy to możliwe?

Przewodn.: Naturalnie".

Na tym kończył się drugi protokół. Na dole kartki umieszczona była drobnym drukiem nota głosząca, że dr Messenger odbył następnego dnia blisko trzygodzinną poufną rozmowę z Bertonem, po czym zwrócił się do Rady Ekspedycji, domagając się ponownie podjęcia badań nad zeznaniami pilota. Twierdził, że przemawiają za tym nowe, dodatkowe dane, których dostarczył mu Berton, ale które ujawnić będzie mógł dopiero po powzięciu przez Radę pozytywnej decyzji. Rada w osobach Shannahana, Timolisa i Trahiera wypowiedziała się co do tego wniosku negatywnie, na czym sprawę zamknięto.

Książka zawierała jeszcze fotokopię jednej strony listu, znalezionego w pośmiertnych papierach Messengera. Był to prawdopodobnie brulion; Ravintzerowi nie udało się stwierdzić, czy ów list został wysłany, ani też, jakie były jego konsekwencje.

„...jej piramidalna tępota” – zaczynał się tekst. „W trosce o swój autorytet Rada, a mówiąc konkretnie Shannahan i Timolis (bo głos Trahiera się nie liczy), odrzucili moje żądania. Zwracam się teraz bezpośrednio do Instytutu, ale rozumiesz sam, że to tylko bezsilny protest. Związany słowem, nie mogę Ci niestety przekazać tego, co powiedział mi Berton. Na decyzję Rady wpłynęło oczywiście to, że z rewelacją przyszedł człowiek bez jakiegokolwiek naukowego stopnia, chociaż niejeden badacz mógłby pozazdrościć temu pilotowi przytomności umysłu i talentu obserwacyjnego. Podaj mi, proszę, nast. dane odwrotną pocztą:

1) życiorys Fechnera z uwzględnieniem jego dzieciństwa,

2) wszystko, co tylko wiesz o jego rodzinie i rodzinnych sprawach; podobno osierocił małe dziecko,

3) topografię miejscowości, w której się wychował.

Pragnąłbym Ci jeszcze powiedzieć, co o tym wszystkim sądzę. Jak wiesz, w jakiś czas po wyruszeniu Fechnera i Carucciego w centrum czerwonego słońca powstała plama, która swym korpuskularnym promieniowaniem zniweczyła łączność radiową, i to, według danych Sateloidu, głównie na południowej półkuli, tj. tam, gdzie znajdowała się nasza Baza. Fechner i Carucci oddalili się – ze wszystkich grup badawczych – najbardziej od Bazy.

Tak gęstej, uporczywie spoczywającej mgły przy zupełnej ciszy nie zaobserwowaliśmy aż do dnia katastrofy przez cały czas pobytu na planecie.

Sądzę, że to, co widział Berton, było częścią «operacji człowiek», dokonanej przez tego lepkiego potwora. Właściwym źródłem wszelkich tworów, dostrzeżonych przez Bertona, był Fechner – jego mózg, w trakcie jakiejś dla nas niepojętej «sekcji psychicznej»; szło tu o eksperymentalne odtworzenie, o rekonstrukcję niektórych (najtrwalszych zapewne) śladów jego pamięci.

Wiem, że to brzmi fantastycznie, wiem, że mogę się mylić. Proszę Cię więc o pomoc; znajduję się obecnie na Alaryku i tam będę oczekiwał twej odpowiedzi.

Twój A.”

Ledwo mogłem czytać, tak ciemno się zrobiło, książka w moim ręku poszarzała, na koniec druk jął się rozsypywać w oczach, ale pusta część kartki świadczyła, że doszedłem do końca tej historii, którą w świetle własnych przeżyć uznałem za bardzo prawdopodobną. Odwróciłem się ku oknu. Stał w nim głęboki fiolet, nad horyzontem tlało jeszcze kilka obłoków, jak dogasający węgiel. Ocean, okryty ciemnością, był niewidzialny. Słyszałem słaby furkot papierowych pasków nad wentylatorami. Nagrzane powietrze o słabym smaku ozonu stało martwe. Bezwzględna cisza wypełniała całą Stację. Pomyślałem, że w naszej decyzji – pozostania – nie było nic bohaterskiego. Okres heroicznych zmagań planetarnych, śmiałych wypraw, przeraźliwych zgonów, jak choćby pierwszej ofiary oceanu – Fechnera, dawno już się zamknął. Nie obchodziło mnie już prawie, kto jest „gościem" Snauta czy Sartoriusa. Po jakimś czasie, pomyślałem, przestaniemy się wstydzić i odosabniać. Jeżeli nie będziemy się mogli pozbyć „gości", to się do nich przyzwyczaimy i będziemy z nimi żyli, a jeśli ich Twórca odmieni reguły gry, przystosujemy się i do nowych, chociaż przez jakiś czas będziemy brykać, ciskać się, a może nawet ten lub ów popełni samobójstwo, ale w końcu i ów przyszły stan dojdzie do swej równowagi. Pokój wypełniała ciemność coraz bardziej podobna do ziemskiej. Już tylko białe kształty umywalni i lustra rozwidniały mrok. Wstałem, po omacku odnalazłem kłąb waty na półce, omyłem zwilżonym tamponem twarz i położyłem się na wznak na łóżku. Gdzieś nade mną, podobny do trzepotania ćmy, unosił się i cichł furkot u wentylatora. Nie widziałem nawet okna, wszystko objęła czerń, smużka nie wiadomo skąd płynącej poświaty wisiała przede mną, nie wiem, czy na ścianie, czy daleko, w głębi zaokiennej pustyni. Przypomniałem sobie, jak przeraził mnie poprzedniego wieczoru pusty wzrok solaryjskiej przestrzeni, i omal się nie uśmiechnąłem. Nie bałem się go. Niczego się nie bałem. Zbliżyłem do oczu przegub ręki. Fosforycznym wianuszkiem cyfr zaświeciła tarcza zegarka. Za godzinę miało wzejść błękitne słońce. Rozkoszowałem się panującą ciemnością, oddychałem głęboko, pusty, wyswobodzony z wszelkich myśli.

W pewnej chwili, kiedy się poruszyłem, poczułem przylegający do biodra płaski kształt magnetofonu. Prawda. Gibarian. Jego głos utrwalony w szpulach. Nawet mi na myśl nie przyszło wskrzesić go, wysłuchać. To było wszystko, co mogłem dla niego zrobić. Wyjąłem magnetofon, żeby go schować pod łóżkiem. Usłyszałem szelest i słabe skrzypnięcie otwierających się drzwi.

– Kris...? – rozległ się cichy, bliski szeptu głos. – Jesteś tu, Kris? Tak ciemno.

– To nic – powiedziałem. – Nie bój się. Chodź tu.

Narada

Leżałem na wznak, z jej głową na ramieniu, bez jednej myśli. Ciemność wypełniająca pokój zaludniała się. Słyszałem kroki. Ściany znikały. Coś piętrzyło się nade mną, coraz wyższe, bez granic. Przenikany na wylot, obejmowany bez dotyku, zastygłem w ciemności, czułem jej przejrzystość, ostrą, wypierającą powietrze. Bardzo daleko słyszałem serce. Skupiłem całą uwagę, resztę sił na oczekiwaniu agonii. Nie przychodziła. Wciąż tylko malałem, a niewidzialne niebo, niewidzialne horyzonty, przestrzeń, pozbawiona kształtów, chmur, gwiazd, cofając się i olbrzymiejąc, czyniła mnie swoim środkiem, usiłowałem wczołgać się w to, na czym leżałem, ale pode mną nie było już nic i mrok niczego już nie osłaniał. Zacisnąłem ręce, zakryłem nimi twarz. Nie miałem jej już. Palce przeszły na wylot, chciałem krzyczeć, wyć...

Pokój był błękitnoszary. Sprzęty, półki, naroża ścian wywiedzione jakby szerokimi, matowymi pociągnięciami, tylko okonturowane, bez własnej barwy. Najjaśniejsza, perłowa biel w ciszy za oknem. Ciało miałem mokre od potu, spojrzałem w bok, patrzała na mnie.

– Ścierpło ci ramię?

– Co?

Uniosła głowę. Oczy miała tej samej barwy co pokój, szare, świetliste między czarnymi rzęsami. Poczułem ciepło jej szeptu, zanim zrozumiałem słowa.

– Nie. A, tak.

Położyłem rękę na jej barku. Dotyk mrowił. Powoli przygarnąłem ją drugą ręką.

– Miałeś zły sen.

– Sen? Tak, sen. A ty nie spałaś?

– Nie wiem. Może nie. Nie jestem śpiąca. Ale ty śpij. Czemu tak patrzysz?

Przymknąłem oczy. Czułem drobne, miarowe bicie jej serca, tam gdzie wolniej uderzało moje. Rekwizyt – pomyślałem. Ale nie dziwiło mnie nic, nawet własna obojętność. Strach i rozpacz miałem już poza sobą. Byłem dalej, o, tak daleko nie był jeszcze nikt. Ustami dotknąłem jej szyi, zeszedłem w dół, w małe, gładkie jak wnętrze muszelki zagłębienie między ścięgnami. I tu biło tętno.

Podniosłem się na łokciu. Żadnych zórz, żadnej miękkości świtu, horyzont obejmowała elektrycznie błękitna łuna, pierwszy promień przeszedł przez pokój jak strzał, wszystko zagrało refleksami, rozłamały się tęczowe odbicia w lustrze, w klamkach, w niklowych rurach, zdawało się, że światło uderza każdą napotkaną płaszczyznę, jakby się chciało wyzwolić, rozsadzić ciasne pomieszczenie. Już nie można było patrzeć. Odwróciłem się. Źrenice Harey zmalały. Szare tęczówki uniosły się ku mojej twarzy.

– Czy to już czas na dzień? – spytała matowym głosem. Był to jakby pół sen, pół jawa.

– Tu jest tak zawsze, kochanie.

– A my?

– Co my?

– Długo tu będziemy?

Chciało mi się śmiać. Ale kiedy niewyraźny odgłos wyrwał mi się z piersi, nie był podobny do śmiechu.

– Myślę, że dosyć długo. Nie chcesz?

Powieki jej nie drgały. Patrzała na mnie uważnie. Czy mrugała? Nie byłem pewien. Podciągnęła koc i na jej ramieniu zaróżowiło się małe, trójkątne znamię.

– Dlaczego tak patrzysz?

– Bo jesteś piękna.

Uśmiechnęła się. Ale to była tylko uprzejmość, podziękowanie za komplement.

– Naprawdę? Bo patrzysz, jakbyś... jakbym...

– Co?

– Jakbyś czegoś szukał.

– Opowiadasz!

– Nie, jakbyś myślał, że coś mi jest albo że nie powiedziałam ci czegoś.

– Ależ skąd.

– Jeżeli się tak wypierasz, to na pewno. Ale jak chcesz.

Za rozpłomienionymi szybami rodził się martwy, błękitny upał. Osłaniając oczy ręką, poszukałem okularów. Leżały na stole. Ukląkłem na łóżku, nałożyłem je i zobaczyłem jej odbicie w lustrze. Oczekiwała czegoś. Kiedy znowu położyłem się obok niej, uśmiechnęła się.

– A dla mnie?

Nagle zrozumiałem.

– Okulary?

Wstałem i zacząłem szperać po szufladach, na stoliku pod oknem. Znalazłem dwie pary, obie zbyt wielkie. Podałem jej. Wypróbowała jedne i drugie. Opadały jej do połowy nosa.

Z przeciągłym zgrzytem poczęły zasuwać się pokrywy okien. Chwila i we wnętrzu Stacji, która jak żółw schowała się w swojej skorupie, zapanowała noc. Po omacku zdjąłem jej szkła i razem ze swoimi położyłem pod łóżkiem.

– Co będziemy robili? – spytała.

– To, co się robi w nocy: spać.

– Kris.

– Co?

– Może zrobię ci nowy okład.

– Nie, nie trzeba. Nie trzeba... kochanie.

Kiedy to powiedziałem, sam nie rozumiałem, czy udaję, ale naraz w ciemności objąłem na oślep jej smukłe plecy i czując ich drżenie, uwierzyłem w nią. Zresztą nie wiem. Wydało mi się nagle, że to ja ją oszukuję, a nie ona mnie, bo jest tylko sobą.

Zasypiałem potem jeszcze kilka razy i wciąż z drzemki wyrywał mnie skurcz, łomocące serce uspokajało się powoli, przyciskałem ją do siebie, śmiertelnie znużony, badawczo dotykała mojej twarzy, czoła, bardzo ostrożnie, sprawdzając, czy nie mam gorączki. To była Harey. Innej, prawdziwszej nie mogło być.

Po tej myśli coś odmieniło się we mnie. Przestałem walczyć. Prawie natychmiast usnąłem.

Obudziło mnie delikatne dotknięcie. Czoło objął miły chłód. Leżałem z twarzą okrytą czymś wilgotnym i miękkim, co uniosło się wolno, zajrzałem w pochyloną nade mną twarz Harey. Obiema rękami wyciskała nadmiar płynu z gazy do porcelanowej miseczki. Obok stała flaszka z płynem przeciw oparzeniom. Uśmiechnęła się do mnie.

– Ależ masz sen – powiedziała i kładąc na powrót gazę: – Czy to boli?

– Nie.

Poruszyłem skórą czoła. Rzeczywiście, oparzenia nie dawały mi się teraz we znaki. Harey siedziała na brzegu łóżka, otulona w męski płaszcz kąpielowy, biały w pomarańczowe pasy, czarne włosy rozsypały się na kołnierzu. Rękawy podwinęła wysoko do łokci, żeby nie przeszkadzały. Odczuwałem niesamowity głód, chyba od dwudziestu godzin nie miałem nic w ustach. Kiedy Harey ukończyła zabiegi przy mojej twarzy, wstałem. Wzrok mój padł raptem na dwie leżące obok siebie całkiem jednakowe białe sukienki z czerwonymi guzikami, pierwszą, którą pomogłem jej zdjąć, nacinając dekolt, i drugą, w której przyszła wczoraj. Tym razem ona sama rozpruła szew nożyczkami. Mówiła, że pewno się zamek zaciął.

Te dwie jednakowe sukienki były najstraszniejsze ze wszystkiego, co dotąd przeżyłem. Harey krzątała się przy szafce z lekarstwami, robiąc w niej porządki. Ukradkiem odwróciłem się od niej i ugryzłem się do krwi w pięść. Patrząc wciąż na te dwie sukienki – czy też raczej jedną i tę samą, powtórzoną dwa razy – zacząłem cofać się ku drzwiom. Woda ciekła wciąż z kranu, hałasując. Otworzyłem drzwi, wymknąłem się cicho na korytarz i zamknąłem je ostrożnie. Słyszałem słaby szmer płynącej wody i brzękanie flaszek, nagle ten odgłos ustał. W korytarzu płonęły podłużne lampy sufitowe, niewyraźna plama odbitego światła leżała na powierzchni drzwi, u których czekałem z zaciśniętymi szczękami. Trzymałem klamkę, choć nie spodziewałem się, żebym ją potrafił utrzymać. Gwałtowne szarpnięcie omal nie wyrwało mi jej z ręki, ale drzwi nie otwarły się, zadygotały tylko i zaczęły przeraźliwie trzeszczeć. Puściłem osłupiały klamkę i cofnąłem się, z drzwiami działo się coś nieprawdopodobnego, ich gładka plastykowa płyta gięła się, jakby wtłaczana od mojej strony w głąb, do pokoju. Emalia zaczęła odpryskiwać drobnymi okruchami, obnażając stal futryny, która napinała się coraz bardziej. Nagle zrozumiałem: zamiast pchnąć drzwi, które odmykały się do korytarza, usiłowała je otworzyć, ciągnąc do siebie. Refleks światła wykrzywił się na białej tafli jak we wklęsłym lustrze, rozległo się potężne chrupnięcie i jednolita, do ostateczności wygięta tafla trzasnęła. Równocześnie klamka, wyrwana z osady, wleciała do pokoju. W otworze pokazały się natychmiast zakrwawione ręce i zostawiając czerwone ślady na lakierze, ciągnęły dalej – płyta drzwi złamała się na dwoje, zwisła skośnie z zawiasów i pomarańczowo-biały stwór o zsiniałej martwej twarzy rzucił mi się na pierś, zanosząc się od łkań.

Gdyby nie to, że ten widok sparaliżował mnie, byłbym chyba próbował uciec. Harey łapała konwulsyjnie oddech, bijąc głową w mój bark, aż latały jej rozburzone włosy. Kiedy objąłem ją, poczułem, że leci mi przez ręce. Zaniosłem ją do pokoju, przecisnąwszy się obok strzaskanego skrzydła drzwi, i położyłem na łóżku. Paznokcie miała ociekłe krwią i połamane. Kiedy odwróciła rękę, zobaczyłem obdarte do żywego mięsa wnętrze dłoni. Spojrzałem jej w twarz, otwarte oczy patrzały przeze mnie, pozbawione wyrazu.

– Harey!

Odpowiedziała nieartykułowanym mruknięciem.

Zbliżyłem palec do jej oka. Powieka zamknęła się. Podszedłem do szafki z lekarstwami. Łóżko skrzypnęło. Odwróciłem się. Siedziała wyprostowana, patrząc ze strachem na skrwawione ręce.

– Kris – jęknęła – ja... ja... co mi się stało?

– Skaleczyłaś się, wyłamując drzwi – powiedziałem sucho. Miałem coś w wargach, zwłaszcza w dolnej, jakby po niej mrówki chodziły. Zacisnąłem ją zębami.

Harey patrzała chwilę na zwisające luźno z futryny zębate kawały plastyku i wróciła oczami do mnie. Podbródek zadrgał jej, widziałem wysiłek, z jakim usiłowała opanować lęk.

Pociąłem płaty gazy, wyjąłem z szafki zasypkę na rany i wróciłem do łóżka. Wszystko, co niosłem, wysunęło mi się raptem z opuszczonych rąk, szklany słoiczek z żelatynową błoną pękł, ale nie pochyliłem się nawet. Nie był już potrzebny.

Podniosłem jej rękę. Zaschła krew otaczała jeszcze cienkimi obramowaniami paznokcie, ale zmiażdżenia znikły, a wnętrze dłoni zasklepiała jaśniejsza od otoczenia, młoda, różowa skóra. Blizna ta bladła zresztą nieomal w oczach.

Usiadłem, pogładziłem ją po twarzy i spróbowałem się do niej uśmiechnąć, nie mogę powiedzieć, żeby mi się to udało.

– Czemu to zrobiłaś, Harey?

– Nie. To... ja?

Oczami wskazała na drzwi.

– Tak. Nie pamiętasz?

– Nie. To znaczy, zobaczyłam, że cię nie ma, przestraszyłam się bardzo i...

– I co?

– Zaczęłam cię szukać, pomyślałam, że może jesteś w łazience...

Teraz dopiero zauważyłem, że szafa, odsunięta na bok, ukazuje wejście do łazienki.

– A potem?

– Pobiegłam do drzwi.

– I co?

– Nie pamiętam. Coś musiało się stać.

– Co?

– Nie wiem.

– A co pamiętasz? Co było potem?

– Siedziałam tu, na łóżku.

– A tego, jak cię przyniosłem, nie pamiętasz?

Wahała się. Kąciki ust opuściły się w dół, twarz miała napiętą.

– Zdaje się. Może. Sama nie wiem.

Opuściła nogi na podłogę i wstała. Podeszła do strzaskanych drzwi.

– Kris!

Ująłem ją z tyłu za ramiona. Drżała. Nagle odwróciła się, szukała moich oczu.

– Kris – szeptała – Kris.

– Uspokój się.

– Kris, jeżeli, Kris, czy ja mam epilepsję?

Epilepsja, dobry Boże! Chciało mi się śmiać.

– Gdzie tam, kochanie. Po prostu drzwi, wiesz, tu są takie, no, takie drzwi...

Opuściliśmy pokój, kiedy zewnętrzny pancerz z przeciągłym zgrzytem odsłonił okna, ukazując zapadającą w ocean słoneczną tarczę.

Skierowałem się do małego pomieszczenia kuchennego w przeciwnym końcu korytarza. Gospodarowaliśmy wspólnie z Harey, przetrząsając szafki i lodówki. Rychło zauważyłem, że nie bardzo dawała sobie radę z gotowaniem i niewiele więcej potrafiła, aniżeli otwierać puszki konserw, to znaczy tyle co i ja. Pochłonąłem zawartość dwu takich puszek i wypiłem niezliczoną ilość filiżanek kawy. Harey także jadła, ale tak jak jedzą czasem dzieci, nie chcąc robić przykrości dorosłym, nawet nie z przymusem, ale mechanicznie i obojętnie.

Poszliśmy potem do małego pomieszczenia operacyjnego obok radiostacji; miałem pewien plan. Powiedziałem, że chcę ją na wszelki wypadek zbadać, usadowiłem na rozkładanym fotelu i wydobyłem ze sterylizatora strzykawkę i igły. Wiedziałem, gdzie się co znajduje, prawie na pamięć, tak wymusztrowano nas w treningowej kopii Stacji, na Ziemi. Pobrałem kroplę krwi z jej palca, zrobiłem rozmaz, wysuszyłem w ekshaustorze i opyliłem go jonami srebra w wysokiej próżni.

Rzeczowość tej roboty działała uspokajająco. Harey, spoczywając na poduszkach rozłożonego krzesła, rozglądała się po zatłoczonym aparatami wnętrzu operacyjnej.

Ciszę przerwał urywany brzęczek wewnętrznego telefonu. Podniosłem słuchawkę.

– Kelvin – powiedziałem. Nie spuszczałem oka z Harey, która od jakiegoś czasu była apatyczna, jakby wyczerpana przeżyciami ostatnich godzin.

– Jesteś w operacyjnej? Nareszcie! – usłyszałem jakby westchnienie ulgi.

Mówił Snaut. Czekałem ze słuchawką przyciśniętą do ucha.

– Masz „gościa", co?

– Tak.

– I jesteś zajęty?

– Tak.

– Takie badanie, hm?

– A co? Chcesz zagrać partyjkę szachów?

– Daj spokój, Kelvin. Sartorius chce się z tobą widzieć. To znaczy, z nami.

– To nowość – odparłem zaskoczony. – A co z... urwałem i dokończyłem:

– Czy jest sam?

– Nie. Źle się wyraziłem. On chce porozmawiać z nami. Połączymy się w trójkę wizofonem, tylko ekrany się przesłoni.

– Ach tak? To dlaczego wprost do mnie nie zatelefonował? Wstydzi się?

– Coś w tym rodzaju – burknął niewyraźnie Snaut. – Więc jak?

– Chodzi o to, żebyśmy się umówili? Powiedzmy, za godzinę. Dobrze?

– Dobrze.

Widziałem go w ekranie, samą twarz, nie większą od dłoni. Przez chwilę, naznaczoną leciutkim szumem prądu, patrzał mi badawczo w oczy.

Na koniec odezwał się z pewnym wahaniem:

– Jak ci się żyje?

– Znośnie. A tobie jak?

– Przypuszczam, że trochę gorzej niż tobie. Czy mógłbym...

– Chcesz przyjść do mnie? – domyśliłem się. Spojrzałem przez ramię na Harey. Przechyliła głowę przez poduszkę i leżała z nogą założoną na nogę, podrzucając gestem bezwiednego znudzenia srebrzystą kulkę, którą kończył się łańcuszek u poręczy fotela.

– Zostaw to, słyszysz? Zostaw, ty! – dobiegł mnie podniesiony głos Snauta. Zobaczyłem w ekranie jego profil. Reszty nie słyszałem, zakrył ręką mikrofon, ale widziałem jego poruszające się usta.

– Nie, nie mogę przyjść. Może potem. Więc za godzinę – powiedział szybko i ekran zgasł. Powiesiłem słuchawkę.

– Kto to był? – spytała obojętnie Harey.

– Taki jeden. Snaut. Cybernetyk. Nie znasz go.

– Długo to jeszcze potrwa?

– A co, nudzisz się? – spytałem. Włożyłem pierwszy z serii preparatów do kasety mikroskopu neutrinowego i po kolei wcisnąłem kolorowe gałki wyłączników. Pola siłowe rozbuczały się głucho.

– Rozrywek wiele tu nie ma i jeżeli moje skromne towarzystwo nie wystarczy ci, to będzie krucho – mówiłem, przedłużając z roztargnieniem przerwy między wyrazami, równocześnie ściągnąłem oburącz wielką, czarną głowicę, w której świecił okular mikroskopu, i wcisnąłem oczy w głąb miękkiej gumowej muszli. Harey powiedziała coś, co nie doszło do mnie. Widziałem z góry, w stromym skrócie, ogromną pustynię, zalaną srebrnym blaskiem. Leżały na niej, otoczone niewyraźną mgiełką, jakby potrzaskane i zwietrzałe, płaskie okrąglaki skalne. To były czerwone ciałka. Wyostrzyłem obraz i nie odrywając oczu od okularów, wpływałem jak gdyby coraz głębiej w pałające srebrzyście pole widzenia. Równocześnie lewą ręką obracałem korbę regulacyjną stolika, a kiedy leżąca samotnie jak narzutowy głaz krwinka znalazła się na skrzyżowaniu czarnych nici, wzmogłem powiększenie. Obiektyw najeżdżał pozornie na zniekształcony, zapadły pośrodku erytrocyt, który wydawał się już koliskiem skalnego krateru, z czarnymi, ostrymi cieniami we wgłębieniach pierścienistego obrzeża. Obrzeże to, najeżone skrystalizowanymi nalotami jonów srebra, uciekło mi poza granice mikroskopowego pola. Pojawiły się mętne, jakby widziane przez opalizującą wodę, zarysy na wpół stopionych, pogiętych łańcuchów białka. Mając na czarnym skrzyżowaniu jedno zwęźlenie białkowych ruin, popychałem z wolna dźwignię powiększenia dalej, wciąż dalej, lada moment miał ukazać się kres tej podróży w głąb, przypłaszczony cień jednej molekuły wypełniał cały obraz, rozemglił się teraz!

Nic się jednak nie stało. Powinienem był zobaczyć drgające mgiełki atomów, niby galaretowatą trzęsionkę, ale nie było ich. Ekran płonął niepokalanym srebrem. Pchnąłem dźwignię do końca. Buczenie nasiliło się gniewnie, lecz nadal nic nie widziałem. Powtarzający się, brzęczący sygnał dawał mi znać, że aparatura jest przeciążona. Raz jeszcze spojrzałem w srebrną pustkę i wyłączyłem prąd.

Spojrzałem na Harey. Otwierała właśnie usta w ziewnięciu, które zmieniła zręcznie w uśmiech.

– Jak tam ze mną? – spytała.

– Bardzo dobrze – powiedziałem. – Myślę, że... nie może być lepiej.

Wciąż na nią patrzyłem, czując znów tę mrówkę w dolnej wardze. Co się właściwie stało? Co to znaczyło? To ciało, z pozoru tak wiotkie i kruche – w istocie niezniszczalne – w ostatecznym swoim dnie okazało się złożone z nicości? Uderzyłem pięścią w cylindryczny korpus mikroskopu. Może jakiś defekt? Może pola nie ogniskują...? Nie, wiedziałem, że aparatura jest sprawna. Zeszedłem po wszystkich szczeblach, komórki, białkowego konglomeratu, molekuły, wszystkie wyglądały dokładnie tak jak na tysiącach preparatów, które widziałem. Ale ostatni krok w dół prowadził donikąd.

Wziąłem jej krew z żyły i przelałem do miarowego cylindra. Rozdzieliłem ją na porcje i zabrałem się do analizy. Zajęła mi więcej czasu, aniżeli sądziłem, straciłem trochę wprawę. Reakcje były w normie. Wszystkie. Chyba, żeby...

Puściłem kroplę stężonego kwasu na czerwony koralik. Zadymiło, kropla poszarzała, pokryła się nalotem brudnej piany. Rozkład.

Denaturacja. Dalej, dalej! Sięgnąłem po probówkę. Kiedy odwróciłem się ku tamtej, cienkie szkło omal nie wypadło mi z palców.

Pod warstewką brudnej szumowiny na samym dnie probówki znowu narastała warstewka ciemnej czerwieni. Krew, spalona kwasem, odtwarzała się! To był nonsens! To było niemożliwe!

– Kris! – usłyszałem jakby z wielkiej dali. – Telefon, Kris!

– Co? A tak, dziękuję.

Telefon brzęczał już od dawna, teraz to dopiero usłyszałem.

– Kelvin – podniosłem słuchawkę.

– Snaut. Przełączyłem linię, tak że słyszymy się równocześnie we trzech.

– Witam pana, doktorze Kelvin – rozległ się wysoki, nosowy głos Sartoriusa. Brzmiał tak, jakby jego właściciel wstępował na niebezpiecznie uginające się podium, podejrzliwy, czujny i zewnętrznie opanowany.

– Moje uszanowanie panu doktorowi – odparłem. Chciało mi się śmiać, ale nie byłem pewny, czy przyczyny tej wesołości są mi dostatecznie jasne, abym mógł jej pofolgować. Z kogo w końcu miałem się śmiać? Trzymałem coś w ręku: probówkę z krwią. Potrząsnąłem nią. Skrzepła już. Może to sprzed chwili było tylko złudzeniem? Może mi się tylko wydało?

– Chciałem kolegom przedstawić pewne kwestie związane z... e... fantomami – słyszałem i nie słyszałem jednocześnie Sartoriusa. Jakby dobijał mi się do świadomości. Broniłem się przed tym głosem, wciąż wpatrzony w probówkę ze skrzepłą krwią.

– Nazwijmy je tworami F – poddał szybko Snaut.

– A doskonale.

Pośrodku ekranu ciemniała pionowa linia na znak, że odbieram jednocześnie dwa kanały – po obu jej stronach powinny się były znajdować twarze moich rozmówców. Szkło było jednak ciemne i tylko wąska obwódka pałania wzdłuż ramki świadczyła, że aparatura działa, lecz ekrany są czymś zasłonięte.

– Każdy z nas przeprowadzał rozmaite badania... – znów ta sama ostrożność w nosowym głosie mówiącego. Chwila ciszy. – Może połączymy najpierw nasze wiadomości, a potem mógłbym wypowiedzieć to, do czego doszedłem osobiście... Może pan pierwszy, doktorze Kelvin...

– Ja? – powiedziałem. Nagle poczułem wzrok Harey. Położyłem probówkę na stole, tak że potoczyła się pod stojaki szkła, i usiadłem na wysokim trójnogu, przyciągnąwszy go sobie stopą. W pierwszej chwili chciałem się wymówić, ale niespodzianie dla samego siebie rzekłem:

– Dobrze. Małe konwersatorium? Dobrze! Zrobiłem tyle co nic, ale mogę mówić. Jeden preparat histologiczny i parę reakcji. Mikroreakcji. Odniosłem wrażenie, że...

Do tego momentu pojęcia nie miałem, co powiedzieć. Raptem jakby się coś we mnie otwarło.

– Wszystko jest w normie, ale to kamuflaż. Maska. Jest to w jakimś sensie superkopia: odtworzenie, dokładniejsze od oryginału. To znaczy, że tam, gdzie u człowieka napotykamy kres ziarnistości, kres podzielności strukturalnej, tutaj prowadzi dalsza droga dzięki zastosowaniu budulca podatomowego!

– Zaraz. Zaraz. Jak pan to rozumie? – indagował Sartorius. Snaut nie odzywał się. A może to jego przyspieszony oddech rozbrzmiewał w słuchawce? Harey popatrzyła w moją stronę. Zorientowałem się we własnym podnieceniu, ostatnie słowa niemal wykrzyczałem. Ochłonąwszy, zgarbiłem się na moim niewygodnym zydlu i zamknąłem oczy. Jak to wyrazić?

– Ostatecznym elementem konstrukcyjnym naszych ciał są atomy. Przypuszczam, że twory F są zbudowane z jednostek mniejszych od zwykłych atomów. Daleko mniejszych.

– Z mezonów...? – podsunął Sartorius. Nie był wcale zaskoczony.

– Nie, nie z mezonów... Mezony dałyby się dostrzec. Rozdzielczość tej aparatury tu, u mnie, na dole, sięga dziesięciu do minus dwudziestej angstrema. Prawda? Ale nic nie widać, do końca. Więc nie mezony. Chyba raczej neutrina.

– Jak pan to sobie wyobraża? Bo przecież konglomeraty neutrinowe nie są trwałe...

– Nie wiem. Nie jestem fizykiem. Być może stabilizuje je jakieś pole siłowe. Nie znam się na tym. W każdym razie, jeżeli jest tak, jak mówię, to budulec stanowią cząstki około dziesięciu tysięcy razy mniejsze od atomów. Ale to nie jest wszystko! Gdyby molekuły białka i komórki były zbudowane bezpośrednio z tych „mikroatomów", to musiałyby być odpowiednio mniejsze. I krwinki też, i fermenty, wszystko, ale tak nie jest. Z tego wynika, że wszystkie białka, komórki, jądra komórkowe są tylko m a s k ą! Rzeczywista struktura, odpowiedzialna za funkcjonowanie „gościa", ukryta jest głębiej.

– Ależ, Kelvin! – krzyknął prawie Snaut. Urwałem przerażony. Powiedziałem „gościa"?! Tak, ale Harey nie słyszała tego. Zresztą nie zrozumiałaby. Patrzyła w okno, opierając głowę na ręce, jej mały, czysty profil rysował się na purpurowej zorzy. Słuchawka milczała. Słyszałem tylko dalekie oddechy.

– Coś w tym jest – mruknięcie Snauta.

– Tak, możliwe – dodał Sartorius – tylko mamy ten szkopuł, że ocean nie jest zbudowany z tych hipotetycznych cząstek Kelvina. Zbudowany jest ze zwykłych.

– Może potrafi syntetyzować i takie – zauważyłem. Poczułem nagłą apatię. Ta rozmowa nie była nawet śmieszna. Była niepotrzebna.

– Ale to by wyjaśniło tę niezwykłą wytrzymałość – mruknął Snaut. – I tempo regeneracji. Może nawet źródło energetyczne znajduje się tam, w głębi, nie muszą przecież jeść...

– Proszę o głos – odezwał się Sartorius. Nie cierpiałem go. Gdybyż przynajmniej nie wypadał z narzuconej sobie roli!

– Chcę poruszyć kwestię motywacji. Motywacji pojawienia się tworów F. Rozbiłbym ją tak: co to są twory F? To nie są osoby ani kopie określonych osób, tylko zmaterializowane projekcje tego, co na temat danej osoby zawiera nasz mózg.

Trafność tego określenia uderzyła mnie. Ten Sartorius, jakkolwiek antypatyczny, nie był jednak głupi.

– To dobre – wtrąciłem. – To wyjaśnia nawet, dlaczego pojawiły się oso... twory takie, a nie inne. Wybrane zostały ślady pamięci najtrwalsze, najbardziej izolowane od wszystkich innych, chociaż, naturalnie, żaden taki ślad nie może być całkowicie odosobniony i w trakcie „kopiowania" go zostały, mogły zostać zagarnięte resztki innych śladów, znajdujące się przypadkiem w pobliżu, wskutek czego przybysz wykazuje czasem większą wiedzę, aniżeli mogła ją posiadać autentyczna osoba, której ma być powtórzeniem...

– Kelvin! – odezwał się znowu Snaut. Uderzyło mnie, że tylko on obruszał się na moje nieostrożne słowa. Sartorius zdawał się ich nie obawiać. Czyżby to znaczyło, że jego „gość" z natury jest mniej bystry od „gościa" Snauta? Przez sekundę wyroił mi się obraz jakiegoś karzełkowatego kretyna, którego ma u boku uczony doktor Sartorius.

– Owszem, zauważyliśmy to – odpowiedział on właśnie. – Teraz, co się tyczy motywacji pojawienia tworów F... Pierwsza, naturalna niejako, jest myśl o przeprowadzonym na nas eksperymencie. Byłby to jednak eksperyment raczej... lichy. Jeżeli robimy doświadczenie, to uczymy się na rezultatach, przede wszystkim na błędach, tak że w jego powtórzenia wprowadzamy poprawki... Tymczasem o tym nie ma nawet mowy. Te same twory F pojawiają się na nowo... nie korygowane... nie uzbrojone dodatkowo przeciw naszym... próbom pozbycia się ich...

– Jednym słowem, nie ma tu pętli działania z korygującym sprzężeniem zwrotnym, jak by to określił doktor Snaut – zauważyłem. – I co z tego wynika?

– Tyle tylko, że jak na eksperyment byłaby to... fuszerka, skądinąd nieprawdopodobna. Ocean jest... precyzyjny. Przejawia się to chociażby w dwuwarstwowej konstrukcji tworów F. Do określonej granicy zachowują się tak, jak zachowywałyby się... rzeczywiste... rzeczywiści...

Nie mógł wybrnąć.

– Oryginały – podpowiedział szybko Snaut.

– Tak, oryginały. Ale kiedy sytuacja przekracza normalne możliwości przeciętnego... e... oryginału, następuje jak gdyby „wyłączenie świadomości" tworu F i przejawia się bezpośrednio inne działanie, nieludzkie...

– To prawda – powiedziałem – ale w ten sposób układamy tylko katalog zachowania się tych... tych tworów i nic więcej. To jest zupełnie jałowe.

– Nie jestem tego taki pewien – zaprotestował Sartorius. Naraz zrozumiałem, czym tak mnie drażnił: nie mówił, ale przemawiał, zupełnie jak na posiedzeniu Instytutu. Widać inaczej nie umiał.

– Tu wchodzi w grę sprawa indywidualności. Ocean jest całkowicie wyzuty z jej pojęcia. Tak musi być. Mnie się wydaje, proszę kolegów, że ta dla nas... e... najdrażliwsza, szokująca strona eksperymentu całkowicie wymyka mu się, jako leżąca poza granicami jego pojmowania.

– Pan sądzi, że to nie jest zamierzone...? – spytałem. Twierdzenie to oszołomiło mnie trochę, ale po namyśle przyznałem, że niepodobna go wykluczyć.

– Tak. Nie wierzę w żadną perfidię, złośliwość, chęć najdotkliwszego ugodzenia... jak to czyni kolega Snaut.

– Wcale nie przypisuję mu ludzkich uczuć – po raz pierwszy zabrał głos Snaut – ale może powiesz, jak próbujesz tłumaczyć te ciągłe powroty?

– Może nastawili jakieś urządzenie, które działa w kółko, jak płyta gramofonowa – powiedziałem nie bez ukrytej chętki dokuczenia Sartoriusowi.

– Proszę kolegów, nie rozpraszajmy się – oświadczył nosowym głosem doktor. – To jeszcze nie wszystko, co chciałem powiedzieć. W normalnych warunkach uważałbym składanie nawet tymczasowego doniesienia o stanie mych prac za przedwczesne, ale ze względu na specyficzną sytuację uczynię wyjątek. Mam wrażenie, powtarzam, mam wrażenie, nie więcej na razie, że w przypuszczeniu kolegi Kelvina kryje się słuszność. Mam na myśli jego hipotezę o neutrinowej budowie... Układy takie znamy tylko teoretycznie, nie wiedzieliśmy, że można je stabilizować. Tu otwiera się określona szansa, albowiem zniweczenie tego pola siłowego, które nadaje układowi trwałość...

Już od jakiejś chwili zauważyłem, że owa ciemna rzecz, która zasłaniała ekran po stronie Sartoriusa, przesuwa się: u samej góry zajaśniała szczelina i można było zobaczyć coś różowego, co się tam powoli ruszało. Teraz ciemna płaszczyzna obsunęła się nagle.

– Precz! Precz!!! – rozległ się w słuchawce rozdzierający krzyk Sartoriusa. W rozjaśnionym nagle ekranie między mocującymi się z czymś rękami doktora, przyobleczonymi w bufiaste zarękawki, jakich używa się w laboratoriach, zalśnił duży, złocisty, podobny do dysku przedmiot, i wszystko zgasło, nim zdążyłem jeszcze pojąć, że ów złoty krąg jest słomkowym kapeluszem...

– Snaut? – powiedziałem, odetchnąwszy głęboko.

– Tak, Kelvin – odpowiedział mi zmęczony głos cybernetyka. Poczułem w tej chwili, że go lubię. Naprawdę wolałem nie wiedzieć, kto mu towarzyszy.

– Na razie mamy dość, co?

– Myślę – odparłem. – Słuchaj, jakbyś mógł, to wpadnij na dół albo do mojej kabiny, dobrze? – dorzuciłem pospiesznie, żeby nie zdążył odwiesić słuchawki.

– Zgoda – powiedział. – Ale nie wiem kiedy.

I na tym zakończyła się problemowa dyskusja.

Potwory

W środku nocy zbudziło mnie światło. Podniosłem się na łokciu, osłaniając drugą ręką oczy. Harey, owinięta prześcieradłem, siedziała w nogach łóżka, skulona, z twarzą zasypaną włosami. Barki jej drgały. Płakała, nie wydając głosu.

– Harey!

Skuliła się jeszcze bardziej.

– Co z tobą?... Harey...

Usiadłem na łóżku, nie całkiem jeszcze przytomny, wyswobadzając się powoli z koszmaru, który dławił mnie przed chwilą. Dziewczyna drżała. Objąłem ją. Odepchnęła mnie łokciem. Chowała twarz.

– Kochanie.

– Nie mów tak.

– Ależ, Harey, co się dzieje?

Zobaczyłem jej mokrą, rozedrganą twarz. Grube, dziecinne łzy toczyły się po policzkach, lśniły w dołku nad podbródkiem, kapały na prześcieradło.

– Nie chcesz mnie.

– Co ci przychodzi do głowy!

– Słyszałam.

Poczułem, że cała twarz mi sztywnieje.

– Co słyszałaś? Nie zrozumiałaś, to było tylko...

– Nie. Nie. Mówiłeś, że to nie ja. Żebym poszła. Poszłabym. Boże! Poszłabym, ale nie mogę. Nie wiem, co to jest. Chciałam i nie mogę. Jestem taka, taka podła!

– Dziecko!

Chwyciłem ją, przycisnąłem do siebie z całych sił, wszystko się rozpadało, całowałem jej ręce, mokre i słone palce, powtarzałem jakieś zaklęcia, przysięgi, przepraszałem, mówiłem, że to był głupi, wstrętny sen. Powoli uspokoiła się. Przestała płakać. Jej oczy były olbrzymie, lunatyczne. Wyschły. Odwróciła głowę.

– Nie – powiedziała – nie mów tego, nie trzeba. Ty nie jesteś dla mnie ten sam...

– Ja nie jestem!

Wyrwało mi się to jak jęk.

– Tak. Nie chcesz mnie. Czułam to wciąż. Udawałam, że nie widzę. Myślałam, że może mi się zdaje albo co. Ale nie. Zachowujesz się... inaczej. Nie traktujesz mnie poważnie. To był sen, to prawda, ale to ja ci się śniłam. Mówiłeś mi po imieniu. Brzydziłeś się. Dlaczego! Dlaczego!?

Ukląkłem przed nią, objąłem jej kolana.

– Dziecko...

– Nie chcę, żebyś tak mówił. Nie chcę, słyszysz? Nie jestem żadnym dzieckiem. Jestem...

Wybuchnęła szlochem i upadła twarzą na łóżko. Wstałem. Od wylotów wentylacyjnych z cichym furkotem ciągnęło chłodne powietrze. Było mi zimno. Narzuciłem płaszcz kąpielowy, usiadłem na łóżku i dotknąłem jej ramienia.

– Harey, posłuchaj. Powiem ci coś. Powiem ci prawdę...

Siadała, opierając się powoli na rękach. Widziałem, jak tętna tłuką się pod cienką skórą jej szyi. Twarz znowu mi drętwiała i czułem takie zimno, jakbym stał na mrozie. W głowie miałem kompletną pustkę.

– Prawdę? – powiedziała. – Święte słowo?

Nie od razu odpowiedziałem, musiałem przezwyciężyć skurcz gardła. To było takie nasze stare zaklęcie. Kiedy padło, żadne z nas nie śmiało już nie tylko kłamać, ale nawet przemilczeć cokolwiek. Był czas, kiedy zadręczaliśmy się nadmierną szczerością, w naiwnym przekonaniu, że nas ocali.

– Święte słowo – powiedziałem poważnie. – Harey...

Czekała.

– Ty też się zmieniłaś. Wszyscy się zmieniamy. Ale nie to chciałem powiedzieć. Naprawdę wygląda tak... że z powodu, którego oboje nie znamy dokładnie... nie możesz mnie opuścić. Ale to się nawet dobrze składa, bo ja też nie mogę ciebie...

– Kris!

Uniosłem ją, owiniętą w prześcieradło. Rożek, wilgotny od łez, spoczął na moim barku. Chodziłem po pokoju i huśtałem ją. Pogładziła mnie po twarzy.

– Nie. Ty się nie zmieniłeś. To ja – szepnęła mi do ucha. – Coś jest ze mną. Może to?

Patrzyła w czarny, pusty prostokąt po strzaskanych drzwiach, których szczątki wyniosłem wieczorem do magazynu. Będę musiał zawiesić nowe – pomyślałem. Posadziłem ją na łóżku.

– Czy ty w ogóle śpisz? – spytałem, stojąc nad nią z opuszczonymi rękami.

– Nie wiem.

– Jakże nie wiesz. Zastanów się, kochanie.

– To nie jest chyba prawdziwy sen. Może jestem chora. Leżę tak i myślę, i wiesz...

Zadrżała.
– Co? – spytałem szeptem, głos mógł mnie zawieść.
– To są bardzo dziwne myśli. Nie wiem, skąd mi się biorą.
– Na przykład?
Muszę być spokojny, pomyślałem, bez względu na to, co usłyszę, i przygotowałem się na jej słowa jak na silny cios.
Potrząsnęła bezradnie głową.
– To jest jakieś takie... dookoła...
– Nie rozumiem...?
– Jak gdyby nie tylko we mnie, ale dalej, tak jakoś, nie umiem powiedzieć. Na to nie ma słów...
– To pewno sny – rzuciłem niby od niechcenia i odetchnąłem. – A teraz zgasimy światło i do rana nie będziemy mieli żadnych zmartwień, a rano, jeżeli się nam zechce, to postaramy się o nowe. Dobrze?
Wyciągnęła rękę do wyłącznika, zapadła ciemność, ułożyłem się na wystygłej pościeli i poczułem ciepło jej zbliżającego się oddechu.
Objąłem ją.
– Mocniej – szepnęła. I po długiej chwili: – Kris!
– Co?
– Kocham cię.
Miałem ochotę krzyczeć.

Ranek był czerwony. Obrzmiała tarcza słoneczna stała nisko nad widnokręgiem. U progu drzwi leżał list. Rozdarłem kopertę. Harey była w łazience, słyszałem, jak nuci. Od czasu do czasu wyglądała stamtąd, oblepiona mokrymi włosami. Podszedłem do okna i czytałem:
„Kelvin, ugrzęźliśmy. Sartorius jest za energicznym postępowaniem. Wierzy, że uda mu się destabilizować neutrinowe układy. Potrzeba mu do doświadczeń pewnej ilości plazmy, jako wyjściowego budulca F. Proponuje, żebyś udał się na rekonesans i pobrał pewną ilość plazmy do zasobnika. Działaj według własnego uznania, ale powiadom mnie o swojej decyzji. Ja nie mam zdania. Zdaje się, że w ogóle nic już nie mam. Wolałbym, żebyś to zrobił tylko dlatego, że będziemy się posuwać, choćby pozornie. Inaczej zostaje tylko zazdrościć G.

Szczur

PS. Nie wchodź do radiostacji. To możesz jeszcze dla mnie zrobić. Najlepiej zatelefonuj".

Serce mi się ściskało, kiedy czytałem ten list. Przejrzałem go uważnie jeszcze raz, podarłem i rzuciłem strzępki do zlewu. Potem zacząłem szukać kombinezonu dla Harey. Już to było okropne. Zupełnie jak za poprzednim razem. Ale ona nic nie wiedziała, inaczej nie mogłaby się tak ucieszyć, kiedy jej powiedziałem, że muszę wybrać się na mały rekonesans na zewnątrz Stacji i proszę, żeby mi towarzyszyła. Zjedliśmy śniadanie w małej kuchni (przy czym Harey znowu ledwo przełknęła kilka kęsów) i poszliśmy do biblioteki.

Chciałem przejrzeć literaturę dotyczącą problemów pola i układów neutrinowych, zanim zrobię to, czego sobie życzy Sartorius. Nie wiedziałem jeszcze, jak się do tego wezmę, ale postanowiłem kontrolować jego pracę. Przyszło mi na myśl, że ten jakiś nie istniejący jeszcze anihilator neutrinowy mógłby wyzwolić Snauta i Sartoriusa, a ja przeczekałbym „operację" wraz z Harey gdzieś na zewnątrz – w samolocie na przykład. Ślęczałem jakiś czas przy dużym katalogu elektronowym, zadając mu pytanie, na które albo odpowiadał wyrzuceniem fiszki z lakonicznym napisem „Brak w Bibliografii", albo proponował mi zapuszczenie się w taką dżunglę specjalistycznych, fizykalnych prac, że nie wiedziałem, co z tym począć. Nie chciało mi się jakoś opuścić tego wielkiego, okrągłego pomieszczenia o gładkich ścianach, pokratkowanych szufladami z mrowiem mikrofilmów i zapisów elektronowych. Położona w samym centrum Stacji biblioteka nie miała okien i była najlepiej izolowanym miejscem wewnątrz stalowej skorupy. Kto wie, czy nie dlatego było mi w niej dobrze, mimo jawnego fiaska poszukiwań. Błądziłem po wielkiej sali, aż stanąłem przed ogromnym, sięgającym stropu regałem pełnym książek. Był to nie tyle luksus, co najmniej zresztą wątpliwy, ile wyraz pamięci i szacunku wobec pionierów solaryjskiej eksploracji: półki, liczące około sześciuset tomów, dźwigały całą klasykę przedmiotu, poczynając od monumentalnej, choć w znacznej mierze przestarzałej już dziewięciotomowej monografii Giesego. Wyjmowałem te tomy, od których ciężaru od razu zwisała ręka, i kartkowałem je od niechcenia, przysiadłszy na poręczy fotela. Harey też znalazła sobie jakąś książkę – ponad jej ramieniem odczytałem kilka linijek druku. Była to jedna z nielicznych książek należących do pierwszej wyprawy, bodajże nawet ongiś własność samego Giesego – *Kucharz międzyplanetarny...* Nic nie powiedziałem, widząc, z jaką uwagą Harey studiuje przepisy kulinarne, przystosowane do srogich warunków kosmonautyki, i wróciłem do szacownej księgi, którą miałem na kolanach. *Dziesięć lat badań Solaris* wyszło w serii „Solariana" jako pozycje od czwartej do trzynastej, podczas gdy obecne mają liczby czterocyfrowe.

Giese nie miał zbyt wiele polotu, ale ta cecha może tylko zaszkodzić badaczowi Solaris. Nigdzie bodaj wyobraźnia i umiejętność pospiesznego tworzenia hipotez nie staje się tak zgubna. W końcu wszystko jest na tej planecie możliwe. Niewiarygodnie brzmiące opisy konstelacji, które tworzy plazma, są według wszelkiego prawdopodobieństwa autentyczne, chociaż na ogół niesprawdzalne, ocean bowiem rzadko kiedy powtarza swoje ewolucje. Obserwującego je po raz pierwszy przerażają głównie obcością i ogromem; gdyby występowały w małej skali, w jakimś bajorze, uznano by je zapewne za jeszcze jeden „wybryk natury", przejaw przypadkowości i ślepej gry sił. To, że miernota i geniusz stają jednakowo bezradni wobec nieprzebranej rozmaitości solarycznych form, też nie ułatwia obcowania z fenomenami żywego oceanu. Giese nie był jednym ani drugim. Był po prostu klasyfikatorem-pedantem, z gatunku tych, których zewnętrzny spokój osłania pochłaniającą całe życie, niezmordowaną zaciekłość pracy. Jak długo mógł, posługiwał się po prostu językiem opisu, a kiedy brakło mu słów, radził sobie, stwarzając nowe słowa, często niefortunne, nie przystające do opisywanych zjawisk. Ale w końcu żadne terminy nie oddają tego, co się dzieje na Solaris. Jego „górodrzewy", jego „długonie", „grzybiska", „mimoidy", „symetriady" i „asymetriady", „pacierzowce" i „chyże" brzmią szalenie sztucznie, dają jednak jakieś wyobrażenie o Solaris nawet tym, którzy oprócz niewyraźnych fotografii i nader niedoskonałych filmów nic nie widzieli. Oczywiście i ten sumienny klasyfikator zgrzeszył niejedną nieostrożnością. Człowiek stawia hipotezy zawsze, nawet kiedy się ma na baczności, nawet kiedy o tym nie wie. Giese sądził, że „długonie" stanowią formę zasadniczą, i zestawiał ją z wielokrotnie powiększonymi i spiętrzonymi falami przypływowymi ziemskich mórz. Kto zresztą kopał się w pierwszym wydaniu jego dzieła, wie, że pierwotnie nazwał je właśnie „przypływami", natchniony geocentryzmem, który byłby śmieszny, gdyby nie jego bezradność. Są to przecież – jeśli już szukać porównań na Ziemi – formacje, rozmiarami przekraczające Wielki Kanion Kolorado, wymodelowane w tworzywie, które ma z wierzchu konsystencję galaretowato-pienistą (przy czym piana ta zastyga w olbrzymie, kruszące się łatwo festony, w koronki o olbrzymich okach, i nawet niektórym badaczom przedstawiała się jako „szkieletowate narośle") – w głębi zaś zmienia się w substancję coraz bardziej jędrną, jak napięty muskuł, ale muskuł przekraczający rychło, na głębokości kilkunastu metrów, twardość głazu, choć nadal zachowujący elastyczność. Pomiędzy napiętymi jak błona na grzbiecie potwora ścianami, których czepiają się „szkieleciska", ciągnie się na przestrzeni kilometrów właściwy „długoń", twór pozornie samodzielny, niby jakiś kolosalny pyton, który obżarł się całymi górami i trawi je teraz w milczeniu, od czasu do czasu wprawiając swoje ściśnione po rybiemu ciało w powolne, drgające ruchy. Ale tak wygląda „długoń" tylko z góry, z pokładu lecącej maszyny. Kiedy się doń zbliżyć, aż obie „ściany wąwozu" wzniosą się setki metrów ponad samolotem, „tułów pytona" okazuje się rozciągniętym po horyzont obszarem ruchu tak zawrotnego, że nabierającego przez to wyglądu biernie spęczniałego cylindra. Pierwsze wrażenie to wirowanie śliskiej, szarozielonkawej mazi, która spiętrzeniami odrzuca mocne błyski słońca, lecz gdy maszyna zawiśnie tuż nad samą powierzchnią (a brzegi „wąwozu", kryjącego w sobie „długonia", stają się wówczas jak gdyby szczytami po obu stronach geologicznej zapadliny), widać, że ruch jest daleko bardziej skomplikowany. Posiada współśrodkowe obiegi, krzyżują się w nim ciemniejsze strumienie, chwilami wierzchni „płaszcz" staje się lustrzaną powierzchnią odbijającą niebo i chmury, przebijaną z hukiem wystrzałów erupcjami przemieszanego z gazem, na pół płynnego ośrodka. Powoli staje się zrozumiałe, że tuż pod sobą ma się centrum działania sił, które utrzymują rozchylone na boki, dźwignięte pod niebo zbocza krystalizującej ospale galarety, ale tego, co jest oczywiste dla oka, nie przyjmuje tak prosto do wiadomości nauka. Ileż lat toczyły się zaciekłe dyskusje na temat, co właściwie dzieje się w obrębie „długoni", które milionami przeorywują bezmiary żywego oceanu. Sądzono, że to są jakieś narządy potwora, że odbywa się w nich przemiana materii, procesy oddechowe, transport substancji odżywczych, i tylko zakurzone biblioteki wiedzą, co jeszcze. Każdą hipotezę udało się w końcu obalić tysiącem żmudnych, a nieraz i niebezpiecznych doświadczeń. A wszystko to dotyczy jedynie „długoni", formy w gruncie rzeczy najprostszej, najtrwalszej, bo istnienie ich liczy się na tygodnie – rzecz zgoła tu wyjątkowa.

Bardziej zawiłą, kapryśną i najgwałtowniejszy bodajże sprzeciw u patrzącego budzącą formą – sprzeciw, rzecz jasna, odruchowy – są „mimoidy". Można rzec bez przesady, że Giese ukochał je i badaniu ich, opisywaniu, odgadywaniu ich istoty poświęcił się do końca. Nazwą usiłował oddać to, co w nich jest dla człowieka najosobliwsze: pewną skłonność do naśladowania form otaczających, wszystko jedno, bliskich czy odległych.

Jakiegoś dnia głęboko pod powierzchnią oceanu zaczyna ciemnieć płaski, szeroki krąg o poszarpanych brzegach i jakby smołą zlanej powierzchni. Po kilkunastu godzinach staje się płatowaty, przejawia coraz wyraźniejsze rozczłonkowania, a jednocześnie przebija się w górę, ku powierzchni. Obserwator przysiągłby, że toczy się pod nim gwałtowna walka, bo z całej okolicy zbiegają się tu jak kurczące się wargi, jak żywe, umięśnione, zamykające się kratery, nieskończone szeregi współbieżnych, kolistych fal, spiętrzają się nad rozlanym w głębi, czarniawym, chwiejącym się majakiem i stając dęba, walą w dół. Każdemu takiemu runięciu setek tysięcy ton towarzyszy na sekundy rozciągnięty, lepki, mlaszczący, chciałoby się powiedzieć, grzmot, bo tu wszystko się dzieje na skalę potworną. Ciemny twór zostaje zepchnięty w dół, każdy następny cios zdaje się go rozpłaszczać i rozszczepiać, od pojedynczych płatów, które zwisają jak zmokłe skrzydła, oddzielają się podługowate grona, zwężają w długie naszyjniki, stapiają z sobą i płyną w górę, dźwigając jak gdyby przyrośniętą do nich, skawaloną tarczę macierzystą, a tymczasem z góry bezustannie wpadają w coraz wyraźniej zaklęsające kolisko kolejne pierścienie fal. I ta gra toczy się czasem dzień, czasem miesiąc. Niekiedy na tym wszystko się już kończy. Sumienny Giese nazwał ten wariant „mimoidem poronnym", jak gdyby nie wiadomo skąd posiadał dokładną wiedzę, że ostatecznym celem każdego takiego kataklizmu jest „mimoid dojrzały", to znaczy ta kolonia polipowatych, jasnoskórych narośli (zazwyczaj większa od ziemskiego miasta), której przeznaczeniem jest małpowanie kształtów zewnętrznych... Oczywiście nie zabrakło innego solarysty, nazwiskiem Uyvens, który tę fazę ostatnią uznał właśnie za „degeneracyjną", za zwyrodnienie, obumieranie, a las tworzonych kształtów za oczywisty przejaw wyzwalania się odszypułowanych tworów spod władztwa macierzy.

Giese jednak, który we wszystkich opisach innych tworów solarycznych zachowuje się jak mrówka, chodząca po zamarzłym wodospadzie, niczemu nie dając się wytrącić z miarowego kroku swej oschłej frazy, tak był pewny swego, że poszczególne fazy wyłaniania się mimoidu uszeregował w ciąg rosnącej doskonałości.

Widziany z wysoka mimoid wydaje się podobny do miasta, jest to jednak ułuda, wywołana poszukiwaniem jakiejkolwiek analogii pośród tego, co znane. Kiedy niebo jest czyste, wszystkie wielopiętrowe wyrośla i ich szczytowe palisady otacza warstwa nagrzanego powietrza, powodując pozorne kołysanie się i uginanie kształtów i tak już trudnych do ustalenia. Pierwsza chmura sunąca błękitem (mówię tak z przyzwyczajenia, bo „błękit" ten jest rudy za czerwonego, a przeraźliwie biały podczas błękitnego dnia) wzbudza natychmiastowy odzew. Rozpoczyna się gwałtowne pączkowanie, w górę wyrzucona zostaje prawie całkowicie oddzielona od podłoża, ciągliwa, wydymająca się kalafiorowato powłoka, która równocześnie blednie i po kilku minutach do złudzenia imituje kłębiastą chmurę. Olbrzymi obiekt ten rzuca czerwonawy cień, jedne szczyty mimoidu podają go jak gdyby następnym; ruch ten odbywa się zawsze w kierunku przeciwnym do ruchu rzeczywistej chmury. Myślę, że Giese dałby sobie zapewne uciąć rękę, żeby się dowiedzieć choć tego, czemu tak się dzieje. Ale takie „samotne" wytwory mimoidu są niczym w porównaniu z żywiołową działalnością, jaką przejawia „podrażniony" obecnością przedmiotów i kształtów, które pojawiają się nad nim za sprawą ziemskich przybyszów.

Odtwarzanie form obejmuje istotnie wszystko, co znajdzie się w odległości nie przekraczającej ośmiu – dziewięciu mil. Najczęściej mimoid produkuje odtworzenie powiększone, czasem zniekształca je, tworząc karykatury bądź groteskowe uproszczenia, zwłaszcza maszyn. Rzecz oczywista, tworzywem jest zawsze ta sama, szybko blednąca masa, która wyrzucona w powietrze, zamiast opaść, zawisa, zespolona rwącymi się łatwo pępowinami z podłożem, po którym przesuwa się czołgliwie, a jednocześnie kurcząc się, zwężlając bądź rozdymając, układa się płynnie w najbardziej zawiłe wzory. Samolot, kratownica czy maszt zostają zreprodukowane z jednaką chyżością; mimoid nie reaguje jedynie na samych ludzi, a mówiąc ściśle, na żadne istoty żywe, także i na rośliny, bo i te sprowadzili na Solaris dla celów eksperymentalnych niestrudzeni badacze. Natomiast manekin, ludzka kukła, posążek psa czy drzewa wyrzeźbiony z dowolnego materiału kopiowany jest natychmiast.

I tu, niestety, trzeba zaznaczyć nawiasowo, że to „posłuszeństwo" mimoidu wobec eksperymentatorów, tak na Solaris wyjątkowe, podlega niekiedy zawieszeniu. Najdojrzalszy mimoid przeżywa takie swoje „leniwe dni", w czasie których tylko bardzo powoli pulsuje. Pulsowanie to nie jest zresztą dostrzegalne dla oka, jego rytm, pojedyncza faza „tętna" obejmuje ponad dwie godziny i trzeba było dopiero specjalnych filmowych zdjęć, aby zostało odkryte.

W takich okolicznościach mimoid, zwłaszcza stary, doskonale nadaje się do zwiedzania, gdyż zarówno tarcza podtrzymująca, zanurzona w oceanie, jak i wzniesione z niej twory dają aż nadto pewne oparcie stopie.

Można oczywiście przebywać w obrębie mimoidu także w jego dniach „pracowitych", ale wówczas widoczność bliska jest zeru, wskutek nieustannego opadania puszystej, białawej jak zmielony śnieg zawiesiny koloidalnej, która bezustannie sypie się ze spęczniałych rozdrzewień odwłoku, kopiującego formy. Form tych niepodobna zresztą ogarnąć z bliska, ze względu na ich ogrom zakrojony na skalę gór. Nadto podłoże „pracującego" mimoidu staje się grząskie od mięsistego deszczu, który w twardą, wielokrotnie lżejszą od pumeksu skorupę ścina się dopiero po kilkunastu godzinach. Na koniec, bez odpowiedniego ekwipunku można łatwo zabłądzić w labiryncie pękatych uszypułowań, przypominających ni to kurczliwe kolumny, ni to półpłynne gejzery, i to nawet w pełnym słońcu, gdyż promienie jego nie mogą przebić pokrywy bezustannie wyrzucanych w atmosferę „imitujących eksplozji".

Obserwowanie mimoidu w jego szczęśliwych dniach (są to, mówiąc ściślej, szczęśliwe dni badacza, który się nad nim znajduje) może być źródłem niezatartych wrażeń. Miewa on swoje „wzloty twórcze", kiedy rozpoczyna niesamowitą hiperprodukcję. Tworzy wtedy bądź własne warianty zewnętrznych form, bądź ich komplikacje czy nawet „kontynuacje formalne", i tak zabawiać się potrafi godzinami ku uciesze malarza abstrakcjonisty i ku rozpaczy uczonego, który próżno sili się zrozumieć cokolwiek z zachodzących procesów. Czasem w działalności mimoidu przejawiają się cechy wręcz dziecinnego upraszczania, czasem popada w „odchylenie barokowe", wtedy wszystko, co tworzy, naznaczone jest piętnem rozpuchłej słoniowacizny. Zwłaszcza stare mimoidy fabrykują kształty zdolne przyprawić o serdeczny śmiech. Ja co prawda nigdy nie potrafiłem się z nich śmiać, nazbyt zaszokowany tajemniczością widowiska.

Ma się rozumieć, w pierwszych latach badań rzucono się wprost na mimoidy jako na wymarzone rzekomo ośrodki oceanu solaryjskiego, jako na miejsca, w których nastąpi upragniony kontakt dwu cywilizacji. Aż nadto szybko okazało się jednak, że o żadnym kontakcie nie ma mowy, wszystko bowiem zaczyna się i kończy na imitowaniu kształtów, które prowadzi donikąd.

Bezustannie powracający w rozpaczliwych poszukiwaniach badaczy antropo- czy też zoomorfizm upatrywał w coraz to innych wytworach żywego oceanu „organy zmysłowe" czy nawet „kończyny", za które przez pewien czas uczeni (jak Maartens i Ekkonai) brali „pacierzowce" i „chyże" Giesego. Ale te protuberancje żywego oceanu, wystrzelające niekiedy do dwu mil w atmosferę, są tyleż „kończynami", ile trzęsienie ziemi jest „gimnastyką" jej skorupy.

Katalog form powtarzających się względnie stale, rodzonych przez żywy ocean tak często, że przynajmniej kilkadziesiąt bądź kilkaset można odkryć na jego powierzchni w ciągu doby, obejmuje około trzystu pozycji. Najbardziej nieludzkie, w sensie absolutnego braku podobieństwa do czegokolwiek doświadczonego przez człowieka na Ziemi, są według szkoły Giesego symetriady. Było już wtedy doskonale wiadome, że ocean nie zachowuje się agresywnie i zginąć w jego plazmatycznych odmętach może tylko ten, kto się o to szczególnie stara wskutek własnej nieostrożności bądź bezmyślności (nie mówię naturalnie o wypadkach spowodowanych np. uszkodzeniem aparatu tlenowego czy klimatyzatora), że nawet walcowate rzeki długoni i potworne słupy pacierzowców, chwiejących się błędnie pośród chmur, można na wylot przebijać samolotem czy inną latającą maszyną bez najmniejszego niebezpieczeństwa; plazma daje wolną drogę, rozstępując się przed obcym ciałem z chyżością równą szybkości dźwięku w solaryjskiej atmosferze, otwierając, jeśli się ją do tego zmusi, głębokie tunele nawet pod powierzchnią oceanu (przy czym energia, jaką w tym celu momentalnie uruchamia, jest olbrzymia – Skriabin obliczał ją w wypadkach skrajnych na 10^9 ergów!!!). Do badania symetriad przystępowano z nadzwyczajną ostrożnością przy ciągłym cofaniu się, zwielokrotnianiu zabezpieczeń, często co prawda fikcyjnych, a nazwiska tych, co pierwsi zapuścili się w ich otchłanie, znane są każdemu dziecku na Ziemi.

Groza tych olbrzymów nie tkwi w ich wyglądzie, chociaż naprawdę może przyprawić o koszmarne sny. Pochodzi stąd raczej, że nie ma w ich obrębie nic stałego ani pewnego, zawieszeniu ulegają w nich nawet prawa fizyczne. To badacze symetriad właśnie najgłośniej powtarzali zawsze tezę, iż żywy ocean jest rozumny.

Symetriady powstają nagle. Narodziny ich są rodzajem erupcji. Na jakąś godzinę przedtem ocean zaczyna gwałtownie lśnić, jak gdyby zeszklony na powierzchni kilkudziesięciu kwadratowych kilometrów. Poza tym jego płynność ani rytm falowania nie zmieniają się. Czasem wybucha symetriada tam, gdzie znajdował się lej po wessanym chyżu, ale to nie jest regułą. Po jakiejś godzinie szkląca się powłoka wylatuje w górę potwornym bąblem, w którym odbija się cały nieboskłon, słońce, chmury, wszystkie widnokręgi, mieniąc się i załamując. Błyskawicowa gra kolorów, wywołana częściowo ugięciem, a częściowo załamywaniem światła, nie ma sobie równej.

Szczególnie gwałtowne efekty świetlne dają symetriady powstające podczas błękitnego dnia oraz tuż przed zachodem słońca. Ma się wówczas wrażenie, że planeta rodzi drugą, z każdą chwilą podwajającą swą objętość. Płonący blaskami globus, ledwo wystrzelony z głębin, rozpęka się u szczytu na pionowe sektory, ale to nie jest rozpad. Stadium to, nazywane niezbyt szczęśliwie „fazą kielicha kwiatowego", trwa sekundy. Mierzące w niebo łuki błoniastych przęseł odwracają się, sczepiają w niewidzialnym wnętrzu i zaczynają formować błyskawicznie coś w rodzaju krępego torsu, w którego obrębie zachodzą setki zjawisk naraz. W samym centrum, zbadanym po raz pierwszy przez siedemdziesięcioosobową ekipę Hamalei, zachodzi przez giganto- i polikrystalizację powstanie osiowego trzpienia dźwigającego, nazywanego czasem „kręgosłupem", ale nie należę do zwolenników tego terminu. Karkołomna architektonika tej centralnej podpory podtrzymywana jest *in statu nascendi* przez tryskające bezustannie z kilometrowych zapadlin pionowe słupy tak rozrzedzonej, że prawie wodnistej galarety. Podczas tego procesu kolos wydaje głuchy, przeciągły ryk, otacza go wał trzepoczącej gwałtownie, śnieżystej, grubokomorowej piany. Potem następują – od centrum ku obwodowi – nad wyraz skomplikowane obroty zgrubiałych płaszczyzn, na których nawarstwiają się bijące z głębi pokłady rozciągliwego tworzywa, zarazem wspomniane przed chwilą głębinowe gejzery przekształcają się, tężejąc, w ruchliwe mackowate kolumny, przy czym pęki ich zmierzają ku ściśle określonym dynamiką całości miejscom konstrukcji, przypominając jakieś niebotyczne skrzele płodu rosnącego z tysiąckrotnym przyspieszeniem, przez które płyną strumienie różowej krwi i tak ciemnozielonej, że prawie czarnej wody. Od tej chwili symetriada zaczyna już przejawiać swoją najniezwyklejszą właściwość – modelowania czy wręcz zawieszania pewnych praw fizycznych. Powiedzmy najpierw, że nie ma dwu takich samych symetriad i geometria każdej jest jak gdyby nowym „wynalazkiem" żywego oceanu. Dalej, symetriada produkuje w swym wnętrzu to, co nazywa się często „momentalnymi maszynami", chociaż twory te nie przypominają wcale maszyn konstruowanych przez ludzi, chodzi tu jedynie o stosunkowo wąską i przez to jak gdyby „mechaniczną" celowość działania.

Gdy bijące z otchłani gejzery stężeją bądź rozedmą się w grubościenne galerie i korytarze biegnące we wszystkich kierunkach, a „błony" utworzą system przecinających się płaszczyzn, zwisów, stropów, symetriada usprawiedliwia swą nazwę tym, że każdemu ukształtowaniu krętych przelotów, ciągów i pochylni w obrębie jednego bieguna odpowiada wierny w szczegółach układ u bieguna przeciwnego.

Po jakichś dwudziestu – trzydziestu minutach gigant zaczyna wolno zanurzać się, niekiedy pochyliwszy się pierwej w osi pionowej o osiem do dwunastu stopni. Bywają symetriady większe i mniejsze, ale nawet karły wznoszą się po zanurzeniu na dobre osiemset metrów ponad horyzont i widoczne są z odległości kilkunastu mil. Dostać się do wnętrza można najbezpieczniej tuż po ustaleniu równowagi, gdy całość przestaje się zagłębiać w żywy ocean, zarazem następuje powrót do dokładnego pionu; najwłaściwszym miejscem penetracji jest okolica tuż poniżej szczytu. Względnie gładką „czapę" biegunową otacza tam obszar podziurawiony jak rzeszoto smoczkowatymi ujściami wewnętrznych komór i przewodów. Formacja ta stanowi – jako całość – trójwymiarowe rozwinięcie jakiegoś równania wyższego rzędu.

Jak wiadomo, każde równanie można wyrazić figuralnym językiem wyższej geometrii i zbudować bryłę będącą jego odpowiednikiem. Symetriada jest – w takim rozumieniu – jakąś krewną stożków Łobaczewskiego i ujemnych krzywizn Riemanna, ale krewną bardzo daleką, wskutek swej niewyobrażalnej zawiłości. Stanowi obejmujące przestrzeń kilku mil sześciennych rozwinięcie całego systemu matematycznego, przy czym rozwinięcie to jest czterowymiarowe, albowiem istotne współczynniki równań wyrażają się także w czasie, w zachodzących z jego upływem zmianach.

Najprostsza była, oczywiście, myśl, że mamy przed sobą ni mniej, ni więcej tylko „matematyczną maszynę" żywego oceanu, stworzony na jego skalę model obliczeń, potrzebnych mu do nie znanego nam celu, ale tej hipotezy Fermonta nikt już dziś nie podziela. Kusząca była na pewno – ale wyobrażenia, iż takimi tytanicznymi erupcjami, których każda cząsteczka podlega bezustannie komplikującym się formułom wielkiej analizy, żywy ocean roztrząsa zagadnienia materii, kosmosu, bytu... nie dało się utrzymać. Zbyt wiele można napotkać w głębi olbrzyma zjawisk nie dających się pogodzić z tym prostym w gruncie rzeczy (dziecinnie naiwnym, jak chcą niektórzy) obrazem.

Nie brakło prób wymyślenia jakiegoś przystępnego modelu symetriady, unaocznienia jej; spopularyzował się dosyć przykład Aweriana, który rzecz przedstawił tak: Wyobraźmy sobie zamierzchłą budowlę ziemską z czasów świetności Babilonu, niechaj utworzona będzie z żywej, pobudliwej i ewoluującej substancji; architektonika jej przechodzi płynnie przez szeregi faz, przybierając na naszych oczach formy budownictwa greckiego, romańskiego, potem kolumny zaczynają się wysmuklać jak łodygi, sklepienie traci ciężar; ulatnia się, wyostrza, łuki przechodzą w strome parabole, na koniec załamują się strzeliście. Tak powstały gotyk poczyna dojrzewać i starzeć się, przepływa w formy późne, dotychczasową surowość stromego pięcia się, wzlotu zastępują erupcje orgiastycznej bujności, w naszych oczach rozrasta się owocujący nadmiarem barok, jeśli ciąg ten będziemy kontynuować, traktując wciąż nasz zmieniający się twór jako poszczególne etapy żywego istnienia, dojdziemy wreszcie do architektury epoki kosmodromicznej, zbliżając się jednocześnie, być może, do zrozumienia, czym jest symetriada.

Ale porównanie to, jakkolwiek rozwijane i wzbogacane (były zresztą próby jego wizualizacji za pomocą specjalnych modeli i filmu), pozostaje czymś w najlepszym razie bezsilnym, w najgorszym zaś unikiem, jeśli nie kłamstwem po prostu, symetriada bowiem do niczego ziemskiego nie jest podobna...

Człowiek może ogarnąć tak niewiele rzeczy naraz; widzimy tylko to, co dzieje się przed nami, tu i teraz; unaocznienie sobie równoczesnej mnogości procesów, jakkolwiek związanych z sobą, jakkolwiek się nawet uzupełniających, przekracza jego możliwości. Doświadczamy tego nawet wobec zjawisk względnie prostych. Los jednego człowieka znaczyć może wiele, los kilkuset trudno jest objąć, ale dzieje tysiąca, miliona nie znaczą w gruncie rzeczy nic. Symetriada jest milionem, nie, miliardem podniesionym do potęgi, niewyobrażalnością samą; cóż stąd, że w głębi jakiejś jej nawy, będącej udziesięciokrotnioną przestrzenią Kroneckera, stoimy jak mrówki uczepione fałdy oddychającego sklepienia, że widzimy wzlot gigantycznych płaszczyzn, opalizujących szaro w świetle naszych flar, ich wzajemne przenikanie, miękkość i nieomylną doskonałość rozwiązania, które jest przecież tylko momentem – bo tu wszystko płynie – treścią tej architektoniki jest ruch, skupiony i celowy. Obserwujemy okruch procesu, drganie jednej struny w orkiestrze symfonicznej nadolbrzymów i mało tego, bo wiemy – ale tylko wiemy, nie pojmując – że równocześnie nad i pod nami, w strzelistych otchłaniach, poza granicami wzroku i wyobraźni zachodzą krocie i miliony równoczesnych przekształceń, powiązanych z sobą jak nuty matematycznym kontrapunktem. Nazwał ją więc ktoś symfonią geometryczną, ale wobec tego my jesteśmy głuchymi jej słuchaczami.

Tu, żeby zobaczyć cokolwiek naprawdę, trzeba by odbiec, cofnąć się w jakąś olbrzymią dal, ale przecież wszystko w symetriadzie jest wnętrzem, rozmnożeniem, buchającym lawinami porodów, bezustannym kształtowaniem, przy czym kształtowanie jest równocześnie kształtującym i żadna mimoza nie jest tak wrażliwa na dotknięcie, jak odległa na mile od miejsca, w którym stoimy, setką kondygnacji oddzielona część symetriady, na zmiany, które przeżywa to nasze miejsce. Tu każda konstrukcja momentalna, z pięknem, które spełnienie znajduje poza granicami wzroku, jest współkonstruktorem i dyrygentem wszystkich innych, współdziejących się, a one wpływają z kolei modelująco na nią. Symfonia – dobrze, ale taka, która tworzy samą siebie i samą siebie zadławia. Okropny jest koniec symetriady. Nikt, kto go widział, nie oparł się wrażeniu, że jest świadkiem tragedii, jeżeli nie morderstwa. Po jakichś dwu, trzech najwyżej godzinach – ten wybuchowy rozrost, powielanie się i samorództwo nie trwa nigdy dłużej – żywy ocean przystępuje do ataku. Tak to wygląda: gładka powierzchnia marszczy się, uspokojony już, zaschłymi pianami okryty przybój poczyna wrzeć, od horyzontów pędzą współśrodkowe ciągi fal, takich samych umięśnionych kraterów jak te, które asystują narodzinom mimoidu, ale tym razem rozmiary ich są nieporównanie większe. Podmorska część symetriady zostaje ściśnięta, kolos podnosi się z wolna w górę, jakby miał zostać wyrzucony poza obręb planety; wierzchnie warstwy oceanicznego gleju zaczynają się aktywizować, wpełzają coraz wyżej, na boczne ściany, powlekają je, tężejąc, zamurowują wyloty, ale to wszystko jest niczym w porównaniu do tego, co zachodzi jednocześnie w głębi. Najpierw procesy formotwórcze – wyłanianie się z siebie kolejnych architektonik – zastygają na krótką chwilę, potem ulegają gwałtownemu przyspieszeniu, ruchy do tej pory płynne, przenikania, fałdowania się, rozskrzydlanie osnów i sklepień, miarowe dotąd i tak pewne, jakby miały przetrwać wieki, zaczynają gnać. Uczucie, że kolos w obliczu grożącego mu niebezpieczeństwa poczyna gwałtownie dążyć do jakiegoś spełnienia, staje się przytłaczające. Im jednak bardziej wzrasta szybkość przemian, tym jawniejsza staje się okropna, wstręt budząca metamorfoza samego budulca i jego dynamiki. Wszystkie zestrzelenia cudownie giętkich płaszczyzn miękną, flaczeją, obwisają, zaczynają się zjawiać potknięcia, formy nie dokończone, maszkarowate, kalekie, z niewidzialnych głębin wznosi się rosnący szum, ryk, powietrze, wyrzucane jak w jakimś agonalnym oddechu, trąc o zwężające się cieśniny, chrapiąc i grając gromowo w przelotach, pobudza zapadające się stropy do rzężenia jakby potwornych jakichś krtani, obrastających stalaktytami śluzu, martwych głosowych strun, i widza ogarnia momentalnie, mimo rozpętującego się najgwałtowniejszego ruchu – jest to przecież ruch zniszczenia – zupełna martwota. Już tylko orkan, wyjący z otchłani, przemierzający ją tysiącami szybów, podtrzymuje, rozdymając, podniebną budowlę, która zaczyna płynąć w dół, zapadać się, niczym chwycony płomieniami plaster, ale jeszcze gdzieniegdzie widać ostatnie trzepoty, bezładne, oderwane od reszty poruszenia, ślepe, coraz słabsze, aż atakowany bezustannie, z zewnątrz, podmyty ogrom wali się z powolnością góry i znika w odmęcie pian, takich samych jak te, które towarzyszyły jego tytanicznemu powstaniu.

I cóż to wszystko znaczy? Tak, co to znaczy...

Pamiętam, jak jakaś szkolna wycieczka zwiedzała solaryjski Instytut w Adenie, kiedy byłem asystentem Gibariana, i po przejściu przez boczną salę biblioteki wprowadzono młodzież do pomieszczenia głównego, którego lwią część wypełniają kasety mikrofilmów. Są na nich utrwalone drobne ułamki wnętrza symetriad, oczywiście dawno już nie istniejących, a jest ich tam, nie zdjęć, ale całych szpul, ponad dziewięćdziesiąt tysięcy. I wtedy tłuściutka, może piętnastoletnia dziewczynka w okularach, o rezolutnym i rozumnym spojrzeniu, zadała nagle pytanie:

– A po co to wszystko...?

I w niezręcznym milczeniu, jakie wówczas nastąpiło, tylko nauczycielka spojrzała surowo na swą niesforną uczennicę; z oprowadzających solarystów (byłem między nimi) nikt nie znalazł odpowiedzi. Bo symetriady są niepowtarzalne i niepowtarzalne są na ogół zachodzące w nich zjawiska. Czasem powietrze przestaje w nich przewodzić dźwięk. Czasem zwiększa się lub maleje współczynnik refrakcji. Lokalnie pojawiają się pulsujące, rytmiczne zmiany ciążenia, jak gdyby symetriada miała bijące, grawitacyjne serce. Niekiedy żyrokompasy badaczy zaczynają zachowywać się jak obłąkane, powstają i znikają warstwy wzmożonej jonizacji, wyliczenie to można by kontynuować. Zresztą, jeśli kiedykolwiek tajemnica symetriad będzie rozwiązana, zostaną jeszcze asymetriady...

Powstają podobnie, inny tylko mają koniec i nie można w nich zobaczyć nic prócz drgania, pałania, migotania; wiemy tyle, że są siedliskiem procesów zawrotnych, u granic fizykalnie możliwych szybkości, nazywa się je też „wyolbrzymionymi zjawiskami kwantowymi". Ich matematyczne podobieństwo do pewnych modeli atomu jest jednak tak niestałe i ulotne, że niektórzy mają je za cechę uboczną bądź wręcz przypadkową. Żyją bez porównania krócej od tamtych, kilkanaście minut zaledwie, a koniec mają bodajże jeszcze okropniejszy, bo w ślad za huraganem, który wypełnia je i rozsadza twardym, ryczącym powietrzem, z piekielną chyżością wzbiera w nich ciecz, kotłująca się pod kożuchem brudnej piany, i zatapia wszystko, bulgocąca, ohydna, po czym przychodzi eksplozja jak wybuch błotnego wulkanu, wyrzucając zmierzwiony słup szczątków, których zmacerowany deszcz długo jeszcze pada na niespokojną powierzchnię oceanu. Niektóre, uniesione wiatrem, wyschłe jak szczapy, żółtawe, płaskie i podobne przez to do jakichś kości błoniastych czy chrząstek, można odnaleźć dryfujące na falach wiele dziesiątków kilometrów poza ogniskiem eksplozji.

Osobną grupę stanowią twory oddzielające się całkowicie od żywego oceanu na czas krótszy lub dłuższy, które daleko rzadziej i trudniej jest zaobserwować od tamtych. Odnalezione po raz pierwszy szczątki ich zidentyfikowano najzupełniej fałszywie, jak okazało się dużo później, jako truchła stworzeń, żyjących w głębiach oceanu. Niekiedy zdają się uciekać jak dziwne, wieloskrzydłe ptaki przed goniącymi je trąbami chyżów, ale to pojęcie, wzięte z Ziemi, raz jeszcze staje się ścianą, której nie można przebić. Czasem, ale to bardzo rzadko, można na skalistych wybrzeżach wysp spostrzec osobliwe, do ławicami leżących fok podobne bezlotki, jak spoczywają na słońcu lub leniwie sczołgują się do morza, aby stopić się z nim w jedną całość.

I tak obracano się wciąż w kręgu ziemskich, ludzkich pojęć, a pierwszy kontakt...

Ekspedycje przemierzyły setki kilometrów w głębiach symetriad, rozstawiały aparaty rejestrujące, samoczynne kamery filmowe; telewizyjne oczy sztucznych satelitów rejestrowały pączkowanie mimoidów i długoni, ich dojrzewanie i zgon. Biblioteki wypełniały się, rosły archiwa, cena, jaką trzeba było za to płacić, stawała się nieraz wysoka. Siedmiuset osiemnastu ludzi zginęło podczas kataklizmów, nie wycofawszy się w porę ze skazanych już na zagładę kolosów, z tego stu sześciu w jednej tylko katastrofie, słynnej, bo znalazł w niej śmierć także sam Giese, podówczas starzec siedemdziesięcioletni, kiedy koniec, z reguły właściwy asymetriadom, spotkał nieoczekiwanie twór, będący wyraźnie upostaciowaną symetriadą. Siedemdziesięciu dziewięciu ludzi wraz z maszynami, aparatami, odzianych w pancerne skafandry, pochłonął w ciągu sekund wybuch błotnistej mazi, ściągając swymi rozstrzeleniami dwudziestu siedmiu dalszych, którzy pilotowali krążące nad badanym tworem samoloty i helikoptery. Miejsce to, na skrzyżowaniu czterdziestego drugiego równoleżnika z osiemdziesiątym dziewiątym południkiem, oznaczone jest na mapach jako Erupcja Stu Sześciu. Ale ten punkt istnieje tylko na mapach, powierzchnia oceanu bowiem nie różni się tam niczym od wszystkich jego innych obszarów.

Odezwały się wówczas po raz pierwszy w historii solaryjskich badań głosy domagające się zastosowania udarów termojądrowych. Miało to być w istocie okrutniejsze od zemsty: chodziło o zniszczenie tego, czego nie możemy pojąć. Tsanken, zastępca grupy rezerwowej Giesego, który ocalał tylko wskutek pomyłki – przekaźnikowy automat oznaczył fałszywie miejsce, w którym tamci badali symetriadę, tak że Tsanken błądził w swej maszynie nad oceanem i przybył na miejsce dosłownie w kilka minut po eksplozji, lecąc, widział jeszcze jej czarny grzyb – w chwili kiedy ważyła się decyzja, zagroził, że wysadzi Stację wraz z sobą i osiemnastoma pozostałymi w niej, a chociaż nigdy nie przyznano oficjalnie, że to samobójcze ultimatum wpłynęło na wynik głosowania, można przypuszczać, że tak było.

Ale czasy, w których tak ludne ekspedycje nawiedzały planetę, są już przeszłością. Samą Stację – budowę jej nadzorowano z satelitów, było to przedsięwzięcie inżynieryjne na skalę, z której Ziemia mogłaby być dumna, gdyby nie to, że ocean w ciągu sekund wyłaniał z siebie konstrukcje milionkroć większe – utworzono pod postacią dysku o dwustumetrowej średnicy, z czterema kondygnacjami w centrum, a dwoma na obrzeżu. Zawieszona pięćset do tysiąca pięciuset metrów nad oceanem dzięki napędzanym energią anihilacji grawitorom, wyposażona została poza wszystkimi urządzeniami, jakie posiadają zwykłe Stacje i wielkie Sateloidy innych planet, w specjalne czujniki radarowe, gotowe przy pierwszej zmianie gładzi oceanicznej uruchomić dodatkową moc, tak że stalowy dysk odpływa w stratosferę, gdy ukazują się pierwsze zwiastuny narodzin nowego żywotworu.

Teraz Stacja była właściwie bezludna. Odkąd automaty zamknięto – dla nie znanych mi wciąż jeszcze powodów – w dennych magazynach, można było krążyć korytarzami, nie napotykając nikogo, jak w dryfującym ślepo wraku, którego maszyny przetrwały zagładę załogi.

Kiedy odstawiałem dziewiąty tom monografii Giesego na półkę, wydało mi się, że stal, ukryta pod warstwą puszystego pianoplastyku, zadrżała mi pod nogami. Znieruchomiałem, ale drżenie już się nie powtórzyło. Biblioteka była doskonale izolowana od reszty korpusu, drgania mogły mieć tylko jedną przyczynę. Jakaś rakieta wystartowała ze Stacji. Ta myśl przywróciła mnie do rzeczywistości. Nie byłem jeszcze całkiem zdecydowany, czy polecę, jak sobie tego życzył Sartorius. Zachowując się tak, jakbym w pełni akceptował jego plany, mogłem najwyżej odwlec kryzys; byłem niemal pewien, że dojdzie do starcia, bo postanowiłem zrobić, co będę mógł, by uratować Harey. Rzecz cała w tym, czy Sartorius miał szansę powodzenia. Jego przewaga nade mną była ogromna – jako fizyk znał problem dziesięć razy lepiej ode mnie i mogłem tylko, paradoksalnie, liczyć na doskonałość rozwiązań, którymi raczył nas ocean. W ciągu następnej godziny ślęczałem nad mikrofilmami, usiłując wyłowić cośkolwiek zrozumiałego z morza piekielnej matematyki, której językiem przemawiała fizyka neutrinowych procesów. Początkowo wydało mi się to beznadziejne, tym bardziej że niesamowicie trudnych teorii neutrinowego pola było aż pięć, jawny znak, iż żadna nie jest doskonała. A jednak udało mi się w końcu znaleźć coś obiecującego. Odpisywałem sobie właśnie formuły, kiedy rozległo się pukanie.

Podszedłem szybko do drzwi i otworzyłem je, zagradzając szczelinę własnym ciałem. Ukazała się w niej błyszcząca od potu twarz Snauta. Korytarz za nim był pusty.

– A, to ty – powiedziałem, uchylając drzwi. – Wejdź.

– Tak, to ja – odparł. Głos miał ochrypły, pod zaczerwienionymi oczami worki, na sobie lśniący gumowy fartuch przeciwpromienny na elastycznych szelkach, spod fartucha wystawały przybrudzone nogawki tych samych spodni, w których zawsze chodził. Jego oczy obiegły okrągłą, równomiernie oświetloną salę i znieruchomiały, kiedy dostrzegł w głębi stojącą obok fotela Harey. Wymieniliśmy błyskawiczne spojrzenia, przymknąłem powieki, wtedy skłonił się lekko, a ja, wpadając w towarzyski ton, powiedziałem:

– To jest doktor Snaut, Harey – Snaut, to... moja żona.

– Jestem... bardzo mało widzialnym członkiem załogi i dlatego... – pauza przedłużyła się niebezpiecznie – nie miałem okazji poznać... – Harey uśmiechnęła się i podała mu rękę, którą uścisnął, jak mi się zdawało, z pewnym osłupieniem, zamrugał kilka razy powiekami i stał, patrząc na nią, aż wziąłem go za ramię.

– Przepraszam – powiedział wtedy do niej. – Chciałem pomówić z tobą, Kelvin...

– Oczywiście – odparłem z jakąś wielkoświatową swobodą; wszystko brzmiało mi jak tandetna komedia, nie było jednak rady. – Harey, kochanie, nie przeszkadzaj sobie. Musimy porozmawiać z doktorem o naszych nudnych sprawach.

I już prowadziłem go za łokieć ku małym fotelikom po przeciwnej stronie sali. Harey usiadła na fotelu, na którym poprzednio siedziałem, ale tak pchnęła go przy tym, że podnosząc głowę znad książki, mogła nas widzieć.

– Co tam? – spytałem cicho.

– Rozwiodłem się – odparł takim samym, tylko bardziej świszczącym szeptem. Możliwe, że roześmiałbym się, gdyby mi opowiedziano kiedyś tę historię i taki początek rozmowy, ale na Stacji moje poczucie humoru było amputowane. – Przeżyłem parę lat od wczoraj, Kelvin – dodał. – Parę niezłych lat. A ty?

– Nic... – odpowiedziałem po chwili, bo nie wiedziałem, co mówić. Lubiłem go, ale czułem, że muszę się teraz mieć przed nim na baczności albo raczej przed tym, z czym do mnie przyszedł.

– Nic? – powtórzył tym samym tonem co ja. – Proszę, to aż tak...?

– O co ci chodzi? – udałem, że nie rozumiem. Zmrużył przekrwione oczy i pochylając się, tak że poczułem na twarzy ciepło jego oddechu, szeptał:

– Grzęźniemy, Kelvin. Z Sartoriusem nie mogę się już połączyć, wiem tyle, co ci napisałem, co mi powiedział po tej naszej małej kochanej konferencji...

– Wyłączył wizofon? – spytałem.

– Nie. Jest tam u niego zwarcie. Zdaje się, że zrobił je umyślnie albo... – wykonał ruch pięścią, jakby coś rozbijał. Patrzałem na niego bez słowa. Lewy kąt ust podniósł mu się w nieprzyjemnym uśmiechu.

– Kelvin, przyszedłem, bo...

Nie dokończył.

– Co masz zamiar robić?

– Chodzi ci o ten list...? – odparłem powoli. – Mogę to zrobić, nie widzę powodu do odmowy, właśnie dlatego tu siedzę, chciałem się zorientować...

– Nie – przerwał. – Nie o to...

– Nie...? – powiedziałem, udając zaskoczenie. – Więc słucham.

– Sartorius – mruknął po chwili. – Wydaje mu się, że znalazł drogę... wiesz.

Nie spuszczał ze mnie oczu. Siedziałem spokojnie, starając się przybrać obojętny wyraz twarzy.

– Najpierw jest ta historia z rentgenem. To, co Gibarian robił z nim, pamiętasz. Możliwa jest pewna modyfikacja...

– Jaka?

– Posyłali po prostu wiązkę promieni w ocean i modulowali tylko jej natężenie według rozmaitych wzorów.

– Tak, wiem o tym. Nilin już to robił. I cała masa innych.

– Tak, ale stosowali miękkie promieniowanie. To było twarde, pakowali w ocean wszystko, co mieli, całą moc.

– To może mieć nieprzyjemne konsekwencje – zauważyłem. – Naruszenie Konwencji Czterech i ONZ.

– Kelvin... nie udawaj. Przecież to nie ma teraz żadnego znaczenia. Gibarian nie żyje.

– Aha, Sartorius chce zwalić wszystko na niego?

– Nie wiem. Nie mówiłem z nim o tym. To nieważne. Sartorius uważa, że skoro „gość" pojawia się zawsze tylko wtedy, kiedy się budzisz, to widocznie on wyciąga z nas receptę produkcyjną podczas snu. Sądzi, że najważniejszy nasz stan – to właśnie sen. Dlatego tak postępuje. Więc Sartorius chce przesłać mu naszą jawę – myśli z czuwania – rozumiesz?

– W jaki sposób? Pocztą?

– Dowcipy oprawisz sobie osobno. Ten pęk promieni będzie modulowany prądami mózgowymi któregoś z nas.

Naraz rozjaśniło mi się w głowie.

– Aha – powiedziałem. – Ten ktoś to ja. Co?

– Tak. On myślał o tobie.

– Serdeczne dzięki.

– Co ty na to?

Milczałem. Nic nie mówiąc, popatrzał powoli na zatopioną w lekturze Harey i wrócił oczyma do mojej twarzy. Czułem, jak blednę. Nie miałem nad tym władzy.

– Więc jak...? – powiedział.

Wzruszyłem ramionami.

– Te rentgenowskie kazania o wspaniałości człowieka uważam za błazeństwo. I ty też. Może nie?

– Tak?

– Tak.

– To bardzo dobrze – powiedział i uśmiechnął się, jak gdybym spełnił jego życzenie. – Więc jesteś przeciwny tej historii Sartoriusa?

Nie pojmowałem jeszcze, jak to się stało, ale z jego spojrzenia wyczytałem, że zaprowadził mnie tam, dokąd chciał. Milczałem, cóż mogłem teraz powiedzieć?

– Doskonale – rzekł. – Bo jest jeszcze drugi projekt. Żeby przebudować aparaturę Roche'a.

– Anihilator...?

– Tak. Sartorius przeprowadził już wstępne obliczenia. To jest realne. I nie będzie nawet wymagać dużej mocy. Aparat będzie czynny okrągłą dobę czy przez nieograniczony czas, wytwarzając antypole.

– Cze... czekaj! Jak to sobie wyobrażasz?!

– Bardzo prosto. To będzie antypole neutrinowe. Zwykła materia pozostaje bez zmian. Unicestwieniu ulegają tylko... układy neutrinowe. Rozumiesz?

Uśmiechał się z satysfakcją. Siedziałem z półotwartymi ustami. Powoli przestał się uśmiechać. Patrzał na mnie badawczo, ze zmarszczonym czołem i czekał.

– Pierwszy projekt „Myśl" odrzucamy zatem. Co? Drugi? Sartorius już w tym siedzi. Nazwiemy go „Wolność".

Zamknąłem na chwilę oczy. Nagle zdecydowałem się. Snaut nie był fizykiem. Sartorius wyłączył czy zniszczył wizofon. Bardzo dobrze.

– Ja bym go nazwał raczej „Rzeźnia”... – powiedziałem wolno.

– Sam byłeś rzeźnikiem. Może nie? A teraz to będzie coś zupełnie innego. Żadnych „gości”, żadnych tworów F – nic. Już w momencie zjawiania się materializacji – nastąpi rozpad.

– To nieporozumienie – odparłem, kręcąc głową z uśmiechem, miałem nadzieję, że był dostatecznie naturalny. – To nie są skrupuły moralne, tylko instynkt samozachowawczy. Ja nie chcę umierać, Snaut.

– Co...?

Był zaskoczony. Patrzał na mnie podejrzliwie. Wyciągnąłem z kieszeni zmiętą kartkę ze wzorami.

– Ja też myślałem o tym. Dziwi cię to? Przecież to ja pierwszy wysunąłem neutrinową hipotezę, może nie? Popatrz. Antypole można wzbudzić. Dla zwykłej materii jest nieszkodliwe. To prawda. Ale w momencie destabilizacji, kiedy układ neutrinowy się rozpada, wyzwolona zostaje jako nadwyżka energia jego wiązań. Przyjmując na jeden kilogram masy spoczynkowej dziesięć do ósmej ergów, otrzymujemy dla jednego tworu F – pięć do siedmiu razy dziesięć do ósmej. Wiesz, co to oznacza? Równoważność małego ładunku uranowego, który wybucha wewnątrz Stacji.

– Co ty mówisz! Ale... ależ Sartorius musiał wziąć to pod uwagę...

– Niekoniecznie – zaprzeczyłem ze złośliwym uśmiechem. – Widzisz, chodzi o to, że Sartorius jest ze szkoły Frazera i Cajolli. Według nich cała energia wiązań w chwili rozpadu zostaje wyzwolona pod postacią promieniowania świetlnego. Byłby to po prostu silny błysk, nie całkiem może bezpieczny, ale nie niszczący. Istnieją jednak inne hipotezy, inne teorie pola neutrinowego. Według Cayatta, według Awałowa, według Siony widmo emisji jest znacznie szersze, a maksimum przypada na twarde promieniowanie gamma. To ładnie, że Sartorius wierzy swoim mistrzom i ich teorii, ale są inne, Snaut. I wiesz, co ci powiem? – ciągnąłem, widząc, że moje słowa zrobiły na nim wrażenie. – Należy wziąć pod uwagę także ocean. Jeżeli zrobił to, co zrobił, to na pewno zastosował optymalną metodę. Innymi słowy: jego akcja wydaje mi się argumentem na rzecz tej drugiej szkoły – przeciwko Sartoriusowi.

– Daj mi tę kartkę, Kelvin...

Podałem mu ją. Przechylił głowę, usiłując odczytać moje gryzmoły.

– Co to jest? – pokazał palcem.

Wziąłem od niego kartkę.

– To? Tensor transmutacji pola.

– Daj mi to...

– Po co ci? – spytałem. Wiedziałem, co odpowie.

– Muszę pokazać Sartoriusowi.

– Jak chcesz – odparłem obojętnie. – Mogę ci to dać. Tylko widzisz, tego nikt nie zbadał eksperymentalnie, nie znaliśmy jeszcze takich układów. On wierzy we Frazera, a ja obliczałem według Siony. Powie ci, że nie jestem fizykiem i Siona też nim nie jest. Przynajmniej w jego rozumieniu. Ale to kwestia do dyskusji. Nie życzę sobie dyskusji, w której wyniku mogę wyparować, ku większej chwale Sartoriusa. Ciebie mogę przekonać, jego nie. I nie będę próbował.

– Więc co chcesz zrobić...? On pracuje nad tym – bezbarwnym głosem powiedział Snaut. Zgarbił się, całe jego ożywienie znikło. Nie wiedziałem, czy mi ufa, ale było mi już wszystko jedno.

– To, co robi człowiek, którego usiłują zabić – odpowiedziałem cicho.

– Spróbuję skontaktować się z nim. Może myśli o jakichś zabezpieczeniach – mruknął Snaut. Podniósł na mnie oczy: – Słuchaj, a gdyby jednak...? Ten pierwszy projekt. Co? Sartorius zgodzi się. Na pewno. To jest... w każdym razie... jakaś szansa...

– Wierzysz w to?

– Nie – odparł natychmiast. – Ale... cóż to szkodzi?

Nie chciałem się zbyt szybko zgodzić, na tym mi właśnie zależało. Stawał się moim sojusznikiem w grze na zwłokę.

– Namyślę się – powiedziałem.

– No, to pójdę – mruknął, wstając. Wszystkie kości zatrzeszczały mu, kiedy podnosił się z fotela. – Więc dasz sobie zrobić encefalogram? – spytał, pocierając palcami powierzchnię fartucha, jakby usiłował z niej zetrzeć niewidzialną plamę.

– Dobrze – powiedziałem. Nie zwracając uwagi na Harey (patrzała na tę scenę, milcząc, z książką na kolanach), podszedł do drzwi. Kiedy zamknęły się za nim, wstałem. Rozpostarłem trzymaną w ręku kartkę. Wzory były rzetelne. Nie sfałszowałem ich. Nie wiem tylko, czy Siona przyznałby się do mojego rozwinięcia. Raczej nie. Drgnąłem. Harey podeszła do mnie od tyłu i dotknęła mego ramienia.

– Kris!

– Co, kochanie?

– Kto to był?

– Mówiłem ci. Doktor Snaut.

– Co to za człowiek?

– Mało go znam. Dlaczego pytasz?

– Tak na mnie patrzał...

– Pewno mu się podobałaś.

– Nie – potrząsnęła głową. – To nie był ten rodzaj spojrzenia. Patrzał na mnie, jak... jakby...

Wzdrygnęła się, podniosła na mnie oczy i spuściła je zaraz.

– Chodźmy gdzieś stąd...

Płynny tlen

Leżałem w ciemnym pokoju, odrętwiały, wpatrzony w świecącą tarczę zegarka na przegubie, nie wiem jak długo. Słuchałem własnego oddechu i dziwiłem się czemuś, ale wszystko to, zapatrzenie w zielonkawy wianuszek cyfr i zdziwienie, było pogrążone w obojętności, którą przypisywałem zmęczeniu. Odwróciłem się na bok, łóżko było dziwnie szerokie, czegoś mi brakowało. Wstrzymałem oddech. Nastała zupełna cisza. Zamarłem. Nie dochodził najlżejszy szmer. Harey? Dlaczego nie słyszałem jej oddechu? Zacząłem wodzić rękami po pościeli: byłem sam.

– Harey! – chciałem się odezwać, ale usłyszałem kroki. Szedł ktoś wielki i ciężki, jak...

– Gibarian? – powiedziałem spokojnie.

– Tak, to ja. Nie zapalaj światła.

– Nie?

– Nie trzeba. Tak będzie lepiej dla nas obu.

– Ale ty nie żyjesz?

– To nic. Poznajesz przecież mój głos?

– Tak. Dlaczego to zrobiłeś?

– Musiałem. Spóźniłeś się o cztery dni. Gdybyś przyleciał wcześniej, może nie byłoby trzeba, ale nie rób sobie wyrzutów. Nie jest mi źle.

– Naprawdę tu jesteś?

– Ach, myślisz, że ci się śnię, jak myślałeś o Harey?

– Gdzie ona jest?

– Skąd wiesz, że wiem?

– Domyślam się.

– Zachowaj to dla siebie. Powiedzmy, że jestem tu zamiast niej.

– Ale ja chcę, żeby ona też była.

– To niemożliwe.

– Dlaczego? Słuchaj, ale ty wiesz, że to naprawdę nie ty, tylko ja?

– Nie. To naprawdę ja. Gdybyś chciał być pedantyczny, mógłbyś powiedzieć, że to ja jeszcze raz. Ale nie marnujmy słów.

– Odejdziesz?

– Tak.

– I ona wtedy wróci?

– Zależy ci na tym? Czym ona jest dla ciebie?

– To moja rzecz.

– Przecież boisz się jej.

– Nie.
– I brzydzisz...
– Czego chcesz ode mnie?
– Litować możesz się nad sobą, nie nad nią. Ona zawsze będzie miała dwadzieścia lat. Nie udawaj, że tego nie wiesz!

Naraz, zupełnie nie wiem czemu, ochłonąłem. Przysłuchiwałem mu się całkiem spokojny. Wydało mi się, że stoi teraz bliżej, w nogach łóżka, ale dalej nic nie widziałem w tej ciemności.

– Czego chcesz? – spytałem cicho. Mój ton jakby go zaskoczył. Milczał przez chwilę.

– Sartorius przekonał Snauta, że go oszukałeś. Teraz oni ciebie oszukają. Pod pozorem montowania aparatury rentgenowskiej budują anihilator pola.

– Gdzie ona jest? – spytałem.
– Czy nie słyszałeś, co ci powiedziałem? Ostrzegłem cię!
– Gdzie ona jest?
– Nie wiem. Uważaj: potrzebna ci będzie broń. Nie możesz liczyć na nikogo.

– Mogę liczyć na Harey – powiedziałem. Usłyszałem cichy, szybki odgłos. Śmiał się.

– Naturalnie, że możesz. Do pewnej granicy. W końcu zawsze możesz zrobić to, co ja.

– Ty nie jesteś Gibarianem.
– Proszę. A kim? Twoim snem może?
– Nie. Ich kukłą. Ale ty o tym nie wiesz.
– A skąd wiesz, kim t y jesteś!

To mnie zastanowiło. Chciałem wstać, ale nie mogłem. Gibarian mówił coś. Nie rozumiałem słów, słyszałem tylko dźwięk jego głosu, walczyłem rozpaczliwie ze słabością ciała, jeszcze raz największym wysiłkiem targnąłem się... i zbudziłem. Łapałem powietrze jak wpółuduszona ryba. Było całkiem ciemno. To sen. Koszmar. Zaraz... „dylemat, którego nie umiemy rozwiązać. Prześladujemy samych siebie. Polytheria zastosowały jedynie rodzaj selektywnego wzmacniacza naszych myśli. Poszukiwanie motywacji tego zjawiska jest antropomorfizmem. Gdzie nie ma ludzi, tam nie ma także dostępnych człowiekowi motywów. Aby kontynuować plan badań, należy albo unicestwić własne myśli, albo ich materialną realizację. Pierwsze nie leży w naszej mocy. Drugie jest zbyt podobne do morderstwa".

Wsłuchiwałem się w mroku w ten miarowy, daleki głos, którego brzmienie natychmiast poznałem: mówił Gibarian. Wyciągnąłem przed siebie ręce. Łóżko było puste.

Zbudziłem się do następnego snu – pomyślałem.

– Gibarian...? – odezwałem się. Głos urwał się natychmiast, w pół słowa. Coś cichutko szczęknęło i poczułem słaby podmuch na twarzy.

– No cóż ty, Gibarian – mruknąłem, ziewając. – Tak ze snu w sen prześladować, wiesz...

Coś zaszeleściło koło mnie.

– Gibarian! – powtórzyłem głośniej.

Sprężyny łóżka drgnęły.

– Kris... to ja... – rozległ się tuż przy mnie szept.

– To ty, Harey... a Gibarian?

– Kris... Kris... przecież on nie... sam mówiłeś, że nie żyje...

– We śnie może żyć – powiedziałem rozwlekle. Nie byłem już wcale pewien, że to sen. – Mówił coś. Był tu – rzuciłem. Byłem okropnie śpiący. Skoro jestem śpiący, to śpię – pomyślałem idiotycznie, musnąłem wargami chłodne ramię Harey i ułożyłem się wygodniej. Odpowiedziała mi coś, ale pogrążyłem się już w niepamięci.

Rano, w oświetlonym czerwono pokoju, przypomniałem sobie zdarzenia tej nocy. Rozmowa z Gibarianem przyśniła mi się, ale to potem? Słyszałem jego głos, mógłbym na to przysiąc, nie pamiętałem tylko dobrze, co mówił. Nie brzmiało to jak rozmowa, raczej jak wykład. Wykład...?

Harey myła się. Słyszałem plusk wody w łazience. Zajrzałem pod łóżko, gdzie kilka dni temu cisnąłem magnetofon. Nie było go tam.

– Harey! – zawołałem. Jej ociekająca wodą twarz ukazała się zza szafy.

– Nie widziałaś czasem magnetofonu pod łóżkiem? Mały, kieszonkowy...

– Leżały tam różne rzeczy. Wszystko położyłam tam – wskazała półkę przy szafce z lekarstwami i znikła w łazience. Wyskoczyłem z łóżka, ale poszukiwania nie dały rezultatu.

– Musiałaś go widzieć – powiedziałem, kiedy wróciła do pokoju. Nic nie odpowiedziała, czesząc się przed lustrem. Teraz dopiero spostrzegłem, że jest blada, a w jej oczach, kiedy spotkały się w lustrze z moimi, było coś badawczego.

– Harey – zacząłem jak osioł jeszcze raz – magnetofonu nie ma na półce.

– Nic ważniejszego nie masz mi do powiedzenia...?

– Przepraszam – mruknąłem – masz rację, to głupstwo.

Tylko tego brakowało, żebyśmy się zaczęli kłócić!

Poszliśmy potem na śniadanie. Harey robiła dzisiaj wszystko inaczej niż zwykle, ale nie umiałem określić tej różnicy. Przyglądała się otoczeniu, kilka razy nie słyszała, co do niej mówiłem, jakby wpadając w nagłe zapatrzenie. Raz, kiedy podniosła głowę, zobaczyłem, że oczy jej się szklą.

– Co ci jest? – zniżyłem głos do szeptu. – Płaczesz?

– Och, zostaw mnie. To nie są prawdziwe łzy – wyjąkała. Nie powinienem był może poprzestawać na tym, ale niczego tak się nie bałem jak „szczerych rozmów". Miałem zresztą na głowie coś innego, chociaż wiedziałem, że knowania Snauta i Sartoriusa tylko mi się przyśniły, zacząłem rozważać, czy na Stacji jest w ogóle jakaś poręczna broń. O tym, co z nią zrobię, nie myślałem, chciałem ją po prostu mieć. Powiedziałem Harey, że muszę zajrzeć do ładowni i do magazynów. Poszła za mną, milcząc. Przetrząsałem skrzynie, szperałem w zasobnikach, a kiedy zeszedłem na sam dół, nie mogłem się oprzeć chęci zajrzenia do chłodni. Nie chciałem jednak, żeby Harey tam weszła, dlatego uchyliłem tylko drzwi i obszedłem oczami całe pomieszczenie. Ciemny całun wzdymał się, okrywając wydłużony kształt, ale z miejsca, w którym stałem, nie mogłem zobaczyć, czy czarna leży jeszcze tam gdzie przedtem. Wydało mi się, że to miejsce jest puste.

Nie znalazłem nic, co by mi odpowiadało, i łaziłem tak w coraz gorszym humorze, aż raptem spostrzegłem się, że nie widzę Harey. Zaraz zresztą przyszła – została w korytarzu – ale już to, że próbowała oddalić się ode mnie, co przychodziło jej z takim trudem, nawet na chwilę, powinno mnie było zastanowić. Wciąż jednak zachowywałem się jak obrażony nie wiedzieć na kogo czy po prostu jak kretyn. Rozbolała mnie głowa, nie mogłem znaleźć żadnych proszków i zły jak wszyscy diabli przewróciłem do góry nogami całą zawartość apteczki. Do sali operacyjnej znów nie chciało mi się iść, byłem tego dnia taki niewydarzony jak rzadko. Harey snuła się jak cień po kabinie, czasem znikała na chwilę, po południu, kiedyśmy już zjedli obiad (właściwie ona w ogóle nie jadła, a ja, bez apetytu z powodu pękającej z bólu głowy, nie próbowałem jej nawet zachęcić do jedzenia), usiadła nagle koło mnie i zaczęła skubać rękaw mojej bluzy.

– No, co tam? – mruknąłem machinalnie. Miałem ochotę pójść na górę, bo zdawało mi się, że rury niosą słabe echo stukania, świadczące, że Sartorius grzebie się w aparaturze wysokiego napięcia, ale naraz odechciało mi się na myśl, że będę musiał pójść z Harey, której obecność w bibliotece jeszcze na poły wytłumaczalna, tam, wśród maszyn, może dać Snautowi okazję do jakiejś niewczesnej uwagi.

– Kris – szepnęła – jak jest z nami...?

Westchnąłem mimo woli, nie mogę powiedzieć, żeby to był mój szczęśliwy dzień.

– Jak najlepiej. O co znów chodzi?

– Chciałabym z tobą porozmawiać.

– Proszę. Słucham.

– Ale nie tak.

– A jak? No, mówiłem ci, wiesz, głowa mnie boli, mam masę kłopotów...

– Trochę dobrej woli, Kris.

Zmusiłem się do uśmiechu. Na pewno był nędzny.

– Tak, kochanie. Mów.

– A powiesz mi prawdę?

Uniosłem brwi. Nie podobał mi się taki początek.

– Dlaczego miałbym kłamać?

– Możesz mieć powody. Poważne. Ale jeśli chcesz, żeby... no, wiesz... to nie okłamuj mnie.

Milczałem.

– Ja ci coś powiem i ty mi coś powiesz. Dobrze? To będzie prawda. Bez względu na wszystko.

Nie patrzałem jej w oczy, chociaż szukała mojego wzroku, udałem, że tego nie widzę.

– Mówiłam ci już, że nie wiem, skąd się tu wzięłam. Ale może ty wiesz. Czekaj, jeszcze ja. Może nie wiesz. Ale jeżeli wiesz, tylko nie możesz mi tego teraz powiedzieć, to może później, kiedyś? To nie będzie najgorsze. W każdym razie dasz mi szansę.

Miałem wrażenie, że lodowaty prąd przebiega mi po całym ciele.

– Dziecko, co ty mówisz? Jaką szansę...? – bełkotałem.

– Kris, kimkolwiek jestem, dzieckiem na pewno nie. Obiecałeś. Powiedz.

To „kimkolwiek jestem" tak mnie złapało za gardło, że mogłem tylko patrzeć na nią, głupkowato zaprzeczając głową, jakbym się bronił przed usłyszeniem wszystkiego.

– Tłumaczę ci przecież, że nie musisz mi powiedzieć. Wystarczy, jeśli powiesz, że nie możesz.

– Niczego nie ukrywam... – odpowiedziałem ochryple.

– To doskonale – odparła, wstając. Chciałem coś powiedzieć. Czułem, że nie mogę jej tak zostawić, ale wszystkie słowa grzęzły mi w gardle.

– Harey...

Stała przy oknie, odwrócona plecami. Granatowy, pusty ocean leżał pod nagim niebem.

– Harey, jeżeli myślisz, że... Harey, przecież wiesz, że cię kocham...

– Mnie?

Podszedłem do niej. Chciałem ją objąć. Wyswobodziła się, odpychając moją rękę.

– Jesteś taki dobry... – powiedziała. – Kochasz mnie? Wolałabym, żebyś mnie bił!

– Harey, kochanie!

– Nie! Nie. Już lepiej milcz.

Podeszła do stołu i zaczęła zbierać talerze. Patrzałem w granatową pustkę. Słońce chyliło się i wielki cień Stacji miarowo poruszał się na falach. Talerz wymknął się z rąk Harey i upadł na podłogę. Woda bulgotała w zmywakach. Ruda barwa przechodziła na skrajach nieboskłonu w brudnoczerwone złoto. Gdybym wiedział, co robić. O, gdybym wiedział. Naraz zrobiło się cicho. Harey stanęła tuż za mną.

– Nie. Nie odwracaj się – powiedziała, zniżając głos do szeptu. – Nie jesteś niczemu winien, Kris. Ja wiem. Nie martw się.

Wyciągnąłem ku niej rękę. Uciekła w głąb kabiny i podnosząc cały stos talerzy, powiedziała:

– Szkoda. Gdyby mogły się stłuc, rozbiłabym, och, rozbiłabym wszystkie!!!

Przez chwilę myślałem, że naprawdę ciśnie je na ziemię, ale spojrzała na mnie bystro i uśmiechnęła się.

– Nie bój się, nie będę robić scen.

Zbudziłem się w środku nocy, od razu sprężony i czujny, usiadłem na łóżku; pokój był ciemny, przez uchylone drzwi padało słabe światło z korytarza. Coś syczało jadowicie, odgłos ten narastał razem z przytłumionymi tępymi uderzeniami, jakby coś dużego gwałtownie tłukło się za ścianą. Meteor! – błysnęła myśl. – Przebił pancerz. Ktoś tam jest! Przeciągłe charczenie.

Otrzeźwiałem do reszty. To była Stacja, nie rakieta, a ten okropny odgłos...

Wypadłem na korytarz. Drzwi małej pracowni były otwarte na oścież, świeciło się tam. Wbiegłem do środka.

Ogarnął mnie wiew potwornego zimna. Kabinę wypełniała para ścinająca oddech w śnieg. Pełno białych płatków krążyło nad owiniętym w płaszcz kąpielowy ciałem, które tłukło się słabo na podłodze. Ledwo ją widziałem, w tej lodowatej chmurze, rzuciłem się do niej, chwyciłem wpół, płaszcz parzył mi ręce, rzęziła, wybiegłem na korytarz, mijając szeregi drzwi, nie czułem już zimna, tylko jej oddech dobywający się z ust obłoczkami pary jak płomień palił mi bark.

Złożyłem ją na stole, rozerwałem płaszcz na piersiach, przez sekundę patrzałem w jej ściętą, drgającą twarz, krew zamarzła na otwartych ustach, pokryła wargi czarnym nalotem, na języku błyszczały kryształki lodu...

Płynny tlen. W pracowni był płynny tlen, w naczyniach Dewara, podnosząc ją, czułem, że rozgniatam chrupkie szkło. Ile mogła wypić? Wszystko jedno. Spalona tchawica, gardło, płuca, płynny tlen żre mocniej od stężonych kwasów. Jej oddech, zgrzytliwy, suchy jak dźwięk rozdzieranych papierów, płyciał. Oczy miała zamknięte. Agonia.

Popatrzałem na wielkie oszklone szafy z narzędziami i lekarstwami. Tracheotomia? Intubacja? Ależ nie ma już płuc! Są spalone. Lekarstwa? Tyle lekarstw! Rzędy kolorowych butli i pudełek wypełniały półki. Chrapanie wypełniało całą salę, wciąż jeszcze mgła płynęła z jej otwartych ust.

Termofory...

Zacząłem ich szukać, ale nim znalazłem, skoczyłem do drugiej szafy, rzucałem pudełkami ampułek, teraz strzykawka, gdzie, w sterylizatorach, nie mogłem jej złożyć zgrabiałymi rękami, palce były sztywne i nie chciały się zginać. Zacząłem furiacko walić ręką w pokrywę sterylizatora, ale nie czułem tego, jedynym odzewem było słabe mrowienie. Leżąca zarzęziła głośniej. Przyskoczyłem do niej. Oczy miała otwarte.

– Harey!

To nie był nawet szept. Nie mogłem dobyć głosu. Miałem obcą, zawadzającą mi twarz, jak z gipsu. Żebra latały jej pod białą skórą, włosy, wilgotne od topniejącego śniegu, rozsypały się na wezgłowiu. Patrzała na mnie.

– Harey!

Nic więcej nie mogłem powiedzieć. Stałem jak kloc z tymi obcymi, drewnianymi rękami, stopy, wargi, powieki zaczynały mnie piec coraz mocniej, ale prawie tego nie czułem, kropla rozpuszczającej się w cieple krwi spłynęła jej po policzku, rysując skośną kreskę. Język zadrgał i znikł, wciąż jeszcze rzęziła.

Ująłem jej przegub, był bez tętna, rozciągnąłem poły płaszcza i przyłożyłem ucho do przeraźliwie zimnego ciała tuż pod piersią. Przez trzeszczący szum jakby pożaru usłyszałem tętent, galopujące tony, zbyt szybkie, aby je można zliczyć. Stałem, nisko nachylony, z zamkniętymi oczami, gdy coś dotknęło mojej głowy. Wsunęła mi palce we włosy. Zajrzałem jej w oczy.

– Kris – wyrzęziła. Chwyciłem jej rękę, odpowiedziała uściskiem, który niemal zmiażdżył mi dłoń, przytomność uciekła z jej wykrzywionej okropnie twarzy, białka łysnęły między powiekami, w gardle zachrapało i całym ciałem zatargały torsje. Ledwo mogłem ją utrzymać, przewieszoną przez krawędź stołu. Tłukła głową o brzeg porcelanowego leja. Podtrzymywałem ją i przyciskałem do stołu, za każdym następnym spazmem wyrywała mi się, błyskawicznie oblał mnie pot i nogi zrobiły się jak z waty. Gdy torsje osłabły, spróbowałem ją położyć. Piała, chwytając powietrze. Nagle w tej strasznej, zakrwawionej twarzy zaświeciły oczy Harey.

– Kris – zacharczała – jak... jak długo, Kris?

Zaczęła się dławić, piana wystąpiła jej na usta, znowu szarpały nią torsje. Trzymałem ją ostatkiem sił. Upadła na wznak, aż zęby zadzwoniły, i dyszała.

– Nie, nie, nie – wyrzucała szybko z każdym wydechem i każdy zdawał się ostatni. Ale torsje wróciły jeszcze raz i znowu rzucała mi się w ramionach, wciągając w krótkich przerwach powietrze z wysiłkiem, od którego występowały wszystkie żebra. Nareszcie powieki nasunęły się do połowy na jej otwarte, ślepe oczy. Zastygła. Myślałem, że to koniec. Nie próbowałem nawet zetrzeć różowej piany z jej ust, stałem nad nią, pochylony, słysząc jakiś daleki, wielki dzwon, i czekałem na ostatni oddech, żeby upaść po nim na podłogę, ale ona wciąż oddychała, prawie nie rzężąc, coraz ciszej, a koniuszek piersi, który prawie całkiem przestał już drgać, poruszał się szybkim rytmem pracującego serca. Stałem, zgarbiony, a jej twarz zaczynała różowieć. Nic jeszcze nie pojmowałem. Tylko wnętrze obu dłoni zwilgotniało mi i zdawało mi się, że głuchnę, że coś miękkiego, elastycznego wypełnia uszy, wciąż jednak słyszałem ten bijący dzwon, teraz głuchy jak z pękniętym sercem.

Uniosła powieki i nasze oczy spotkały się.

– Harey – chciałem powiedzieć, ale zabrakło mi jakby ust, twarz była martwą, ciężką maską i mogłem tylko patrzeć.

Oczy jej obiegły pokój, głowa poruszyła się. Było całkiem cicho. Za mną, w innym jakimś, dalekim świecie woda kapała równo z nie dokręconego kurka. Uniosła się na łokciu. Usiadła. Cofnąłem się. Obserwowała mnie.

– Co – powiedziała – co...? Nie... udało się? Dlaczego...? Dlaczego tak patrzysz...?

I nagle, w strasznym krzyku:

– Dlaczego tak patrzysz!!!

Zapadła cisza. Obejrzała swoje ręce. Poruszała palcami.

– To ja...? – powiedziała.

– Harey – wymówiłem bez tchu, samymi wargami. Podniosła głowę.

– Harey...? – powtórzyła. Zsunęła się wolno na podłogę i stanęła. Zachwiała się, odzyskała równowagę, postąpiła kilka kroków. Wszystko to robiła w jakimś osłupieniu, patrzała na mnie i jakby mnie nie widziała.

– Harey? – powtórzyła wolno jeszcze raz. – Ale... ja... nie jestem Harey. A kto – ja...? Harey? A ty, ty?!

Nagle oczy jej rozszerzyły się, rozbłysły i cień uśmiechu, najwyższego zdumienia rozjaśnił jej twarz.

– Może ty też? Kris! Może ty też?!

Milczałem, oparty plecami o szafę, tam gdzie pchnął mnie strach.

Ręce jej opadły.

– Nie – powiedziała. – Nie, bo się boisz. Ale, słuchaj, ja przecież nie mogę. Nie można tak. Ja nic nie wiedziałam. Ja teraz, ja dalej nic nie rozumiem. Przecież to nie jest możliwe? Ja – przyciskała zaciśnięte, zbielałe ręce do piersi – nic nie wiem, oprócz, oprócz Harey! Myślisz może, że ja udaję? Nie udaję, święte słowo, nie udaję.

Ostatnie słowa przeszły w jęk. Upadła na podłogę, łkając, ten krzyk jakby roztrzaskał coś we mnie, jednym skokiem dopadłem jej, porwałem za ramiona, broniła się, odpychała mnie, łkając bez łez, krzycząc:

– Puść! Puść! Brzydzisz się! Wiem! Nie chcę tak! Nie chcę! Przecież widzisz, sam widzisz, że to nie ja, nie ja, nie ja...

– Milcz! – krzyczałem, potrząsając nią, oboje krzyczeliśmy nieprzytomnie, klęcząc przed sobą. Głowa Harey latała, tłukąc o moje ramię, przyciskałem ją do siebie z całej siły. Nagle zamarliśmy, ciężko dysząc. Woda kapała miarowo z kranu.

– Kris... – wybełkotała, wciskając twarz w moje ramię – powiedz, co mam zrobić, żeby mnie nie było, Kris...

– Przestań! – krzyknąłem. Podniosła twarz. Wpatrywała się we mnie.

– Jak...? Ty też nie wiesz? Nie można nic poradzić? Nic?

– Harey... zlituj się...

– Chciałam... widziałeś przecie. Nie. Nie. Puść, nie chcę, żebyś mnie dotykał! Brzydzisz się.

– Nieprawda!

– Kłamiesz. Musisz się brzydzić. Ja... ja sama... też. Gdybym mogła. Gdybym tylko mogła...

– Zabiłabyś się.

– Tak.

– A ja nie chcę, rozumiesz? Nie chcę, żebyś się zabiła. Chcę, żebyś była tu, ze mną, i nic innego mi nie trzeba!

Ogromne szare oczy pochłaniały mnie.

– Jak ty kłamiesz... – powiedziała całkiem cicho.

Puściłem ją i wstałem z klęczek. Usiadła na podłodze.

– Powiedz, co mam zrobić, żebyś uwierzyła, że mówię to, co myślę? Że to jest prawda. Że innej nie ma.

– Nie możesz mówić prawdy. Nie jestem Harey.

– A kim jesteś?

Milczała długą chwilę. Kilka razy podbródek zadrgał jej, aż opuszczając głowę, wyszeptała:

– Harey... ale... ale wiem, że to nieprawda. To nie mnie... kochałeś tam, dawniej...

– Tak – powiedziałem. – Tego, co było, nie ma. To umarło. Ale ciebie, tutaj, kocham. Rozumiesz?

Potrząsnęła głową.

– Jesteś dobry. Nie myśl sobie, że nie umiem ocenić tego wszystkiego, co robiłeś. Robiłeś to najlepiej, jak umiałeś. Ale na to nie ma rady. Kiedy przed trzema dniami siedziałam rano przy twoim łóżku i czekałam, aż się zbudzisz, nie wiedziałam nic. Tak mi się zdaje, jakby to było bardzo, bardzo dawno temu. Zachowywałam się niczym niespełna rozumu. Miałam w głowie jakby taką mgłę. Nie pamiętałam, co było wcześniej, a co później, i niczemu się nie dziwiłam, jakoś tak jak po narkozie albo po długiej chorobie. I myślałam nawet, że może chorowałam, tylko nie chcesz mi tego powiedzieć. Ale potem coraz więcej rzeczy dawało mi do myślenia. Wiesz, jakie rzeczy. Już mi coś świtało po tej twojej rozmowie tam, w bibliotece, z tym, jak on się nazywa, ze Snautem. A że nie chciałeś nic mówić, wstałam w nocy i puściłam ten magnetofon. Skłamałam tylko ten jeden jedyny raz, bo ja go schowałam potem, Kris. Ten, co mówił, jak on się nazywał?

– Gibarian.

– Tak, Gibarian. Wtedy zrozumiałam już wszystko, chociaż prawdę mówiąc, dalej nic nie rozumiem. Nie wiedziałam jednej rzeczy, że ja nie mogę się... że ja nie jestem... że to się tak skończy... bez końca. O tym nic nie mówił. Może zresztą mówił, ale zbudziłeś się i wyłączyłam taśmę. Ale i tak usłyszałam dosyć, żeby się dowiedzieć, że nie jestem człowiekiem, tylko instrumentem.

– Co ty mówisz?

– Tak. Do badania twoich reakcji czy coś w tym rodzaju. Każdy z was ma taki, taką jak ja. To jest oparte na wspomnieniach albo na wyobrażeniach, stłumione. Tak jakoś. Zresztą ty to wszystko wiesz lepiej ode mnie. On mówił takie straszne, nieprawdopodobne rzeczy i gdyby nie to, że wszystko się zgadzało, nie uwierzyłabym chyba!

– Co się zgadzało?

– No, że nie potrzebuję snu i że muszę być wciąż przy tobie. Wczoraj rano myślałam jeszcze, że ty mnie nienawidzisz, i byłam nieszczęśliwa z tego powodu. Boże, jaka byłam głupia! Ale powiedz, sam powiedz, czy mogłam sobie wyobrazić? Przecież on wcale nie nienawidził tej swojej, ale jak on o niej mówił! Dopiero wtedy zrozumiałam, że cokolwiek bym zrobiła, to wszystko jedno, bo czy chcę, czy nie, dla ciebie to musi być tak jak tortura. A właściwie jeszcze gorzej, bo narzędzie tortury jest martwe i niewinne jak kamień, który może spaść i zabić. A żeby narzędzie mogło dobrze życzyć i kochać, tego nie mogłam sobie wyobrazić. Chciałabym ci powiedzieć przynajmniej, co się we mnie działo wtedy, potem, jak zrozumiałam, jak słuchałam tej taśmy. Może z tego miałbyś przynajmniej pożytek. Próbowałam nawet to spisać...

– To dlatego zapaliłaś światło? – spytałem, z trudem wydając głos nagle zdławionym gardłem.

– Tak. Ale nic z tego nie wyszło. Bo ja szukałam w sobie, wiesz... – i c h – tego czegoś innego, byłam zupełnie szalona, mówię ci! Zdawało mi się jakiś czas, że nie mam ciała pod skórą, że we mnie jest coś innego, że jestem tylko, tylko powierzchnią. Żeby cię oszukać. Rozumiesz?

– Rozumiem.

– Jak się tak leży godzinami w nocy, to myśleniem można zajść bardzo daleko i w bardzo dziwne strony, wiesz...

– Wiem...

– Ale czułam serce, a zresztą pamiętałam, że badałeś moją krew. Jaka jest moja krew, powiedz mi, powiedz prawdę. Przecież możesz teraz.

– Taka sama jak moja.

– Naprawdę?

– Przysięgam ci.

– Co to znaczy? Wiesz, myślałam potem, że może t o jest gdzieś we mnie schowane, że ono jest... przecież może być bardzo małe. Ale nie wiedziałam gdzie. Myślę teraz, że to były w gruncie rzeczy wykręty z mojej strony, bo bardzo się bałam tego, co chciałam zrobić, i szukałam jakiegoś innego wyjścia. Ale, Kris, jeżeli mam taką samą krew... jeżeli jest tak jak mówisz, to... Nie, to niemożliwe. Przecież nie żyłabym już, prawda? To znaczy, że coś jednak jest, ale gdzie?

Może w głowie? Ale ja przecież myślę całkiem zwyczajnie... i nic nie wiem... Gdybym t y m myślała, to powinna bym od razu wszystko wiedzieć i nie kochać cię, tylko udawać i wiedzieć, że udaję... Kris, proszę, powiedz mi wszystko, co wiesz, może jednak uda się coś zrobić?

– Co ma się dać zrobić?

Milczała.

– Chcesz umrzeć?

– Chyba tak.

Znowu zapanowała cisza. Stałem nad nią, skuloną, patrząc na puste wnętrze sali, na białe płyty emaliowanych sprzętów, na błyszczące, rozsypane narzędzia, jakby szukając czegoś bardzo potrzebnego, i nie mogłem tego znaleźć.

– Harey, czy ja też mogę coś powiedzieć?

Czekała.

– To prawda, że nie jesteś zupełnie taka jak ja. Ale to nie znaczy, że jesteś czymś gorszym. Przeciwnie. Możesz zresztą myśleć o tym, co chcesz, ale dzięki temu... nie umarłaś.

Jakiś dziecinny, żałosny uśmiech objął jej twarz.

– Czy to ma znaczyć, że jestem... nieśmiertelna?

– Nie wiem. W każdym razie jesteś daleko mniej śmiertelna niż ja.

– To straszne – szepnęła.

– Może nie tak bardzo, jak ci się wydaje.

– Ale nie zazdrościsz mi...

– Harey, to jest raczej kwestia twego... przeznaczenia, tak bym to nazwał. Wiesz, tu, na Stacji, twoje przeznaczenie jest w gruncie rzeczy tak samo ciemne jak moje i każdego z nas. Tamci będą kontynuować eksperyment Gibariana i może się stać wszystko...

– Albo nic.

– Albo nic, i powiem ci, że wolałbym, aby nic się nie stało, nawet nie ze względu na strach (chociaż on też gra chyba jakąś rolę, nie wiem), ale dlatego, ponieważ to nic nie da. Tego jednego jestem zupełnie pewny.

– Nic nie da, a czemu? Tu chodzi o ten... ocean?

Wzdrygnęła się.

– Tak. O kontakt. Myślę, że to jest w istocie nadzwyczaj proste. Kontakt oznacza wymianę jakichś doświadczeń, pojęć, a przynajmniej rezultatów, jakichś stanów, ale jeżeli nie ma nic do wymieniania? Jeżeli słoń nie jest bardzo wielką bakterią, to ocean nie może być bardzo wielkim mózgiem. Z obu stron mogą, oczywiście, zachodzić pewne działania. W efekcie jednego patrzę teraz na ciebie i usiłuję ci wytłumaczyć, że jesteś mi droższa niż te dwanaście lat życia, które poświęciłem Solaris, i że chcę być z tobą dalej. Może twoje zjawienie się miało być torturą, może przysługą, a może tylko mikroskopowym badaniem. Wyrazem przyjaźni, podstępnym ciosem, może szyderstwem? Może wszystkim naraz albo – co wydaje mi się najprawdopodobniejsze – czymś całkiem innym, ale co mnie i ciebie mogą w gruncie rzeczy obchodzić intencje naszych rodziców, jakkolwiek byli od siebie różni? Możesz powiedzieć, że od tych intencji zależy nasza przyszłość, i z tym się zgodzę. Nie potrafię przewidzieć tego, co będzie. Tak samo jak ty. Nie mogę cię nawet zapewnić, że będę cię zawsze kochał. Jeżeli zdarzyło się już tyle, to może się zdarzyć wszystko. Może stanę się jutro zieloną meduzą? To nie zależy ode mnie. Ale w tym, co od nas zależy, będziemy razem. Czy to mało?

– Słuchaj... – powiedziała – jest jeszcze coś. Czy ja... jestem do niej... bardzo podobna?

– Byłaś bardzo podobna – powiedziałem – ale teraz już nie wiem.

– Jak to...?

Wstała z ziemi i patrzała na mnie wielkimi oczami.

– Przesłoniłaś ją już.

– I jesteś pewny, że nie ją, tylko mnie? Mnie...?

– Tak. Ciebie. Nie wiem. Boję się, że gdybyś naprawdę nią była, nie mógłbym cię kochać.

– Dlaczego?

– Bo zrobiłem coś okropnego.

– Jej?

– Tak. Kiedy byliśmy...

– Nie mów.

– Dlaczego?

– Bo chcę, żebyś wiedział, że nie jestem nią.

Rozmowa

Następnego dnia, wróciwszy z obiadu, znalazłem na stole pod oknem kartkę od Snauta. Donosił, że Sartorius wstrzymał się na razie od pracy nad anihilatorem, aby przeprowadzić jako ostatnią próbę naświetlenie oceanu pękiem twardych promieni.

– Kochanie – powiedziałem – muszę pójść do Snauta.

Czerwony wschód gorzał w szybach i dzielił pokój na dwie części. Byliśmy w niebieskawym cieniu. Poza jego granicą wszystko wydawało się jak z miedzi, można było pomyśleć, że każda książka, upadając z półki, zadźwięczy.

– Chodzi o ten eksperyment. Tylko nie wiem, jak to zrobić. Wolałbym, rozumiesz... – urwałem.

– Nie tłumacz się, Kris. Tak bym chciała... Gdyby to nie trwało długo?

– Trochę musi potrwać – powiedziałem. – Słuchaj, a gdybyś poszła ze mną i zaczekała na korytarzu.

– Dobrze. Ale jeśli nie wytrzymam?

– Jak to właściwie jest? – spytałem i dodałem szybko: – Nie pytam przez ciekawość, rozumiesz, ale, być może, zorientowawszy się, sama potrafiłabyś nad tym zapanować.

– To jest strach – powiedziała. Pobladła trochę. – Nie umiem nawet powiedzieć, czego się boję, bo właściwie nie boję się, tylko, tylko się zatracam. W ostatniej chwili czuję jeszcze taki, taki wstyd, nie umiem ci powiedzieć. A potem już nic. Dlatego myślałam, że to jest jakaś choroba... – dokończyła ciszej i wzdrygnęła się.

– Może być, że tak jest tylko tu, na tej przeklętej Stacji – powiedziałem. – Co do mnie, będę robił wszystko, żebyśmy ją jak najszybciej opuścili.

– Myślisz, że to możliwe? – otwarła oczy.

– Dlaczegoż by nie? W końcu nie jestem tu przykuty... zresztą, to będzie zależało także od tego, co ustalę ze Snautem. Jak ci się zdaje, czy długo możesz być sama?

– To zależy... – powiedziała wolno. Opuściła głowę. – Jeżeli będę słyszała twój głos, to chyba dam sobie radę.

– Wolałbym, żebyś nie słyszała, co mówimy. Nie, żebym miał coś do ukrycia przed tobą, ale nie wiem, nie mogę wiedzieć, co powie Snaut.

– Nie kończ. Rozumiem. Dobrze. Stanę tak, żeby słyszeć tylko dźwięk twojego głosu. To mi wystarczy.

– To zatelefonuję teraz do niego z pracowni. Zostawię otwarte drzwi. – Skinęła głową. Wyszedłem poprzez ścianę czerwonych promieni słonecznych na korytarz, wskutek kontrastu prawie czarny mimo sztucznego oświetlenia. Drzwi małej pracowni stały otworem. Lustrzane szczątki termosu Dewara leżące na podłodze pod rzędem wielkich rezerwuarów płynnego tlenu były ostatnim śladem nocnych wypadków. Mały ekran zajaśniał, kiedy zdjąłem słuchawkę i nakręciłem numer radiostacji. Sinawa błona światła, powlekająca jak gdyby od wewnątrz matowe szkło, pękła i Snaut, bokiem przechylony przez poręcz wysokiego krzesła, zajrzał mi prosto w oczy.

– Witam – powiedział.

– Przeczytałem kartkę. Chciałbym z tobą pomówić. Czy mogę przyjść?

– Możesz. Zaraz?

– Tak.

– Proszę cię. Czy... w towarzystwie?

– Nie.

Jego brązowa od opalenizny, chuda twarz, z grubymi, poprzecznymi zmarszczkami na czole, w wypukłym szkle przechylona skosem, jakby był dziwną rybą, mieszkającą w akwarium, z którego wyziera przez szybkę, przybrała wieloznaczny wyraz.

– No, no – powiedział. – Więc czekam.

– Możemy iść, kochanie – zacząłem z nie całkiem naturalnym ożywieniem, wchodząc do kabiny poprzez czerwone smugi światła, za którymi widziałem tylko majaczącą sylwetkę Harey. Głos mnie zawiódł; siedziała zaparta w fotelu, przeplótłszy łokcie pod poręczami. Czy zbyt późno usłyszała moje kroki, czy też nie mogła rozluźnić tego przeraźliwego skurczu dość szybko, aby przybrać normalną pozę, dość że widziałem ją przez sekundę, walczącą z tą niezrozumiałą siłą, która się w niej kryła, i serce zdławił mi ślepy, szalony gniew pomieszany z litością. Poszliśmy, milcząc, długim korytarzem, mijaliśmy jego sekcje, pokryte różnobarwną emalią, która miała – w intencji architektów – urozmaicać pobyt w pancernej skorupie. Już z daleka zobaczyłem uchylone drzwi radiostacji. Padała z nich w głąb korytarza długa smuga czerwieni, bo i tu docierało słońce. Spojrzałem na Harey, która nie usiłowała się nawet uśmiechnąć, widziałem, jak przez całą drogę, skupiona, przygotowuje się do walki z samą sobą. Zbliżający się wysiłek już teraz zmienił jej twarz, która pobladła i jakby zmalała. Kilkanaście kroków od drzwi przystanęła, zwróciłem się do niej, samymi końcami palców pchnęła mnie lekko, żebym szedł, i naraz moje plany, Snaut, eksperyment, cała Stacja, wszystko wydało mi się niczym wobec męki, z jaką przyszła się tu zmierzyć. Poczułem się oprawcą i chciałem już zawrócić, kiedy szeroką słoneczną smugę, załamaną na ścianie korytarza, przesłonił ludzki cień. Przyspieszając kroku, wszedłem do kabiny. Snaut był tuż za progiem, jakby zmierzał mi na spotkanie. Czerwone słońce stało w prostej linii za nim i purpurowy brzask zdawał się promieniować z jego siwych włosów. Patrzyliśmy na siebie dobrą chwilę, nic nie mówiąc. Badał jak gdyby moją twarz. Jego wyrazu nie widziałem, oślepiony blaskiem okna. Obszedłem go i stanąłem obok wysokiego pulpitu, z którego sterczały giętkie łodygi mikrofonów. Odwrócił się wolno na miejscu, śledząc mnie spokojnie z tym swoim lekkim skrzywieniem ust, które właściwie, niemal się nie zmieniając, stawało się raz uśmiechem, a raz grymasem zmęczenia. Nie spuszczając ze mnie oczu, podszedł do całościennej, metalowej szafy, przed którą piętrzyły się po obu stronach jakby w pośpiechu, byle jak wyrzucone sterty zapasowych części radiowych, akumulatory termiczne i narzędzia, przyciągnął tam krzesło i usiadł, opierając się plecami o emaliowane drzwi.

Milczenie, które zachowywaliśmy dotąd, stawało się już co najmniej dziwne. Wsłuchałem się w nie, koncentrując uwagę na ciszy wypełniającej korytarz, gdzie została Harey, ale nie dobiegał stamtąd najlżejszy szmer.

– Kiedy będziecie gotowi? – spytałem.

– Moglibyśmy zacząć nawet dziś, ale zapis zajmie jeszcze trochę czasu.

– Zapis? Masz na myśli encefalogram?

– No tak, zgodziłeś się przecież. A co? – zawiesił głos.

– Nie, nic.

– Słucham cię – odezwał się Snaut, kiedy milczenie zaczęło znów narastać między nami.

– Ona już wie... o sobie – zniżyłem głos prawie do szeptu. Podniósł brwi.

– Tak?

Odniosłem wrażenie, że nie był naprawdę zaskoczony. Czemu więc udawał? W jednej chwili odechciało mi się mówić, ale przemogłem się. Niech to będzie lojalność – pomyślałem – jeżeli już nic więcej.

– Zaczęła się domyślać bodaj od naszej rozmowy w bibliotece, obserwowała mnie, dodała jedno do drugiego, potem znalazła magnetofon Gibariana i przesłuchała taśmę...

Nie zmienił pozycji, wciąż oparty o szafę, ale w jego oczach ukazał się drobny błysk. Stojąc u pulpitu, miałem na wprost siebie skrzydło drzwi, uchylonych na korytarz. Ściszyłem głos jeszcze bardziej:

– Tej nocy, kiedy spałem, próbowała się zabić. Płynny tlen...

Coś zaszeleściło niczym przeciąg w luźnych papierach. Znieruchomiałem, wsłuchując się w to, co było na korytarzu, ale źródło szmeru znajdowało się bliżej. Zachrobotało jakby mysz... Mysz! Nonsens. Nie było tu żadnych myszy. Obserwowałem spod oka siedzącego.

– Słucham – powiedział spokojnie.

– Oczywiście, nie udało się jej... w każdym razie wie, kim jest.

– Dlaczego mi to mówisz? – spytał nagle. Nie wiedziałem zrazu, co powiedzieć.

– Chcę, żebyś się orientował... żebyś wiedział, jak jest – mruknąłem.

– Ostrzegałem cię.

– Chcesz powiedzieć, że wiedziałeś – podniosłem mimo woli głos.

– Nie. Oczywiście, że nie. Ale tłumaczyłem ci, jak to jest. Każdy „gość", kiedy się zjawia, jest prawie fantomem, poza bezładną mieszaniną wspomnień i obrazów, zaczerpniętych ze swojego... Adama... jest właściwie – pusty. Im dłużej jest tu z tobą, tym bardziej się uczłowiecza. Także usamodzielnia się, do określonych granic, ma się rozumieć. Dlatego im dłużej to trwa, tym trudniej...

Urwał. Spojrzał na mnie spode łba i rzucił od niechcenia:

– Ona wie wszystko?

– Tak, mówiłem ci już.

– Wszystko? I to, że była tu już raz i że ty...

– Nie!

Uśmiechnął się.

– Kelvin, słuchaj, jeżeli do tego stopnia... co zamierzasz właściwie robić? Opuścić Stację?

– Tak.

– Z nią?

– Tak.

Milczał, jakby namyślając się nad odpowiedzią, ale było jeszcze coś w jego milczeniu... co? Znowu ów niewyczuwalny powiew zaszeleścił tuż jakby za cienką ścianą. Poruszył się na krześle.

– Doskonale – powiedział. – Cóż tak patrzysz? Myślałeś, że stanę ci na drodze? Zrobisz, jak zechcesz, mój drogi. Ładnie byśmy wyglądali, gdybyśmy na domiar wszystkiego zaczęli jeszcze stosować tu przymus! Nie zamierzam cię przekonywać, powiem ci tylko tyle: usiłujesz – w sytuacji nieludzkiej – zachować się jak człowiek. Może to i piękne, ale daremne. Zresztą i tego piękna nie jestem pewny, bo czy to, co głupie, może być piękne? Ale nie w tym rzecz. Ty rezygnujesz z dalszych doświadczeń, chcesz odejść, zabierając ją. Tak?

– Tak.
– Ale to także jest... doświadczenie. Uważasz?
– Jak to rozumiesz? Czy ona... będzie mogła?... Jeżeli razem ze mną, to nie widzę...
Mówiłem coraz wolniej, aż urwałem. Snaut westchnął lekko.
– My wszyscy uprawiamy tu strusią politykę, Kelvin, ale przynajmniej wiemy o tym i nie pozujemy na szlachetność.
– Nie pozuję na nic.
– Dobrze, nie chciałem cię urazić. Cofam to, co powiedziałem o szlachetności, ale strusia polityka zostaje w mocy. Ty uprawiasz ją w szczególnie niebezpiecznej formie. Okłamujesz siebie i ją, i znów siebie. Znasz warunki stabilizowania układu, zbudowanego z neutrinowej materii?
– Nie. I ty nie znasz. Tego nikt nie zna.
– Oczywiście. Ale wiemy jedno, że taki układ jest nietrwały i może istnieć tylko dzięki nieustającemu dopływowi energii. Wiem to od Sartoriusa. Ta energia wytwarza zwichrowane pole stabilizujące. Otóż: czy to pole jest zewnętrzne w stosunku do „gościa"? Czy też źródło tego pola znajduje się w jego ciele? Pojmujesz różnicę?
– Tak – powiedziałem wolno. – Jeżeli jest zewnętrzne, to... ona, to... taki...
– To przy oddalaniu się od Solaris układ się rozpadnie – dokończył za mnie. – Przewidzieć tego nie możemy, ale dokonałeś już przecież eksperymentu. Ta rakietka, którą wystrzeliłeś... ona wciąż krąży, wiesz. Obliczyłem nawet w wolnej chwili elementy jej ruchu. Możesz polecieć, wejść na orbitę, zbliżyć się i skonstatować, co się stało z... pasażerką...
– Oszalałeś! – syknąłem.
– Tak uważasz? No... a gdyby... ściągnąć ją tu, tę rakietkę? To się da zrobić. Jest zdalnie sterowana. Sprowadzimy ją z orbity i...
– Przestań!
– Także nie? Więc jest jeden sposób, bardzo prosty. Nie musi nawet lądować na Stacji. Owszem, niech krąży dalej. Połączymy się z nią tylko radiowo; jeżeli ona żyje, to odezwie się i...
– Ależ tam już dawno skończył się tlen! – wykrztusiłem.
– Może obchodzi się bez tlenu. No, spróbujemy?
– Snaut... Snaut...
– Kelvin... Kelvin... – przedrzeźniał mnie z gniewem. – Zastanów się, co z ciebie za człowiek? Kogo chcesz uszczęśliwić? Zbawić? Siebie? Ją? Którą? Tę czy tamtą? Na obie nie starczy ci już

odwagi? Sam widzisz, do czego to prowadzi! Mówię ci po raz ostatni: to, tutaj, jest sytuacją pozamoralną.

Naraz usłyszałem to samo chrobotanie co przedtem, jakby ktoś paznokciami drapał po ścianie. Nie wiem, czemu ogarnął mnie jakiś bierny, mulasty spokój. Było to, jakbym całą tę sytuację, nas dwóch, wszystko, oglądał z wielkiej odległości przez odwróconą lornetkę: drobne, śmieszne trochę, mało ważne.

– Więc dobrze – powiedziałem. – I co według ciebie powinienem zrobić? Usunąć ją? Jutro zjawi się taka sama, prawda? I jeszcze raz? I tak codziennie? Jak długo? Po co? Co mi z tego przyjdzie? A tobie? Sartoriusowi? Stacji?

– Nie, ty mi wpierw odpowiedz. Wystartujesz z nią i, powiedzmy, będziesz świadkiem następującej przemiany. W parę minut zobaczysz przed sobą...

– No, co? – powiedziałem z przekąsem. – Potwora? Demona, co?

– Nie. Zwykłą, najzwyczajniejszą agonię. Tyś naprawdę uwierzył już w ich nieśmiertelność? Zapewniam cię, że giną... Co wtedy zrobisz? Wrócisz po... rezerwę?

– Przestań!!! – huknąłem, ściskając pięść. Przypatrywał mi się z pobłażliwą drwiną w zmrużonych oczach.

– Ach, to ja mam przestać? Wiesz, na twoim miejscu dałbym spokój tej rozmowie. Lepiej już rób coś innego, możesz na przykład siec rózgami – przez zemstę – ocean. O co ci chodzi? Więc jeżeli – zrobił ręką filuterny gest pożegnania, wznosząc zarazem oczy ku sufitowi, jakby śledził jakąś oddalającą się postać – to będziesz łajdakiem? A tak, to nie? Uśmiechać się, jak masz ochotę wyć, udawać radość i spokój, kiedy chce ci się gryźć palce, wtedy nie jesteś łajdakiem? A co, jeżeli tu nie można nie być? Co wtedy? Będziesz szalał przed Snautem, który jest wszystkiemu winien, tak? No, to na dobitkę jeszcze idiotą jesteś, mój drogi...

– Mówisz o sobie – powiedziałem ze spuszczoną głową. – Ja... kocham ją.

– Kogo? Swoje wspomnienie.

– Nie. Ją. Powiedziałem ci, co chciała zrobić. Tak nie postąpiłby niejeden... prawdziwy człowiek.

– Sam przyznajesz, mówiąc...

– Nie łap mnie za słowa.

– Dobrze. Więc ona cię kocha. A ty chcesz ją kochać. To nie jest to samo.

– Mylisz się.

– Kelvin, przykro mi, ale ty sam wszedłeś w te twoje intymne sprawy. Nie kochasz. Kochasz. Ona gotowa oddać życie. Ty też. Bardzo wzruszające, bardzo piękne, szczytne, wszystko, co chcesz. Ale na to wszystko nie ma tu miejsca. Nie ma. Rozumiesz? Nie, ty tego nie chcesz zrozumieć. Jesteś uwikłany za sprawą sił, nad którymi nie panujemy, w proces kołowy, którego ona jest cząstką. Fazą. Powtarzającym się rytmem. Gdyby była... gdybyś był prześladowany przez gotową czynić dla ciebie wszystko maszkarę, nie wahałbyś się ani chwili, żeby ją usunąć. Prawda?

– Prawda.

– A więc, więc może ona właśnie dlatego n i e jest taką maszkarą! To wiąże ci ręce? O to właśnie chodzi, żebyś miał związane!

– To jeszcze jedna hipoteza do miliona tamtych, w bibliotece. Snaut, daj spokój, ona jest... nie. Nie chcę o tym z tobą mówić.

– Dobrze. Sam zacząłeś. Ale pomyśl tylko, że ona jest w gruncie rzeczy lustrem, w którym odbija się część twego mózgu. Jeżeli jest wspaniała, to dlatego, że wspaniałe było twoje wspomnienie. Ty dałeś recepturę. Proces kołowy, nie zapomnij!

– Więc czego chcesz ode mnie? Żebym ją... żebym ją usunął? Już cię pytałem: po co mam to zrobić? Nie odpowiedziałeś.

– To ci teraz odpowiem. Nie zapraszałem cię na tę rozmowę. Nie tykałem twoich spraw. Niczego ci nie nakazuję ani zakazuję i nie robiłbym tego, choćbym nawet mógł. To ty, ty przyszedłeś tu i wyłożyłeś przede mną wszystko, a wiesz po co? Nie? Po to, żeby to z siebie zdjąć. Zwalić. Znam ten ciężar, mój drogi! Tak, tak, nie przerywaj mi! Ja ci nie przeszkadzam w niczym, ale ty, ty chcesz, żebym ci przeszkodził. Gdybym ci stanął na drodze, może byś mi i głowę rozbił, wtedy miałbyś ze mną do czynienia, z kimś ulepionym z tej samej krwi i gliny, co ty, i sam byś się czuł jak człowiek. A tak... nie możesz temu sprostać i dlatego dyskutujesz ze mną... a w gruncie rzeczy z sobą! Jeszcze mi tylko powiedz, że giąłbyś się w cierpieniu, jakby naraz znikła, nie, nic nie mów.

– No, wiesz! Przyszedłem, żeby ci powiedzieć przez prostą lojalność, że zamierzam opuścić z nią Stację – odpierałem jego atak, ale samemu zabrzmiało mi to nieprzekonująco. Snaut wzruszył ramionami.

– Bardzo możliwe, że musisz zostać przy swoim. Jeżeli w ogóle zabrałem głos w tej sprawie, to tylko dlatego, że idziesz coraz wyżej, a upadek z wysokości, sam rozumiesz... Przyjdź jutro rano koło dziewiątej na górę, do Sartoriusa... Przyjdziesz?

– Do Sartoriusa? – zdziwiłem się. – Przecież on nie wpuszcza nikogo, mówiłeś, że nawet zatelefonować nie można.

– Teraz jakoś sobie poradził. My o tym nie mówimy, wiesz. Ty jesteś... to całkiem odmienne. No, mniejsza. Przyjdziesz rano?

– Przyjdę – mruknąłem. Patrzałem na Snauta. Jego lewa ręka, jakby od niechcenia, skrywała się za drzwiami szafy. Kiedy się uchyliły? Chyba dość dawno, ale w podnieceniu tej okropnej dla mnie rozmowy nie zwróciłem na to uwagi. Jak nienaturalnie to wyglądało... Jakby... chował tam coś. Albo jakby jego ktoś trzymał za rękę. Oblizałem wargi.

– Snaut, co ty?...

– Wyjdź – powiedział cicho, bardzo spokojnie. – Wyjdź.

Wyszedłem i zamknąłem za sobą drzwi w ostatkach czerwonej łuny. Harey siedziała na podłodze, jakieś dziesięć kroków dalej, przy samej ścianie. Zerwała się na mój widok.

– Widzisz...? – powiedziała, patrząc na mnie błyszczącymi oczami. – Udało się, Kris... Tak się cieszę. Może... może będzie coraz lepiej...

– O, na pewno – odparłem z roztargnieniem. Wracaliśmy do siebie, a ja łamałem sobie głowę nad tą idiotyczną szafą. Więc, więc chował tam...? I cała ta rozmowa...? Policzki zaczęły mnie tak palić, że potarłem je mimo woli. Boże, co za szaleństwo. I na czym właściwie stanęło? Na niczym? Prawda, jutro rano...

I nagle ogarnął mnie strach, niemal taki, jak ostatniej nocy. Mój encefalogram. Całkowity zapis wszystkich procesów mózgowych, przełożony na wahania pęku promieni, zostanie wysłany w dół. W głąb tego nieobjętego, bezbrzeżnego potwora. Jak to powiedział: „gdyby znikła, cierpiałbyś okropnie, co...?" Encefalogram to zapis całkowity. Także procesów nieświadomych. Jeżeli chcę, żeby znikła, zginęła? Czy inaczej tak by mnie przeraziło to, że przeżyła ten okropny zamach? Czy można odpowiadać za własną podświadomość? Jeżeli ja nie odpowiadam za nią, to któż by...? Co za idiotyzm! Po kiego licha zgodziłem się, żeby właśnie mój, mój... Mogę go sobie naturalnie przestudiować przedtem, ten zapis, ale przecież go nie odczytam. Tego nikt nie potrafi. Specjaliści mogą określić tylko, o czym badany myślał, ale to same ogólniki: że na przykład rozwiązywał zadanie matematyczne, ale stwierdzić jakie, tego już nie umieją. Twierdzą, że to niemożliwe, bo encefalogram jest wypadkową, mieszaniną całego mnóstwa równocześnie biegnących procesów, a tylko część ich ma psychiczną „podszewkę"... A podświadome...? O tych w ogóle nie chcą mówić, a gdzież im już do odczytywania czyichś wspomnień, stłumionych czy nie stłumionych... Ale czemu się tak boję? Sam przecież mówiłem rano do Harey, że ten eksperyment nic nie da. No, bo skoro nasi neurofizjologowie nie umieją odczytać zapisu, to skądże by ten najbardziej obcy, czarny, płynny olbrzym...

Ale on wszedł we mnie ani wiem jak, żeby przemierzyć całą moją pamięć i wynaleźć jej najboleśniejszy atom. Jakże w to wątpić. I to bez żadnej pomocy, bez jakiejkolwiek „promienistej transmisji", wtargnął przez hermetyzowany podwójnie pancerz, przez ciężkie skorupy Stacji, wyszukał w jej wnętrzu moje ciało i odszedł z łupem...

– Kris...? – cicho odezwała się Harey. Stałem przy oknie, zapatrzony niewidzącymi oczyma w początek nocy. Nikłe na tej szerokości geograficznej delikatne bielmo przesłaniało gwiazdy. Jednolita, choć cienka powłoka chmur tak wysokich, że słońce z głębin, spod widnokręgu, obdarzało je najsłabszym, różowosrebrzystym pałaniem.

Jeżeli zniknie potem, to będzie znaczyło, że chciałem tego. Że zabiłem ją. Nie pójść tam? Nie mogą mnie zmusić. Ale co im powiem? Tego – nie. Nie mogę. Tak, trzeba udawać, trzeba kłamać, wciąż i zawsze. Ale to dlatego, że są we mnie może myśli, zamiary, nadzieje, okrutne, wspaniałe, mordercze, a ja nic o nich nie wiem. Człowiek wyruszył na spotkanie innych światów, innych cywilizacji, nie poznawszy do końca własnych zakamarków, ślepych dróg, studni, zabarykadowanych, ciemnych drzwi. Wydać im ją... ze wstydu? Wydać tylko dlatego, że braknie mi odwagi?

– Kris... – jeszcze ciszej niż przedtem szepnęła Harey. Czułem raczej, niż słyszałem, jak bezszelestnie podeszła do mnie, i udałem, że nic o tym nie wiem. W tej chwili chciałem być sam. Musiałem być sam. Nie zdobyłem się jeszcze na nic, na żadną decyzję, nie zapadło żadne postanowienie. Wpatrzony w ciemniejące niebo, w gwiazdy, które były tylko widmowym cieniem ziemskich gwiazd, stałem bez ruchu, a w pustce, która zastępowała gonitwę myśli sprzed chwili, rosła bez słów martwa, obojętna pewność, że tam, dokąd nie mogłem sięgnąć, wybrałem już, i udając, że nic się nie stało, nie miałem nawet tyle siły, żeby sobą wzgardzić.

Myśliciele

– Kris, to przez ten eksperyment?

Skurczyłem się na jej głos. Leżałem bezsennie od godzin, wpatrzony w ciemność, samotny, bo nie słyszałem nawet jej oddechu i w pogmatwanych labiryntach nocnych myśli, majaczliwych, na pół sensownych i nabierających przez to nowego wymiaru i znaczenia, zapomniałem o niej.

– Co... skąd wiesz, że nie śpię...? – spytałem. W moim głosie był strach.

– Po tym, jak oddychasz... – powiedziała cicho, jakoś przepraszająco. – Nie chciałam ci przeszkadzać... Jeżeli nie możesz, nie mów...

– Nie, dlaczego. Tak, to ten eksperyment. Zgadłaś.

– Czego oni się po nim spodziewają?

– Sami nie wiedzą. Czegoś. Czegokolwiek. To nie jest operacja „Myśl", tylko „Rozpacz". Teraz trzeba tylko jednego, człowieka, który miałby dostateczną odwagę i wziął na siebie odpowiedzialność za decyzję, ale ten rodzaj odwagi większość uważa za zwykłe tchórzostwo, bo to jest odwrót, uważasz, rezygnacja, ucieczka niegodna człowieka. Tak jakby godne człowieka było brnąć i grzęznąć, i tonąć w czymś, czego nie pojmuje i nigdy nie pojmie.

Urwałem, ale nim przyspieszony oddech uspokoił się, nowy przypływ gniewu wyrzucił mi z ust:

– Naturalnie, nigdy nie brak facetów z praktycznym spojrzeniem. Mówili, że jeśli się nawet kontaktu nawiązać nie uda, to studiując tę plazmę – wszystkie te szalone żywe miasta, które wyskakują z niej na dobę, żeby zniknąć – poznamy tajemnice materii, jakby nie wiedzieli, że to jest oszukiwanie się, chodzenie po bibliotece, spisanej w niezrozumiałym języku, że się niby będzie tylko oglądać kolory grzbietów... A jakże!

– Czy nie ma więcej takich planet?

– Nie wiadomo. Może są, znamy tylko tę jedną. W każdym razie ona jest czymś nadzwyczaj rzadkim, nie tak jak Ziemia. My, my jesteśmy pospolici, jesteśmy trawą Wszechświata i szczycimy się tą naszą pospolitością, że taka powszechna, i myśleliśmy, że wszystko można w niej pomieścić. To był taki schemat, z którym wyruszyło się śmiało i radośnie w dal: inne światy! No, więc cóż to takiego, te inne światy? Opanujemy je albo zostaniemy opanowani, nic innego nie było w tych nieszczęsnych mózgach, ach, nie warto. Nie warto.

Wstałem, po omacku wyszukałem apteczkę, płaski słoik z tabletkami nasennymi.

– Będę spał, kochanie – powiedziałem, odwracając się ku ciemności, w której wysoko szumiał wentylator. – Muszę spać. W przeciwnym wypadku sam nie wiem...

Usiadłem na łóżku. Dotknęła mojej ręki. Chwyciłem ją, niewidzialną, i trzymałem bez ruchu, aż siłę tego uścisku rozluźnił sen.

Rano, kiedy się obudziłem świeży i wypoczęty, eksperyment wydał mi się czymś błahym, nie rozumiałem, jak mogłem przywiązywać doń taką wagę. Także i to, że Harey musiała pójść ze mną do laboratorium, mało mnie obeszło. Wszystkie jej wysiłki stawały się daremne po mojej kilkuminutowej nieobecności w pokoju, więc zrezygnowałem z dalszych prób, na które nastawała (gotowa nawet dać się gdzieś zamknąć), i poradziłem jej, żeby sobie wzięła jakąś książkę do czytania.

Bardziej od samego zabiegu interesowało mnie, co zastanę w laboratorium. Poza dość znacznymi lukami w regałach i szafach ze szkłem analitycznym (nadto w niektórych szafach brakło szyb, a tafla jednych drzwi była gwiaździście spękana, jakby toczyła się tu niedawno walka, o śladach pospiesznie, dość skrupulatnie usuniętych) nie było w tej wielkiej biało-niebieskiej sali nic osobliwego. Snaut, krzątający się przy aparaturze, zachował się nader poprawnie, przyjął pojawienie Harey jako coś całkiem zwykłego i skłonił się jej lekko z daleka; kiedy zwilżał mi skronie i czoło płynem fizjologicznym, ukazał się Sartorius. Wszedł małymi drzwiami, prowadzącymi do ciemni. Był w białym płaszczu z narzuconym nań czarnym fartuchem przeciwpromiennym, który sięgał mu do kostek. Rzeczowy, zamaszysty, przywitał się ze mną, jakbyśmy byli jednymi z setki pracowników wielkiego ziemskiego instytutu i rozstali się poprzedniego dnia. Zauważyłem dopiero teraz, że martwy wyraz nadają jego twarzy kontaktowe szkła, które nosił pod powiekami zamiast okularów.

Z rękami skrzyżowanymi na piersiach stał, patrząc, jak Snaut opasuje mi przyłożone do głowy elektrody bandażem, który uformował rodzaj białego czepca. Kilkakrotnie obiegł oczami całą salę, jakby nie dostrzegając w ogóle Harey, która, skulona, nieszczęśliwa, siedziała na małym taborecie pod ścianą, udając, że czyta książkę; kiedy Snaut odstąpił od mego fotela, poruszyłem obciążoną metalem i przewodami głową, żeby zobaczyć, jak włącza aparaturę, ale Sartorius podniósł nieoczekiwanie rękę i odezwał się z namaszczeniem:

– Doktorze Kelvin! Proszę o chwilę uwagi i koncentracji! Nie zamierzam niczego panu narzucać, bo to nie prowadziłoby do celu, ale musi pan zaprzestać myślenia o sobie, o mnie, o koledze Snaucie, o jakichkolwiek innych osobach, aby, eliminując przypadkowość poszczególnych indywidualności, skupić się na sprawie, którą tu reprezentujemy. Ziemia i Solaris, generacje badaczy stanowiące całość, mimo iż pojedynczy ludzie mają swój początek i koniec, nasza nieustępliwość w dążeniu do nawiązania intelektualnego kontaktu, rozmiary historycznej drogi przebytej przez ludzkość, pewność jej przedłużenia w czasie przyszłym, gotowość do wszelkich ofiar i trudów, do oddania wszystkich osobistych uczuć tej naszej misji – oto jest szereg tematów, które winny wypełnić najdokładniej pana świadomość. Bieg skojarzeń nie zależy wprawdzie całkowicie od pana woli, lecz to, że pan się tu znajduje, zapewnia autentyczność przedstawionego przeze mnie ciągu. Jeżeli nie będzie pan pewien, że wywiązał się z zadania, proszę powiedzieć to, a kolega Snaut powtórzy zapis. Mamy przecież czas...

Ostatnie słowa wypowiedział z bladym, suchym uśmiechem, który nie odjął jego oczom wyrazu przenikliwego osłupienia. Skręcałem się wewnętrznie od steku tych tak serio, z taką powagą wygłaszanych frazesów, na szczęście Snaut przerwał przeciągającą się ciszę.

– Można, Kris? – spytał, oparty łokciem o wysoki pulpit elektroencefalografu, w niedbałej i poufałej zarazem pozie, jakby się opierał o krzesło. Byłem mu wdzięczny za to, że nazwał mnie po imieniu.

– Można – powiedziałem, przymykając oczy. Trema, która opustoszyła mój umysł, kiedy skończył mocowanie elektrod i położył palce na wyłączniku, ustąpiła nagle, przez rzęsy zobaczyłem różowawy brzask kontrolnych lampek na czarnej płycie aparatu. Zarazem wilgotny i nieprzyjemny chłód metalowych elektrod, niczym zimnych monet opasujących mi głowę, nikł. Byłem jak szara, nie oświetlona arena. Pustce tej asystował ze wszech stron tłum niewidzialnych widzów, amfiteatralnie wezbrany wokół milczenia, w którym rozwiewała się ironiczna wzgarda dla Sartoriusa i Misji. Napięcie wewnętrznych obserwatorów, pożądliwych odegrania zaimprowizowanej roli, słabło. Harey? – pomyślałem to słowo na próbę, z mdlącym niepokojem, gotowy natychmiast wycofać je. Ale ta moja czujna, ślepa widownia nie zaprotestowała. Przez jakąś chwilę cały byłem czystą tkliwością, szczerym żalem, gotowy do cierpliwych, długich ofiar. Harey wypełniła mnie bez rysów, bez kształtów, bez twarzy, i naraz przez jej bezosobowe, rozpaczliwą czułością oddychające pojęcie całą powagą swego profesorskiego oblicza zwidział mi się w szarej ciemności Giese, ojciec solarystyki i solarystów. Ale nie o tym błotnistym wybuchu myślałem, o cuchnącej otchłani, która pochłonęła jego złote okulary i sumiennie wyszczotkowane siwe wąsy, widziałem tylko miedzioryt na tytułowej karcie monografii, gęsto zakreskowane tło, którym artysta obwiódł jego głowę, że stała, niczego nie podejrzewając, prawie w aureoli, tak podobna nie rysami, lecz rzetelną, staroświecką rozwagą do twarzy mego ojca, i w końcu nie wiedziałem, który z nich patrzy na mnie. Obaj nie mieli grobu, rzecz w naszych czasach tak częsta i zwykła, że nie budząca żadnych szczególnych wzruszeń.

Obraz nikł już, a ja na jedną, nie wiem jak długą chwilę zapomniałem o Stacji, o eksperymencie, o Harey, o czarnym oceanie, o wszystkim, przepełniony momentalną jak błysk pewnością, że ci dwaj, już nie istniejący, nieskończenie drobni, w zaschłe błoto obróceni ludzie sprostali wszystkiemu, co ich spotkało, a płynący z tego odkrycia spokój zniweczył bezkształtny tłum, który otaczał szarą arenę w niemym oczekiwaniu mojej klęski. Razem z podwójnym szczęknięciem wyłączonej aparatury sztuczne światło wdarło się w moje oczy. Zmrużyłem powieki. Sartorius patrzał na mnie badawczo, wciąż w jednakiej pozie, Snaut, odwrócony do niego plecami, krzątał się przy aparacie, umyślnie jak gdyby człapiąc spadającymi z nóg trepami.

– Czy sądzi pan, doktorze Kelvin, że udało się? – zawiesił swój nosowy, odpychający głos Sartorius.

– Tak – powiedziałem.

– Jest pan tego pewien? – z odcieniem zdziwienia czy nawet podejrzliwości rzucił Sartorius.

– Tak.

Pewność i szorstki ton mojej odpowiedzi wytrąciły go na chwilę ze sztywnej powagi.

– To... dobrze – bąknął i rozejrzał się, jakby nie wiedział, co ma teraz począć. Snaut podszedł do fotela i zaczął odwijać bandaże.

Wstałem i przeszedłem się po sali, a tymczasem Sartorius, który znikł w ciemni, wrócił z wywołanym już i wysuszonym filmem. Na kilkunastu metrach taśmy ciągnęły się drżące, białawo ząbkowane linie, niczym jakaś pleśń czy pajęczyna, rozwłóczona po czarnej, śliskiej wstędze celuloidu.

Nie miałem już nic do roboty, ale nie wyszedłem. Tamci dwaj wprowadzili do oksydowanej głowicy modulatora film, którego koniec Sartorius obejrzał raz jeszcze, nieufnie nasępiony, jakby usiłował odcyfrować zawartą w tych trzepoczących liniach treść.

Reszta eksperymentu była już niewidzialna. Wiedziałem tylko, co się dzieje, kiedy stali przy rozdzielczych pulpitach pod ścianą i uruchamiali właściwą aparaturę. Prąd zbudził się ze słabym basowym mruknięciem w obwałowaniu zwojnic pod pancerną podłogą, a potem tylko światełka na pionowych, oszklonych rurkach wskaźników szły w dół, wskazując, że wielki tubus rentgenowskiego działa opuszcza się pionowym szybem, aby spocząć w jego otwartym wylocie. Światełka znieruchomiały wówczas na najniższych pasemkach skali i Snaut zaczął zwiększać napięcie, aż wskazówki, a raczej białe prążki, które je zastępowały, zrobiły, wachlując, pół obrotu w prawo. Odgłos prądu był ledwo słyszalny, nie działo się nic, bębny z filmem obracały się pod pokrywą, tak że nawet tego nie można było zobaczyć, licznik metrażu cykał cichutko jak zegarowy mechanizm.

Harey patrzała znad książki to na mnie, to na nich. Podszedłem do niej. Spojrzała pytająco. Eksperyment kończył się już, Sartorius podszedł wolno do wielkiej, stożkowatej głowicy aparatu.

– Idziemy...? – samymi ustami spytała Harey. Skinąłem głową. Wstała. Nie żegnając się z nikim – zbyt by mi to bezsensownie wyglądało – przeszedłem obok Sartoriusa.

Wysokie okna górnego korytarza wypełniał zachód wyjątkowej piękności. Nie była to zwykła, ponura, obrzękła czerwień, lecz wszystkie odcienie przymglonego świetliście, jakby osypanego najdrobniejszym srebrem różu. Ciężka, bezładnie sfalowana czerń nieskończonej równiny oceanu zdawała się, odpowiadając na tę łagodną poświatę, mżyć brunatnofiołkowym, miękkim odblaskiem. Tylko u samego zenitu niebo było jeszcze zawzięcie rude.

Zatrzymałem się naraz pośrodku dolnego korytarza. Nie mogłem wprost myśleć o tym, że znowu jak w więziennej celi będziemy zamknięci w kabinie otwartej na ocean.

– Harey – powiedziałem – wiesz... zajrzałbym do biblioteki... Nie masz nic przeciw temu...?

– O, bardzo chętnie, poszukam czegoś do czytania – odpowiedziała z trochę sztucznym ożywieniem.

Czułem, że od wczoraj jest między nami jakaś nie zasypana szczelina i że powinienem okazać jej choć trochę serdeczności, ale opanowała mnie kompletna apatia. Nie wiem, co musiałoby się stać, żebym się z niej otrząsnął. Wróciliśmy korytarzem, potem pochylnią doszliśmy do małego przedsionka, było tu troje drzwi, między nimi kwiaty jak w jakichś gablotach za krystalicznymi szybami.

Środkowe drzwi, wiodące do biblioteki, okrywała z obu stron wypuklająca się sztuczna skóra; otwierając, starałem się zawsze jej nie dotknąć. W środku, w okrągłej, wielkiej sali, pod bladosrebrnym sufitem w stylizowane słońca, było nieco chłodniej.

Powiodłem ręką wzdłuż grzbietów zestawu solariańskiej klasyki i już chciałem wyjąć pierwszy tom Giesego, z tą miedziorytową podobizną na przykrytej bibułką wstępnej karcie, gdy niespodziewanie odkryłem, poprzednim razem nie zauważony, pękaty, ósemkowego formatu tom Gravinsky'ego.

Usiadłem na wyściełanym krześle. Było zupełnie cicho. O krok za mną Harey wertowała jakąś książkę, słyszałem lekkie przesypywanie się kartek pod jej palcami. Kompendium Gravinsky'ego, używane na studiach najczęściej w charakterze zwyczajnego „bryka", było zbiorem alfabetycznie uporządkowanych hipotez solariańskich, od Abiologicznej po Zwyrodnieniową. Kompilator, który nigdy bodajże nie widział nawet Solaris, przekopał się przez wszystkie monografie, protokoły ekspedycji, prace urywkowe i tymczasowe doniesienia, zgłębił nawet cytaty w dziełach planetologów studiujących inne globy i dał katalog, trochę przerażający lapidarnością sformułowań, bo przechodziły nieraz w trywialność, zagubiwszy subtelną zawiłość myśli, jakie patronowały ich narodzinom, zresztą całość ta, w zamierzeniu encyklopedyczna, przedstawiała już raczej wartość kuriozalną; tom wydany został przed dwudziestu laty, a przez ten czas narosła góra nowych hipotez, których nie pomieściłaby już jedna książka. Przeglądałem alfabetyczny spis autorów niczym listę poległych, mało który żył jeszcze, aktywnie w solarystyce nie pracował bodaj żaden. Całe to rozstrzelone we wszystkich kierunkach bogactwo myślowe wywierało wrażenie, że któraś z hipotez musi po prostu być słuszna, że niemożliwe jest, aby rzeczywistość była całkiem odmienna, inna jeszcze niż miriady ciskanych w nią propozycji. Gravinsky poprzedził rzecz przedmową, w której podzielił znane przed nim sześćdziesiąt bez mała lat solarystyki na okresy. W pierwszym – datującym się od wstępnego zbadania Solaris – nikt nie stawiał właściwie hipotez w sposób świadomy. Przyjęto wtedy, jakoś intuicyjnie, za sprawą „zdrowego rozsądku", że ocean jest martwym, chemicznym konglomeratem, potworną bryłą opływającej glob galarety, która owocuje przedziwnymi tworami dzięki swojej działalności „*quasi*-wulkanicznej" i samorodnym automatyzmem procesów stabilizuje nietrwałą orbitę, tak jak wahadło utrzymuje niezmienną płaszczyznę raz nadanego ruchu. Co prawda, już w trzy lata potem Magenon wypowiedział się za ożywioną naturą „galaretowatej maszyny", lecz Gravinsky okres hipotez biologicznych datował dopiero dziewięć lat później, kiedy odosobniony poprzednio sąd Magenona jął zdobywać coraz liczniejszych zwolenników. Następne lata obfitowały w bardzo zawiłe, poparte biomatematyczną analizą, szczegółowe modele teoretyczne żywego oceanu. Trzeci był okresem rozpadu monolitowej niemal dotąd opinii uczonych.

Pojawiła się w nim wielość zwalczających się nieraz zaciekle szkół. To był czas działalności Panmallera, Strobli, Freyhoussa, le Greuilla, Osipowicza, całe dziedzictwo Giesego zostało wtedy poddane miażdżącej krytyce. Powstały wówczas pierwsze atlasy, katalogi, stereofotografie asymetriad, uważanych dotychczas za twory niemożliwe do zbadania; przełom nastąpił dzięki nowym, zdalnie sterowanym urządzeniom, które wysyłano w burzliwe głębie grożących w każdej sekundzie wybuchem kolosów. Wtedy to na obrzeżu szalejących dyskusji jęły padać odosobnione, przemilczane wzgardliwie hipotezy minimalistyczne, głoszące, że jeśli się nawet osławionego „kontaktu" z „rozumnym potworem" nawiązać nie uda, to i tak badania kostniejących miast mimoidowych i baloniastych gór, które ocean wyrzuca, by je na powrót wchłonąć, przyniosą zapewne cenną wiedzę chemiczną, fizykochemiczną, nowe doświadczenia z zakresu budowy molekuł-olbrzymów, ale nikt nie wdawał się nawet z głosicielami takich tez w polemikę. Był to przecież okres, w którym powstały aktualne po dziś dzień katalogi typowych metamorfoz czy bioplazmatyczna teoria mimoidów Francka, która, choć porzucona jako fałszywa, pozostała wspaniałym wzorem myślowego rozmachu i logicznego konstruktorstwa.

Te łącznie trzydzieści kilka lat liczące „okresy Gravinsky'ego" były naiwną młodością, żywiołowo optymistycznym romantyzmem, wreszcie – znaczonym pierwszymi głosami sceptycznymi – dojrzałym wiekiem solarystyki. Już pod koniec dwudziestopięciolecia padły – jako nawrót pierwszych, koloidowo-mechanistycznych – hipotezy będące późnym ich potomstwem, o apsychiczności solaryjskiego oceanu. Wszelkie poszukiwania przejawów świadomej woli, teleologiczności procesów, działania motywowanego wewnętrznymi potrzebami oceanu, zostały prawie powszechnie uznane za jakąś aberrację całego pokolenia badaczy. Publicystyczna pasja zbijania ich twierdzeń przygotowała grunt dla trzeźwych, analitycznie nastawionych, koncentrujących się na skrzętnym gromadzeniu faktów dociekań grupy Holdena, Eonidesa, Stoliwy; był to czas gwałtownego pęcznienia i rozrastania się archiwów, mikrofilmowych kartotek, ekspedycji, bogato wyposażonych we wszelkie możliwe aparaty, samoczynne rejestratory, czujniki, sondy, jakich tylko dostarczyć mogła Ziemia. W niektórych latach uczestniczyło wówczas w badaniach ponad tysiąc ludzi naraz, ale podczas kiedy tempo narastania gromadzonych bezustannie materiałów wciąż jeszcze się wzmagało, duch ożywiający uczonych już jałowiał i rozpoczynał się trudny do wyraźnego odgraniczenia w czasie okres schyłkowy tej, mimo wszystko optymistycznej jeszcze, fazy solariańskiej eksploracji.

Cechowały ją przede wszystkim wielkie, odważne – raz wyobraźnią teoretyczną, raz negacją – indywidualności takich ludzi, jak Giese, Strobla czy Sevada, który – ostatni z wielkich solarystów – zginął w tajemniczych okolicznościach w okolicy południowego bieguna planety, uczyniwszy coś, co nie zdarza się nawet nowicjuszowi. Wprowadził swój szybujący nisko nad oceanem aparat na oczach setki obserwatorów w głąb chyżu, który wyraźnie usuwał mu się z drogi. Mówiono o jakiejś nagłej słabości, omdleniu czy też defekcie sterów, w rzeczywistości było to, tak myślę, pierwsze samobójstwo, pierwszy nagły, jawny wybuch rozpaczy.

Nie ostatni jednak. Ale tom Gravinsky'ego nie zawierał takich danych, to ja sam dopowiadałem daty, fakty i szczegóły, patrząc w jego pożółkłe, pokryte drobnym maczkiem druku stronice.

Tak patetycznych zamachów na własne życie już zresztą potem nie było, zabrakło też owych wielkich indywidualności. Rekrutacja badaczy, poświęcających się określonej dziedzinie planetologii, jest właściwie zjawiskiem przez nikogo nie zbadanym. Ludzie wielkich zdolności i wielkiej siły charakteru rodzą się mniej więcej ze stałą częstością, niejednakowy jest tylko ich wybór. Obecność ich lub brak w określonej dziedzinie badań tłumaczyć mogą chyba perspektywy, jakie ona otwiera. Rozmaicie oceniając klasyków solarystyki, nikt nie może odmówić im wielkości, geniuszu nieraz. Najlepszych matematyków, fizyków, znakomitości w zakresie biofizyki, teorii informacji, elektrofizjologii przyciągał milczący gigant solaryjski przez całe dziesięciolecia. Naraz armii badaczy z roku na rok odebrano jak gdyby wodzów. Pozostała szara, bezimienna rzesza cierpliwych zbieraczy, kompilatorów, twórców niejednego oryginalnie zakrojonego eksperymentu, ale brakowało już i masowych, na skalę globu zamierzonych, ekspedycji, i śmiałych, scalających hipotez.

Solarystyka poczynała jakby się rozsypywać i jakby wtórem, równoległą jej obniżającego się lotu były płodzone masowo, ledwo drugorzędnymi szczegółami różniące się hipotezy o degeneracji, uwsteczenianiu, inwolucji solaryjskich mórz. Od czasu do czasu pojawiało się ujęcie śmielsze, ciekawsze, ale wszystkie one osądzały niejako ocean, uznany za końcowy produkt rozwoju, który dawno, przed tysiącleciami, przebył okres najwyższej organizacji, a teraz, scalony tylko fizycznie, rozpadał się na mrowie bezpotrzebnych, bezsensownych, agonalnych tworów. A więc już monumentalna, wiekami ciągnąca się agonia; tak widziano Solaris, dopatrując się w długoniach czy mimoidach oznak nowotworzenia, doszukiwano się w procesach toczących płynne cielsko przejawów chaosu i anarchii, aż się ten kierunek stał obsesją, tak że cała literatura naukowa następnych siedmiu, ośmiu lat, choć, rzecz jasna, pozbawiona określeń, wyrażających jawnie uczucia jej autorów, jest jak gdyby jednym stosem obelg – zemstą braną przez osamotnione, pozbawione przywódców, szare rzesze solarystów na wciąż jednakowo obojętnym, ignorującym ich obecność obiekcie wytężonych badań.

Znałem nie włączone do tego zestawu klasyki solariańskiej, bodajże niesłusznie, oryginalne prace kilkunastu europejskich psychologów, którzy z solarystyką tyle mieli wspólnego, że na przestrzeni długiego czasu badali reakcje opinii publicznej, kolekcjonując wypowiedzi najprzeciętniejsze, głosy niefachowców, i wykazali w ten sposób zadziwiająco ścisły związek przemian tej opinii z procesami, jakie równocześnie zachodziły w obrębie środowiska naukowców.

Także w obrębie grupy koordynującej Instytutu Planetologicznego, tam gdzie decydowano o materialnym wspieraniu badań, zachodziły przemiany, wyrażające się w ciągłym, choć stopniowym redukowaniu budżetu instytutów i placówek solarystycznych, jak i dotacji dla ekip wyruszających na planetę.

Głosy o konieczności redukowania badań mieszały się z wystąpieniami tych, co żądali użycia środków działających energiczniej, nikt jednak nie poszedł chyba dalej od administracyjnego dyrektora Wszechziemskiego Instytutu Kosmologicznego, który uparcie głosił, że żywy ocean bynajmniej nie ignoruje ludzi, tylko ich nie dostrzega, podobnie jak słoń – mrówki chodzącej mu po grzbiecie, i aby zwrócić jego uwagę i skoncentrować ją na nas, trzeba zastosować bodźce potężne i maszyny-giganty na miarę całej planety. Zabawnym szczegółem było to, że, jak złośliwie podkreśliła prasa, tak kosztownych przedsięwzięć domagał się dyrektor Instytutu Kosmologicznego, a nie Planetologicznego, który finansował solariańską eksplorację, była to więc hojność z nie swojej kieszeni.

A potem kołowrót hipotez, odświeżanie dawnych, wprowadzanie nieistotnych zmian, uściślanie lub, przeciwnie, uwieloznacznianie jęło zamieniać tak dotąd klarowną, mimo rozległości, solarystykę w coraz bardziej powikłany, pełen ślepych uliczek labirynt. W atmosferze powszechnego zobojętnienia, stagnacji i zniechęcenia drugi ocean zadrukowanych jałowo papierów zdawał się towarzyszyć w czasie solaryjskiemu.

Jakieś dwa lata przedtem, zanim jako absolwent Instytutu wstąpiłem do pracowni Gibariana, powstała fundacja Metta–Irvinga, przeznaczająca wysokie nagrody dla tego, kto wykorzysta dla ludzkich potrzeb energię oceanicznego gleju. Kuszono się o to i przedtem i niejeden ładunek plazmatycznej galarety przewiozły statki kosmiczne na Ziemię. Opracowywano też długo i cierpliwie metody jej konserwowania, stosując temperatury wysokie bądź niskie, sztuczną mikroatmosferę i mikroklimat, podobne do solaryjskich, utrwalające napromieniowania, tysiące wreszcie recept chemicznych, a wszystko po to, aby obserwować mniej lub bardziej leniwy proces rozkładu, także, rozumie się, jak wszystko inne opisany wielokrotnie z największą dokładnością we wszystkich stadiach – samotrawienia, maceracji, upłynnienia pierwotnego, czyli wczesnego, i późnego, wtórnego. Analogiczny los spotykał też próbki pobierane z wszelkich wykwitów i tworów plazmy. Różniły się od siebie tylko drogi wiodące do końca, który przedstawiała lekka jak popiół, metalicznie lśniąca, autofermentacją rozcieńczona rzadzizna. Skład jej, stosunek pierwiastków i wzory chemiczne podać mógł każdy zbudzony ze snu solarysta.

Całkowite fiasko utrzymania przy życiu – czy choćby w stanie zawieszonej wegetacji, jakiegoś hibernowania – małej czy wielkiej cząstki potwora poza jego planetarnym organizmem stało się źródłem przekonania (rozwiniętego przez szkołę Meuniera i Prorocha), że do odgadnięcia jest właściwie tylko jedna, jedyna tajemnica, i kiedy otworzymy ją dobranym odpowiednio kluczem interpretacyjnym, wyjaśni się naraz wszystko...

Na poszukiwaniach tego klucza, tego kamienia filozoficznego Solaris, trawili czas i energię ludzie nie mający z nauką często nic wspólnego, a w czwartej dekadzie istnienia solarystyki ilość kombinatorów-maniaków pochodzących spoza środowiska naukowego, owych opętańców, zagorzałością bijących dawnych swych poprzedników, w rodzaju proroków „perpetuum mobile" czy „kwadratury koła", przybrała rozmiary epidemii, niepokojąc wręcz niektórych psychologów. Namiętność ta wygasła jednak po kilku latach, a kiedy gotowałem się do podróży na Solaris, dawno już opuściła szpalty gazet i znikła z rozmów, podobnie zresztą jak sprawa oceanu.

Odstawiając tom Gravinsky'ego, natknąłem się obok, jako że książki były ustawione alfabetycznie, na malutką, ledwo dostrzegalną pomiędzy grubymi grzbietami, broszurkę Grattenstroma, jeden z osobliwszych wykwitów piśmiennictwa solariańskiego. Była to praca, zwrócona – w walce o zrozumienie Pozaludzkiego – przeciw ludziom samym, przeciwko człowiekowi, swoisty paszkwil na nasz gatunek, wściekła w swej matematycznej oschłości praca samouka, który opublikowawszy wpierw szereg niezwykłych przyczynków do pewnych nader szczegółowych i marginesowych raczej gałęzi kwantowej fizyki, w tym swoim głównym, choć ledwo kilkanaście stron liczącym, najniezwyklejszym dziele usiłował wykazać, że najbardziej nawet z pozoru abstrakcyjne, najszczytniej teoretyczne, zmatematyzowane osiągnięcia nauki w rzeczywistości zaledwie o krok czy dwa oddaliły się od prehistorycznego, grubozmysłowego, antropomorficznego pojmowania otaczającego nas świata. Tropiąc w formułach teorii względności, teorematu siłowych pól, w parastatyce, w hipotezach jedynego kosmicznego pola ślady ciała, to wszystko, co jest tam pochodną i skutkiem istnienia naszych zmysłów, budowy naszego organizmu, ograniczeń i ułomności zwierzęcej fizjologii człowieka, dochodził Grattenstrom do ostatecznego wniosku, iż o żadnym „kontakcie" człowieka z niecziekokształtną, ahumanoidalną cywilizacją nie może być i nigdy nie będzie mowy. W tym paszkwilu na cały gatunek ani słowem nie był wspomniany myślący ocean, lecz jego obecność, pod postacią wzgardliwie triumfującego milczenia, wyczuwało się pod każdym nieomal zdaniem. Tak przynajmniej czułem, zaznajamiając się z broszurą Grattenstroma po raz pierwszy. Praca ta stanowiła zresztą curiosum raczej aniżeli solarianum w normalnym znaczeniu, a znajdowała się w klasycznym księgozbiorze, bo wstawił ją do niego sam Gibarian, który zresztą dał mi ją do przeczytania.

Z dziwnym, podobnym do szacunku uczuciem wsuwałem ostrożnie cienką, nieoprawną nawet odbitkę drukarską między książki na półce. Dotknąłem końcami palców zielono-brązowego „Almanachu Solaryjskiego". Przy całym chaosie, całej bezradności, jaka nas osaczała, nie można było zaprzeczyć, że dzięki kilkunastodniowym przeżyciom uzyskaliśmy pewność w paru kwestiach podstawowych, nad którymi przez lata zmarnowano morze atramentu, były bowiem tematami sporów jałowych przez swą nierozstrzygalność.

O tym, czy ocean był istotą żywą, mógłby ktoś zamiłowany w paradoksach i dostatecznie uparty wątpić dalej. Niepodobna było jednak zaprzeczać istnieniu jego psychiki, cokolwiek by pod tym słowem dało się zrozumieć. Oczywiste stało się, że dostrzega aż nadto dobrze naszą obecność nad sobą... To jedno stwierdzenie przekreślało całe rozbudowane skrzydło solarystyki głoszące, jakoby ocean był „światem w sobie", „bytem w sobie", pozbawionym na skutek wtórnego zaniku ongiś istniejących organów zmysłowych, jakoby nie wiedział nic o istnieniu zjawisk czy obiektów zewnętrznych, zamknięty w kołowrocie gigantycznych myślowych prądów, których siedzibą, łożem i twórcą jest jego pod dwoma słońcami wirująca otchłań.

A dalej: dowiedzieliśmy się, że potrafi syntetyzować sztucznie to, czego my sami nie umiemy – nasze ciała, a nawet doskonalić je, wprowadzeniem w ich podatomową strukturę niepojętych zmian stojących zapewne w związku z celami, jakimi się kierował.

Istniał zatem, żył, myślał, działał; szansa zredukowania „problemu Solaris" do nonsensu czy do zera, sąd, że nie mamy do czynienia z żadną Istotą, a tym samym przegrana nasza nie jest bynajmniej przegraną – wszystko to upadało raz na zawsze. Czy chcieli tego, czy nie, ludzie teraz musieli przyjąć do wiadomości sąsiedztwo, które, choć za bilionami kilometrów próżni, oddzielone przestrzenią całych świetlnych lat, legło na drogach ich ekspansji, trudniejsze do ogarnięcia od pozostałego Wszechświata.

Jesteśmy, być może, w punkcie zwrotnym całych dziejów – myślałem. Postanowienie rezygnacji, odwrotu, aktualnego lub w niedalekiej przyszłości, mogło wziąć górę, nawet zlikwidowania samej Stacji nie uważałem za rzecz niemożliwą czy choćby nieprawdopodobną. Nie wierzyłem jednak, aby w ten sposób dało się ocalić cokolwiek. Samo istnienie myślącego kolosa nigdy już nie da ludziom spokoju. Choćby przemierzyli Galaktyki, choćby związali się z innymi cywilizacjami podobnych do nas istot, Solaris będzie wiecznym wyzwaniem rzuconym człowiekowi.

I jeszcze jeden niewielki, w skórę oprawny tom zabłąkał się w głąb roczników „Almanachu". Wpatrywałem się chwilę w ściemniałą od dotyku palców okładkę, nim go otworzyłem. Była to stara książka, ten *Wstęp do solarystyki* Muntiusa, pamiętałem noc, którą nad nim spędziłem, i uśmiech Gibariana, kiedy dawał mi ten swój egzemplarz, i ziemski świt w oknie, kiedy doszedłem do słowa „koniec". Solarystyka – pisał Muntius – jest namiastką religii wieku kosmicznego, jest wiarą przyobleczoną w szatę nauki; kontakt, cel, ku któremu dąży, równie jest mglisty i ciemny jak obcowanie świętych czy zejście Mesjasza. Eksploracja to w metodologicznych formułach egzystująca liturgika, pokorna praca badaczy jest oczekiwaniem spełnienia, Zwiastowania, albowiem nie ma i nie może być mostów między Solaris a Ziemią. Oczywistość tę, podobnie jak inne: brak wspólnych doświadczeń, brak pojęć, które dałyby się przekazać, solaryści odrzucają, podobnie jak odrzucane były przez wierzących argumenty, które obalały podstawę ich wiary. Czego zresztą oczekują, czego spodziewać się mogą ludzie po „nawiązaniu informacyjnej łączności" z myślącymi morzami? Rejestru przeżyć, związanych z istnieniem nie kończącym się w czasie, tak starym, że nie pamięta zapewne własnego początku? Opisu pragnień, namiętności, nadziei i cierpień, wyzwalających się w momentalnych porodach żywych gór, przetwarzania się matematyki w istnienie, samotności i rezygnacji – w pełnię? Ależ to wszystko stanowi wiedzę nieprzekazywalną, a jeśli próbować przełożenia jej na jakikolwiek z ziemskich języków, to wszystkie poszukiwane wartości i znaczenia ulegną zatracie, zostaną po tamtej stronie. Nie takich zresztą, godnych poetyki raczej aniżeli nauki, rewelacji oczekują „wyznawcy", nie, albowiem, sami nie zdając sobie z tego sprawy, czekają Objawienia, które wyłożyłoby im sens samego człowieka! Solarystyka jest więc pogrobowcem zmarłych dawno mitów, wykwitem mistycznych tęsknot, których jawnie, pełnym głosem, usta ludzkie wypowiadać już nie śmią, a kamieniem węgielnym skrytym głęboko w fundamentach jej gmachu jest nadzieja Odkupienia...

Ale niezdolni przyznać, że tak jest naprawdę, solaryści pieczołowicie omijają wszelkie wykładnie Kontaktu, tak że staje się on w ich pismach czymś ostatecznym – i podczas kiedy w pierwotnym, trzeźwym jeszcze rozumieniu miał być początkiem, wstępem, wejściem na nową drogę, jedną z wielu – beatyfikowany, został po latach ich wiecznością i niebem...

Prosta i gorzka jest analiza Muntiusa, tego „heretyka" planetologii, olśniewająca w negacji, w rozbijaniu mitu solaryjskiego czy raczej Misji Człowieka. Pierwszy głos, który poważył się zabrzmieć jeszcze w pełnej ufności i romantyzmu fazie rozwoju solarystyki, przyjęty został całkowitym, ignorującym milczeniem. Rzecz aż nadto zrozumiała, gdyż przyjęcie słów Muntiusa było równoznaczne z przekreśleniem solarystyki takiej, jaka istniała. Początki innej, trzeźwej, rezygnującej, czekały próżno na swego fundatora. Pięć lat po śmierci Muntiusa, kiedy książka jego stała się już bibliograficzną rzadkością, białym krukiem, nie do znalezienia ani w zestawach solarianów, ani w księgozbiorach filozoficznych, powstała szkoła jego imienia, krąg norweski, w którym, rozłamany na indywidualności myślicieli przejmujących jego dziedzictwo, spokój jego wykładu zmienił się w gryzącą, zacietrzewioną ironię Erle Ennessona, i w wydaniu niejako strywializowanym, w solarystykę użytkową, czyli „utylitarystykę" Phaelangi; ten żądał skoncentrowania się na konkretnych korzyściach, jakie można czerpać z badań, bez oglądania się na jakieś mrzonkami przyozdobione, przez fałszywe nadzieje zrodzone dążenie do cywilizacyjnego kontaktu, do komunii intelektualnej dwu cywilizacji. Wobec bezlitosnej jasności analizy Muntiusa pozostają jednak pisma wszystkich jego duchowych uczniów niczym więcej niż przyczynkarstwem, jeśli nie zwykłą popularyzacją, z wyjątkiem dzieł Ennessona i, być może, Takaty. On sam dokonał już właściwie wszystkiego, nazywając pierwszą fazę solarystyki – okresem „proroków", do których zaliczał Giesego, Holdena, Sevadę, drugą nazwał „wielką schizmą" – rozpadem jedynego solariańskiego Kościoła na gromadę zwalczających się wyznań, i przepowiadał fazę trzecią – dogmatyzacji i scholastycznego skostnienia, która nastąpi, kiedy zbadane zostanie wszystko, co jest do zbadania. Tak się jednak nie stało. Gibarian – myślałem – miał jednak słuszność, uważając likwidacyjny wywód Muntiusa za monumentalne uproszczenie pomijające to wszystko, co w solarystyce sprzeczne było z elementami wiary, decydowała w niej bowiem nieustająca doczesność prac, która nic nie obiecywała poza konkretnym, materialnym globem, krążącym wokół dwóch słońc.

W książkę Muntiusa wetknięta była, złożona we dwoje, pożółkła całkiem odbitka z kwartalnika „Parerga Solariana", jedna z pierwszych prac, jakie napisał Gibarian, jeszcze przed objęciem kierownictwa Instytutu. Po tytule – *Dlaczego jestem solarystą* – następowało zwięzłe prawie jak dyspozycja wyliczenie konkretnych zjawisk, uzasadniających istnienie realnych szans Kontaktu. Bo Gibarian należał do tego, bodajże ostatniego pokolenia badaczy, którzy mieli odwagę nawiązywania do wczesnych lat świetności, optymizmu i nie wypierali się swoistej, przekraczającej granice wyznaczone nauką wiary, jak najbardziej materialnej, gdyż ufała w sukces wysiłków, byle dostatecznie uporczywych i nie ustających.

Wychodził z tak dobrze znanych, klasycznych badań bioelektroników spod znaku Eurazji, Cho-En-Mina, Ngyalli i Kawakadze. Wykazały one elementy podobieństwa między obrazem elektrycznej pracy mózgu a pewnymi wyładowaniami, zachodzącymi w obrębie plazmy, które poprzedzają powstanie takich jej tworów, jak wczesnostadialne Polymorpha i bliźniacze Solarydy. Odrzucał interpretacje nazbyt antropomorficzne, wszelkie owe mistyfikujące tezy szkół psychoanalitycznych, psychiatrycznych, neurofizjologicznych, które usiłowały winterpretować w glejowaty ocean poszczególne ludzkie jednostki chorobowe, jak na przykład epilepsję (której analogiem miały być kurczowe erupcje asymetriad), bo był – z głosicieli Kontaktu – jednym z najbardziej ostrożnych i trzeźwych i niczego tak nie cierpiał jak sensacji, które, co prawda niezmiernie już rzadko, towarzyszyły temu czy owemu odkryciu. Falę podobnego najtańszego zainteresowania obudziła zresztą moja praca dyplomowa. I ona się tu znajdowała, nie wydrukowana oczywiście, tkwiła gdzieś w jednym z zasobników mieszczących mikrofilmy. Oparłem się w niej na odkrywczych studiach Bergmanna i Reynoldsa, którym udało się z mozaiki korowych procesów wyosobnić i „odfiltrować" składowe towarzyszące emocjom najsilniejszym – rozpaczy, bólowi, rozkoszy – z kolei zestawiłem owe zapisy z wyładowaniami prądów oceanicznych i wykryłem oscylacje i oprofilowania krzywych (na pewnych partiach czaszy symetriad, u podstawy niedojrzałych mimoidów i in.) – przejawiające godną uwagi analogię. To wystarczyło, aby nazwisko moje pojawiło się rychło w brukowej prasie pod błazeńskimi tytułami w rodzaju *Galareta rozpacza* albo *Planeta w orgazmie*. Ale wyszło mi to (tak sądziłem przynajmniej do niedawna) na korzyść, gdyż Gibarian, który jak każdy inny solarysta nie czytał wszystkich ukazujących się tysiącami prac, zwłaszcza już nowicjuszy, zwrócił na mnie uwagę i dostałem od niego list. List ten zamknął jeden, a otworzył nowy rozdział mego życia.

Sny

Po sześciu dniach brak jakiejkolwiek reakcji skłonił nas do powtórzenia eksperymentu, przy czym Stacja, trwająca dotąd bez ruchu na skrzyżowaniu czterdziestego trzeciego równoleżnika ze sto szesnastym południkiem, popłynęła, utrzymując czterystumetrową wysokość nad oceanem, w kierunku południowym, gdzie, jak wskazywały radarowe czujniki i radiogramy Sateloidu, aktywność plazmy znacznie się ożywiła.

Przez dwie doby zmodulowany moim encefalogramem pęk rentgenowski uderzał niewidzialnie, w odstępach kilkugodzinnych, w prawie zupełnie gładką powierzchnię oceanu.

Pod koniec drugiej doby znajdowaliśmy się już tak blisko bieguna, że gdy prawie cała tarcza błękitnego słońca chowała się za horyzontem, purpurowe obrzmiewanie chmur po jego przeciwnej stronie zwiastowało wzejście słońca czerwonego. Czarny ogrom oceanu i puste niebo nad nim wypełniała wówczas oślepiająca swą gwałtownością walka kolorów twardych, metalicznie rozżarzonych, łyskających jadowitą zielenią – ze stłumionymi, głuchymi płomieniami purpury, a sam ocean przerzynały odblaski dwu przeciwstawnych tarcz, dwu gwałtownych ognisk, rtęciowego i szkarłatnego; trzeba było wówczas najmniejszego obłoku w zenicie, aby światła spływające wraz z ciężką pianą po skosach fal wzbogaciły się o nieprawdopodobne, tęczowe migotania. Tuż po zachodzie błękitnego słońca na północno-zachodnim widnokręgu ukazała się, zrazu zwiastowana sygnalizatorami, stopiona prawie nie do odróżnienia z rudo zbroczoną mgłą i wyłaniająca się z niej tylko pojedynczymi, zwierciadlanymi łyśnięciami jak wyrastający tam, na styku nieba i gleju, gigantyczny kwiat ze szkła – symetriada. Stacja nie zmieniła jednak kursu i po jakimś kwadransie drgający czerwienią jak przygasająca lampa z rubinów kolos schował się na powrót za horyzontem. Kilka minut później wysoki, cienki słup, którego podstawa była już skryta przed naszymi oczami krzywizną planety, wzbił się na kilka kilometrów, rosnąc bezgłośnie w atmosferę. Ten oczywisty znak końca dostrzeżonej symetriady, w połowie gorejąc krwawo, w drugiej jaśniejąc jak słup rtęci, rozrósł się w dwubarwne drzewo, potem końce jego coraz bardziej pęczniejących gałęzi zlały się w jedną grzybiastą chmurę, której górna część ruszyła w ogniu dwu słońc na daleką wędrówkę z wiatrem, a dolna, ciężkimi, na trzecią część horyzontu rozsnutymi groniastymi szczątkami, opadała nadzwyczaj powoli. Po godzinie znikł ostatni ślad tego widowiska.

I znowu minęły dwie doby, eksperyment powtórzono po raz ostatni, rentgenowskie nakłucia objęły już niemały szmat glejowego oceanu, na południu ukazały się doskonale widoczne z naszego wzniesienia, mimo trzystukilometrowej odległości, Arrhenidy, poszóstny, skalisty łańcuch jakby śniegiem zmrożonych szczytów; były to w istocie naloty organicznego pochodzenia, świadczące, że formacja ta stanowiła ongiś dno oceanu.

Zmieniliśmy wówczas kurs na południowo-wschodni i sunęliśmy jakiś czas równolegle do górskiej bariery, zmieszanej z chmurami, typowymi dla rudego dnia, aż i one znikły. Od pierwszego eksperymentu upłynęło już dziesięć dni.

Przez cały ten czas na Stacji nic się właściwie nie działo; kiedy Sartorius raz opracował programowanie eksperymentu, powtarzała go potem automatyczna aparatura i nie jestem nawet pewny, czy ktokolwiek kontrolował jej działanie. Ale zarazem działo się na Stacji o wiele więcej, niż można by sobie życzyć. Nie między ludźmi. Obawiałem się, że Sartorius będzie się domagał wznowienia prac nad anihilatorem; czekałem też na reakcję Snauta, kiedy dowie się od tamtego, że go w jakiejś mierze oszukałem, przesadzając niebezpieczeństwo, jakie mogło pociągnąć za sobą unicestwienie neutrinowej materii. Nic jednak takiego nie nastąpiło z powodów początkowo zupełnie dla mnie zagadkowych; oczywiście brałem też pod uwagę jakiś podstęp, zatajenie z ich strony przygotowań i prac, codziennie więc zaglądałem do bezokiennego pomieszczenia tuż pod podłogą głównego laboratorium, w którym znajdował się anihilator. Nigdy nie zastałem tam nikogo, a warstewka kurzu pokrywająca pancerze i kable aparatury świadczyła, że nawet nie dotknięto jej od wielu tygodni.

Snaut w owym czasie stał się tak samo niewidzialny jak Sartorius, a jeszcze bardziej od niego nieuchwytny, bo już i wizofon w radiostacji nie odpowiadał na wezwanie. Ruchami Stacji musiał ktoś kierować, ale nie mogę powiedzieć kto, bo mnie to po prostu nie obchodziło, jakkolwiek brzmi to może dziwnie. Brak reakcji ze strony oceanu też pozostawił mnie obojętnym do tego stopnia, że po dwu czy trzech dniach mało że przestałem na nią liczyć czy obawiać się jej, całkowicie o niej i o doświadczeniu zapomniałem. Całymi dniami przesiadywałem albo w bibliotece, albo w kabinie z Harey, snującą się koło mnie jak cień. Widziałem, że jest z nami niedobrze i że się ten stan apatycznego i bezmyślnego zawieszenia nie może przeciągać w nieskończoność. Powinienem był przełamać go jakoś, zmienić coś w naszych stosunkach, ale samą myśl o jakiejkolwiek zmianie odsuwałem, niezdolny do powzięcia żadnej decyzji; nie umiem tego inaczej wyjaśnić, ale zdawało mi się, że wszystko na Stacji, a szczególnie już to, co jest pomiędzy Harey i mną, przebywa w stanie nadzwyczaj chwiejnej, karkołomnie spiętrzonej równowagi i naruszenie jej może obrócić wszystko w ruinę. Dlaczego? Nie wiem. Najdziwniejsze było, że i ona odczuwała, w jakiejś przynajmniej mierze, coś podobnego. Kiedy myślę o tym teraz, wydaje mi się, że owo wrażenie niepewności, zawieszenia, chwili przed nadciągającym trzęsieniem ziemi wywoływała niewyczuwalna w żaden inny sposób, wypełniająca wszystkie pokłady i pomieszczenia Stacji obecność. Chociaż był może inny jeszcze sposób odgadnięcia jej: sny. Ponieważ nigdy przedtem ani potem nie miałem takich widziadeł, postanowiłem spisywać ich treść i temu tylko zawdzięczać należy, że mogę cokolwiek o nich wykrztusić, ale są to też tylko strzępy, pozbawione niemal całego ich, przeraźliwego bogactwa. W okolicznościach właściwie niewyrażalnych, w przestrzeniach pozbawionych nieba, ziemi, podłóg, stropów czy ścian, przebywałem jak gdyby pokurczony czy uwięziony w substancji zewnętrznie mi obcej, jak gdybym całe ciało miał wrośnięte w na pół martwą, nieruchawą, bezkształtną bryłę, albo raczej jakbym nią był, pozbawiony ciała, otoczony niewyraźnymi zrazu plamami o bladoróżowej barwie, zawieszonymi w ośrodku o innych własnościach optycznych od powietrza, tak że dopiero zupełnie z bliska rzeczy stawały się wyraźne, a nawet nadmiernie i nadnaturalnie wyraźne, bo w tych snach moje bezpośrednie otoczenie przewyższało konkretnością i materialnością wrażenia jawy. Budząc się, miałem paradoksalne uczucie, że jawą, prawdziwą jawą było właśnie tamto, a to, co widzę po otwarciu oczu, jest tylko jakimś jej wyschłym cieniem.

Więc taki był pierwszy obraz, początek, z którego wysnuwał się sen. Wokół mnie czekało coś na przyzwolenie, na moją zgodę, na wewnętrzne skinienie, a ja wiedziałem, a raczej we mnie coś wiedziało, że nie powinienem ulec niezrozumiałej pokusie, bo im więcej – milcząc – obiecuje, tym straszniejszy będzie koniec. Ale właściwie tego nie wiedziałem, gdyż wówczas chybabym się bał, a lęku nie odczuwałem nigdy. Czekałem. Z otaczającej mnie różowej mgły wyłaniał się pierwszy dotyk, a ja, bezwładny jak kloc, ugrzęzły gdzieś głęboko w tym, co mnie jak gdyby zamykało, nie mogłem ani cofnąć się, ani poruszyć, a tamto badało moje więzienie dotknięciami, ślepymi i widzącymi zarazem, i była to już jakby dłoń, która stwarzała mnie; do tej chwili nie miałem nawet wzroku i oto widziałem – pod palcami wędrującymi po omacku po mojej twarzy wyłaniały się z nicości moje wargi, policzki i w miarę jak ten rozłożony na nieskończenie drobne odłamki dotyk rozszerzał się, miałem już twarz i oddychający tors, powołane do istnienia tym – symetrycznym – aktem stworzenia: bo i ja, stwarzany, stwarzałem z kolei, i pojawiała się twarz, jakiej nigdy jeszcze nie widziałem, obca, znana, usiłowałem zajrzeć jej w oczy, ale nie mogłem tego zrobić, bo wciąż było wszystko pozmieniane proporcjami, bo nie było tu żadnych kierunków i tylko w jakimś rozmodlonym milczeniu odkrywaliśmy się i stawali – nawzajem, a byłem już żywym sobą, ale spotęgowanym jak gdyby bez granic, i tamta istota – kobieta? – trwała wraz ze mną w znieruchomieniu. Tętno wypełniało nas i byliśmy jednością, a wtedy nagle w powolność tej sceny, poza którą nic nie istniało i nie mogło jakby istnieć, wkradało się coś niewypowiedzianie okrutnego, niemożliwego i przeciwnego naturze. Ten sam dotyk, który stworzył nas i niewidzialnym, złotym płaszczem przylgnął do naszych ciał, poczynał mrowić. Nasze ciała, nagie i białe, zaczynały płynąć, czerniejąc w strumienie wijącego się robactwa, które uchodziło z nas jak powietrze, i byłem – byliśmy – byłem błyszczącą, splatającą się i rozplatającą, febryczną masą glistowatego ruchu, nie kończącą się, nieskończoną, i w owym bezbrzeżu – nie! – ja, bezbrzeże, wyłem, milcząc, o zagaśnięcie, o kres, ale właśnie wówczas rozbiegałem się we wszystkie naraz strony i wzbierałem jaskrawszym od każdej jawy, ustokrotnionym, zogniskowanym w czarnych i czerwonych dalach, to krzepnącym w skałę, to kulminującym gdzieś, w blaskach innego słońca czy świata, cierpieniem.

To był najprostszy ze snów, innych nie potrafię opowiedzieć, bo bijące w nich źródła grozy nie miały już żadnego odpowiednika w czuwającej świadomości. O istnieniu Harey nie wiedziałem w nich nic, ale też żadnych wspomnień ani doświadczeń dnia nie mogłem w nich odnaleźć.

Były też inne sny, w których w martwo zakrzepłej ciemności czułem się przedmiotem jakichś pracowitych, powolnych, nie posługujących się żadnym zmysłowym narzędziem badań; było to przenikanie, rozdrabnianie, zatracanie się, aż do kompletnej pustki, ostatnim piętrem, dnem tych milczących, unicestwiających krzyżowań był strach, którego samo przypomnienie za dnia przyspieszało uderzenia serca.

A dni jednakowe, jakby wyblakłe, pełne nudnej niechęci do wszystkiego, pełzły ospale w krańcowym zobojętnieniu, nocy tylko się bałem i nie wiedziałem, jak się przed nimi ratować; czuwałem razem z Harey nie potrzebującą wcale snu, całowałem ją i pieściłem, ale wiedziałem, że nie chodzi mi ani o nią, ani o siebie, że wszystko robię w obawie przed snem, a ona, chociaż nie powiedziałem jej o tych wstrząsających koszmarach ani słowa, musiała się czegoś domyślać, bo czułem w jej zamieraniu świadomość nieustającego upokorzenia i nie miałem na to rady. Powiedziałem, żeśmy się ze Snautem ani Sartoriusem przez cały czas nie widywali. Snaut dawał jednak co kilka dni znać o sobie, niekiedy kartką, ale częściej telefonicznym wezwaniem. Pytał, czy nie dostrzegłem jakiegoś nowego zjawiska, jakiejś zmiany, czegoś, co można by zinterpretować jako reakcję, wywołaną powtarzanym tyle razy eksperymentem. Odpowiedziałem, że nic, i sam zadawałem to samo pytanie. Snaut zaprzeczał tylko ruchem głowy, w głębi ekranu.

W piętnastym dniu po zaprzestaniu doświadczeń zbudziłem się wcześniej niż zwykle, tak znużony koszmarem, jakbym otworzył oczy z odrętwienia wywołanego głęboką narkozą. Przez odsłonięte okno dostrzegłem w pierwszym blasku czerwonego słońca, którego olbrzymie przedłużenie rozcinało rzeką purpurowego ognia tafle oceanu, jak się ta martwa dotąd płaszczyzna niepostrzeżenie zamąca. Czerń jej pobladła zrazu, niby okryta cienką warstwą mgły, ale ta mgła miała nader materialną konsystencję. Gdzieniegdzie powstały w niej ośrodki niepokoju, aż nieokreślony ruch ogarnął cały widzialny przestwór. Czerń znikła, osłonięta rozmywającymi ją, jasnoróżowymi na wybrzuszeniach, a perłowobrunatnymi we wklęsłościach, błonami. Barwy zrazu naprzemienne, modelujące tę dziwną zasłonę oceanu w długie rzędy zastygłych jak gdyby podczas kołysania fal, przemieszały się i już cały ocean pokryty był grubobąblistą pianą, unoszącą się ogromnymi płachtami w górę zarówno pod samą Stacją, jak i wokół niej. Ze wszystkich stron naraz wzbijały się w rude, puste niebo błonkoskrzydłe pianoobłoki, rozpostarte poziomo, zupełnie niepodobne do chmur, o zgrubiałych baloniasto brzegach. Te, które poziomymi smugami przesłaniały niską tarczę słoneczną, były przez kontrast z jej pałaniem czarne jak węgiel, inne, w pobliżu słońca, zależnie od kąta, pod którym trafiały je promienie wschodu, rudziały, zapalały się wiśniowo, amarantowo, i proces ten trwał, jakby ocean łuszczył się krwistymi warstwicami, to ukazując spod nich swoją czarną powierzchnię, to osłaniając się nowym nalotem zestalonych pian. Niektóre z tych tworów szybowały w górę zupełnie blisko, tuż za szybami, mijając je ledwo o metry, a raz jeden otarł się jedwabistą z wyglądu powierzchnią o szkło, podczas kiedy te roje, które wzbiły się w przestwór jako pierwsze, ledwo widniały już w głębi nieba jak rozproszone ptaki i przejrzystym osadem rozpływały się w zenicie.

Stacja znieruchomiała, zatrzymana, i trwała tak około trzech godzin, a widowisko nie ustawało. Na koniec, gdy słońce osunęło się pod horyzont, a ocean pod nami okrył mrok, tysięczne rojowiska smukłych sylwetek, zrumienione, wstępowały w niebo coraz wyżej i wyżej, płynąc nieskończonymi szeregami jak na niewidzialnych strunach, nieruchome, nieważkie, i to majestatyczne wniebowstąpienie jakby poszarpanych skrzydeł trwało, aż objęła je zupełna ciemność.

Całe to wstrząsające swoim spokojnym ogromem zjawisko przeraziło Harey, ale nie umiałem nic o nim powiedzieć, dla mnie, solarysty, było to tak samo nowe i niepojęte jak dla niej. Ale nie notowane jeszcze w żadnych katalogach formy i twory można obserwować na Solaris mniej więcej dwa – trzy razy do roku, a przy odrobinie szczęścia nawet częściej.

Następnej nocy, koło godziny przed oczekiwanym wschodem błękitnego słońca, byliśmy świadkami innego fenomenu – ocean fosforyzował. Zrazu pojawiły się na jego niewidzialnej w mroku powierzchni pojedyncze plamy światła, brzasku raczej, białawego, rozmazanego, i poruszały się zgodnie z rytmem fal. Zlewały się i rozprzestrzeniały, aż widmowa poświata rozpostarła się ku wszystkim horyzontom. Intensywność świecenia narastała około piętnastu minut; potem zjawisko zakończyło się w sposób zdumiewający: ocean począł gasnąć, od zachodu szła frontem szerokim chyba na setki mil strefa ciemności, a kiedy dobiegła do Stacji i minęła ją, widać było tę część oceanu, która jeszcze fosforyzowała, jako coraz bardziej na wschód oddalającą się, wysoko w mroki sięgającą łunę. Dotarłszy do samego widnokręgu, stała się podobna do olbrzymiej zorzy polarnej i zaraz znikła. Kiedy niebawem wzeszło słońce, pusta, martwa płaszczyzna, ledwo zaznaczona zmarszczkami fal posyłających rtęciowe łyśnięcia w okna Stacji, rozpościerała się znowu we wszystkich kierunkach. Fosforescencja oceanu była zjawiskiem już opisanym; w pewnym procencie przypadków obserwowano ją przed wybuchem asymetriad, poza tym była typową raczej oznaką wzmożonej lokalnie aktywności plazmy. Jednak w ciągu następnych dwu tygodni nic się na zewnątrz ani na Stacji nie wydarzyło. Raz tylko, w środku nocy, usłyszałem dochodzący jakby znikąd i zewsząd naraz daleki krzyk, nadzwyczaj wysoki, ostry i przeciągły, właściwie spotęgowane nadludzko kwilenie; wyrwany z koszmaru, leżałem długi czas, wsłuchując się weń, niezupełnie pewny, czy i ten krzyk nie jest snem. Poprzedniego dnia z laboratorium, położonego w części nad naszą kabiną, donosiły się przytłumione odgłosy, jakby przesuwanie wielkich ciężarów czy aparatów; wydało mi się, że krzyk też dobiega z góry, niepojętym zresztą sposobem, bo obie kondygnacje dzielił od siebie dźwiękoszczelny strop. Ten agonalny głos dłużył się prawie pół godziny. Mokry od potu, na pół szalony, chciałem już biec na górę, tak szarpał nerwy. Ale w końcu ucichł i znowu było słychać tylko przesuwanie ciężarów.

Dwa dni później, wieczorem, kiedy siedzieliśmy z Harey w małej kuchni, niespodzianie wszedł Snaut. Był w ubraniu, prawdziwym, ziemskim ubraniu, które go odmieniło. Był jakby wyższy i postarzały. Nie patrząc prawie na nas, podszedł do stołu, nachylił się nad nim i nie siadając, zaczął jeść zimne mięso prosto z puszki, przegryzając je chlebem. Wtykał przy tym rękaw do puszki, plamiąc go tłuszczem.

– Smarujesz się – powiedziałem.

– Hm? – rzucił tylko pełnymi ustami. Jadł, jakby od całych dni nie miał nic w ustach, nalał sobie pół szklanki wina, wypił duszkiem, wytarł usta i odetchnąwszy, rozejrzał się przekrwionymi oczami. Popatrzał na mnie i mruknął:

– Zapuściłeś brodę...? No, no...

Harey wrzucała z hałasem naczynie do zlewu. Snaut zaczął się kołysać lekko na obcasach, krzywił się i mlaskał głośno, oczyszczając językiem zęby. Wydało mi się, że robi to umyślnie.

– Nie chce ci się golić, co? – spytał, wpatrując się we mnie natarczywie. Nie odezwałem się.

– Uważaj! – rzucił po chwili. – Radzę ci. On też przestał się najpierw golić.

– Idź spać – mruknąłem.

– Co? Nie ma głupich! Dlaczego nie mamy porozmawiać? Słuchaj, Kelvin, a może on nam dobrze życzy? Może chce nas uszczęśliwić, tylko jeszcze nie wie jak? Odczytuje nam życzenia z mózgów, a tylko dwa procent nerwowych procesów jest świadome. Więc on zna nas lepiej niż my sami. Więc trzeba go słuchać. Zgadzać się. Uważasz? Nie chcesz? Dlaczego – głos mu się załamał płaczliwie – dlaczego się nie golisz?

– Przestań – burknąłem. – Pijany jesteś.

– Co? Pijany? Ja? A co? Czy człowiek, który dźwigał swoje łajno z jednego końca Galaktyki na drugi, żeby się dowiedzieć, wiele jest wart, nie może się upić? Dlaczego? Ty wierzysz w posłannictwo człowieka, hę, Kelvin? Gibarian opowiadał mi o tobie, nim zapuścił brodę... Jesteś dokładnie taki, jak mówił... Nie chodź tylko do laboratorium, utracisz jeszcze wiarę... tam tworzy Sartorius, nasz Faust *à rebours*, szuka środka przeciw nieśmiertelności, wiesz? To ostatni rycerz świętego Kontaktu, taki, na jakiego nas stać... jego poprzedni pomysł też był niezły – prolongowana agonia. Dobre, co? Agonia perpetua... słomki... słomkowe kapelusze... jak ty możesz nie pić, Kelvin?

Jego oczy, prawie niewidzialne w zapuchłych powiekach, spoczęły na Harey, która stała bez ruchu pod ścianą.

– O, Afrodyte biała z oceanu rodem. Porażona boskością, twoja dłoń – zaczął deklamować i zakrztusił się śmiechem.

– Prawie... dokładnie... co, Kel... vin...? – wykrztusił, kaszląc.

Byłem wciąż spokojny, ale ten spokój zaczynał tężeć w zimną pasję.

– Przestań! – syknąłem. – Przestań i wyjdź!

– Wyrzucasz mnie? Ty też? Zapuszczasz brodę i wyrzucasz mnie? Już nie chcesz, żebym cię ostrzegał, żebym ci doradzał, jak jeden prawy towarzysz gwiazdowy drugiemu? Kelvin, otwórzmy denne luki, będziemy wołać do niego, tam, w dół, może usłyszy? Ale jak on się nazywa? Pomyśl, ponazywaliśmy wszystkie gwiazdy i planety, a może one miały już nazwy? Co za uzurpacja! Słuchaj, chodźmy tam. Będziemy krzyczeć... powiemy mu, co zrobił z nas, aż się przerazi... wybuduje nam srebrne symetriady i pomodli się za nas swoją matematyką, i obrzuci nas zakrwawionymi aniołami, i jego męka będzie naszą męką, a jego strach naszym strachem, i będzie nas błagał o koniec. Bo to wszystko, czym on jest i co on robi, jest błaganiem o koniec. Dlaczego się nie śmiejesz? Przecież ja tylko żartuję. Może być, że gdybyśmy mieli jako rasa więcej poczucia humoru, nie doszłoby do tego. Wiesz, co on chce zrobić? On chce go ukarać, ten ocean, chce go doprowadzić do tego, żeby krzyczał wszystkimi górami naraz... myślisz, że nie będzie miał odwagi przedłożyć tego planu do aprobaty temu sklerotycznemu areopagowi, który nas tu wysłał jako odkupicieli nie swoich win? Masz rację, stchórzy... ale tylko przez kapelusik. Kapelusika nie zdradzi nikomu, taki odważny nie jest, nasz Faust...

Milczałem. Snaut coraz mocniej chwiał się na nogach. Łzy ściekały mu po twarzy i padały na ubranie.

– Kto to zrobił? Kto to zrobił z nas? Gibarian? Giese? Einstein? Platon? To byli zbrodniarze – wiesz? Pomyśl, w rakiecie człowiek może pęknąć jak bąbel albo skrzepnąć, albo rozgotować się, albo tak prędko wybuchnąć krwią, że ani krzyknie, a potem tylko kosteczki stukają w blachę, kręcą się po orbitach Newtona z poprawką Einsteinowską, te nasze grzechotki postępu! A my ochoczo, bo to piękna droga, aż doszliśmy, i w tych komórkach, nad tymi talerzami, wśród nieśmiertelnych pomywaczek, z hufcem wiernych szaf, klozetów oddanych, tu jest nasze ziszczenie... popatrz, Kelvin. Gdybym nie był pijany, nie gadałbym tak, ale ktoś w końcu powinien to powiedzieć. Ktoś w końcu powinien? Siedzisz tu, ty dziecko w rzeźni, i włosy ci rosną... Czyja wina? Sam sobie odpowiedz...

Pomału odwrócił się i wyszedł, na progu chwycił się drzwi, żeby nie upaść, jeszcze słychać było echo kroków, wracało ku nam z korytarza. Unikałem wzroku Harey, ale spojrzenia nasze zeszły się nagle. Chciałem podejść do niej, objąć ją, pogładzić po włosach, ale nie mogłem. Nie mogłem.

Sukces

Następne trzy tygodnie były jakby jednym i tym samym dniem, który powtarzał się, wciąż taki sam, pokrywy okien zasuwały się i wznosiły, nocą wczołgiwałem się z jednego koszmaru w drugi, rano wstawaliśmy i zaczynała się gra, ale czy to była gra? Udawałem spokój i Harey go udawała, to milczące porozumienie, wiedza o wzajemnym oszukiwaniu, stało się naszą ostatnią ucieczką. Bo mówiliśmy dużo o tym, jak będziemy żyć na Ziemi, jak osiedlimy się gdzieś pod wielkim miastem i nigdy już nie porzucimy niebieskiego nieba i zielonych drzew, i wymyślaliśmy wspólnie wnętrze naszego przyszłego domu, i ogrodu, i nawet sprzeczaliśmy się o szczegóły... o żywopłot, o ławkę... czy wierzyłem w to choć przez sekundę? Nie. Wiedziałem, że to niemożliwe. Wiedziałem o tym. Bo gdyby nawet mogła opuścić Stację – żywa – to na Ziemi może lądować tylko człowiek, a człowiek to jego papiery. Pierwsza kontrola zakończyłaby tę ucieczkę. Usiłowaliby ją zidentyfikować, więc najpierw rozłączyliby nas i to od razu by ją zdradziło. Stacja była jedynym miejscem, gdzie mogliśmy żyć razem. Czy Harey wiedziała o tym? Na pewno. Czy jej ktoś to powiedział? W świetle wszystkiego, co się stało – chyba tak.

Jednej nocy usłyszałem przez sen, jak Harey wstaje cicho. Chciałem ją przygarnąć. Już tylko milcząc, już tylko w ciemności mogliśmy się jeszcze na chwilę stać wolni, w zatraceniu, które osaczająca nas zewsząd rozpacz czyniła tylko momentalnym zawieszeniem tortury. Nie zauważyła chyba, że się ocknąłem. Nim wyciągnąłem rękę, zeszła z łóżka. Usłyszałem – wciąż na pół tylko rozbudzony – odgłos bosego stąpania. Ogarnął mnie niejasny lęk.

– Harey? – szepnąłem. Chciałem krzyknąć, ale nie odważyłem się. Usiadłem na łóżku. Drzwi wiodące na korytarz były tylko przymknięte. Cienka igła światła skosem przecinała kabinę. Wydało mi się, że słyszę przytłumione głosy. Rozmawiała z kimś? Z kim?

Wyskoczyłem z łóżka, ale chwycił mnie tak potworny strach, że nogi odmówiły posłuszeństwa. Stałem chwilę, nasłuchując – było cicho. Powoli zawlokłem się do łóżka. Pulsy łomotały w głowie. Zacząłem liczyć. Przy tysiącu przerwałem, drzwi odemknęły się bezszelestnie, Harey wśliznęła się do środka i znieruchomiała, jakby zasłuchana w mój oddech. Usiłowałem uczynić go miarowym. – Kris...? – szepnęła cichutko. Nie odezwałem się. Wsunęła się szybko do łóżka. Czułem, jak leży wyprostowana, i leżałem obok niej, bezwładny, nie wiem, jak długo. Próbowałem układać pytania, ale im więcej mijało czasu, tym lepiej rozumiałem, że nie odezwę się pierwszy. Po jakimś czasie, może po godzinie, zasnąłem.

Ranek był taki jak zawsze. Przyglądałem się jej podejrzliwie tylko wtedy, kiedy nie mogła tego dostrzec. Po obiedzie siedzieliśmy obok siebie na wprost wygiętego okna, za którym płynęły niskie, rude chmury. Stacja sunęła wśród nich jak okręt. Harey czytała jakąś książkę, a ja trwałem w jednym z zapatrzeń, które tak często stawały się teraz jedynym wytchnieniem. Zauważyłem, że przechylając głowę w pewien sposób, mogę zobaczyć w szybie odbicie nas obojga, przejrzyste, ale wyraźne. Zdjąłem rękę z poręczy. Harey – widziałem to w szybie – upewniwszy się szybkim spojrzeniem, że patrzę w ocean, pochyliła się nad poręczą i dotknęła jej wargami w miejscu, którego przed chwilą dotykałem. Siedziałem dalej, nienaturalnie sztywny, a ona pochyliła głowę nad książką.

– Harey – powiedziałem cicho – dokąd wychodziłaś w nocy?

– W nocy?

– Tak.

– Coś... śniło ci się, Kris. Nigdzie nie wychodziłam.

– Nie wychodziłaś?

– Nie. Musiało ci się przyśnić.

– Może być – powiedziałem. – Tak, możliwe, że mi się śniło...

Wieczorem, kiedy kładliśmy się już, znowu zacząłem mówić o naszej podróży, o powrocie na Ziemię.

– Ach, nie chcę o tym słyszeć – powiedziała. – Nie mów, Kris. Przecież wiesz...

– Co?

– Nie. Nic.

Kiedy leżeliśmy już, powiedziała, że chce się jej pić.

– Tam, na stole, jest szklanka soku, podaj mi, proszę.

Wypiła połowę i podała mi ją. Nie miałem ochoty pić.

– Za moje zdrowie – uśmiechnęła się. Wypiłem sok, który wydał mi się trochę słony, ale nie zwróciłem na to uwagi.

– Jeżeli nie chcesz, żebyśmy mówili o Ziemi, to o czym? – spytałem, kiedy zgasiła światło.

– Czy ożeniłbyś się, gdyby mnie nie było?

– Nie.

– Nigdy?

– Nigdy.

– Czemu?

– Nie wiem. Byłem sam dziesięć lat i nie ożeniłem się. Nie mówmy o tym, kochanie...

Szumiało mi w głowie, jakbym wypił co najmniej flaszkę wina.

– Nie, mówmy, właśnie mówmy. A gdybym cię prosiła?

– Żebym się ożenił? Nonsens, Harey. Nie potrzebuję nikogo oprócz ciebie.

Pochyliła się nade mną. Czułem jej oddech na ustach, objęła mnie tak mocno, że ogarniająca mnie niezmożona senność cofnęła się na mgnienie.

– Powiedz to inaczej.

– Kocham cię.

Uderzyła czołem w moje ramię, poczułem drganie jej napiętych powiek i wilgoć łez.

– Harey, co ci?

– Nic. Nic. Nic – powtarzała coraz ciszej. Usiłowałem otworzyć oczy, ale same mi się zamykały. Nie wiem, kiedy zasnąłem.

Obudził mnie czerwony świt. Głowę miałem ołowianą, a kark sztywny, jakby wszystkie kręgi zrosły się w jedną kość. Szorstkim, wstrętnym językiem nie mogłem poruszyć w ustach. Chyba zatrułem się czymś – pomyślałem, podnosząc z wysiłkiem głowę. Sięgnąłem ręką w stronę Harey. Trafiła na zimne prześcieradło.

Poderwałem się.

Łóżko było puste, w kabinie – nikogo. Czerwonymi dyskami powtarzały się w szybach odbicia słonecznej tarczy. Skoczyłem na podłogę. Musiałem wyglądać komicznie, bo zatoczyłem się jak pijany. Chwytałem się sprzętów, dopadłem szafy – łazienka była pusta. Korytarz także. I w pracowni nie było nikogo.

– Harey!!! – krzyknąłem pośrodku korytarza, wiosłując nieprzytomnie rękami. – Harey... – wychrypiałem raz jeszcze, już wiedząc.

Nie pamiętam dokładnie, co się potem działo. Musiałem biegać, półnagi, po całej Stacji, przypominam sobie, że wpadłem nawet do chłodni, a potem do ostatniego magazynu i waliłem pięściami w zasuwane drzwi. Może nawet byłem tam kilka razy. Schody dudniły, przewracałem się, zrywałem, znów gdzieś pędziłem, aż dopadłem przezroczystej zapory, za którą znajduje się wyjście na zewnątrz: podwójne, pancerne drzwi. Pchałem je ze wszystkich sił i krzyczałem, żeby to był sen. I ktoś od jakiegoś czasu był przy mnie i szarpał mnie, ciągnął gdzieś. Potem byłem w małej pracowni, z koszulą mokrą od lodowatej wody, ze zlepionymi włosami, nozdrza i język piekł spirytus, wpółleżałem, dysząc, na czymś zimnym, metalowym, a Snaut w swoich poplamionych płóciennych spodniach krzątał się przy szafce z lekarstwami, przewracał coś, narzędzia i szkła okropnie hałasowały.

Naraz zobaczyłem go przed sobą, patrzał mi w oczy, uważny, przygarbiony.

– Gdzie ona jest?

– Nie ma jej.

– Ale, ale Harey...

– Nie ma już Harey – powiedział wolno, wyraźnie, zbliżając twarz do mojej, jakby mi zadał cios, a teraz obserwował jego skutek.

– Wróci... – szepnąłem, zamykając oczy. I po raz pierwszy naprawdę się tego nie bałem. Nie obawiałem się widmowego powrotu. Nie rozumiałem, jak mogłem się go kiedyś bać!

– Wypij to.

Podał mi szklankę z ciepłym płynem. Przyjrzałem się jej, i naraz chlusnąłem mu całą zawartością w twarz. Cofnął się, wycierając oczy. Kiedy je otworzył, stałem nad nim. Był taki mały.

– To ty?!

– O czym mówisz?

– Nie kłam, wiesz, o czym. To ty mówiłeś z nią tamtej nocy? I kazałeś jej dać środek nasenny na tę...? Co z nią zrobiłeś!? Mów!!!

Szukał na piersiach. Wyjął pomiętą kopertę. Wyrwałem mu ją. Była zaklejona. Na wierzchu nic. Rozerwałem papier. Ze środka wypadła złożona we czworo kartka. Duże, trochę dziecinne pismo w nierównych rządkach. Poznałem je.

„Kochany, to ja pierwsza prosiłam go o to. On jest dobry. Okropne, że musiałam cię okłamać, nie dało się inaczej. Możesz zrobić dla mnie jedno – słuchaj go i nie zrób sobie nic. Byłeś wspaniały".

Pod spodem było jedno przekreślone słowo, zdołałem je odczytać: „Harey" napisała, potem zamazała to, była jeszcze jedna litera, jakby H albo K, zmieniona w plamę. Przeczytałem raz i jeszcze raz. I jeszcze. Byłem już zbyt trzeźwy, aby histeryzować, nie mogłem nawet jęknąć, wydać głosu.

– Jak? – wyszeptałem. – Jak?

– Potem, Kelvin. Trzymaj się.

– Trzymam się. Mów. Jak?

– Anihilacja.

– Jak to? Ależ aparat?! – poderwało mnie.

– Aparat Roche'a nie nadawał się. Sartorius zbudował inny, specjalny destabilizator. Mały. Działa tylko w promieniu kilku metrów.

– Co z nią...?

– Znikła. Błysk i podmuch. Słaby podmuch. Nic więcej.

– W małym promieniu, mówisz?

– Tak. Na wielki nie było materiałów.

Naraz ściany zaczęły się na mnie chylić. Zamknąłem oczy.
– Boże... ona... wróci, wróci przecież...
– Nie.
– Jak to nie...?
– Nie, Kelvin. Pamiętasz te wznoszące się piany? Od tego czasu już nie wracają.
– Już nie?
– Nie.
– Zabiłeś ją – powiedziałem cicho.
– Tak. Ty nie zrobiłbyś tego? Na moim miejscu?
Zerwałem się i zacząłem chodzić coraz szybciej. Od ściany w kąt i z powrotem. Dziewięć kroków. Zwrot. Dziewięć kroków.
Stanąłem przed nim.
– Słuchaj, złożymy raport. Zażądamy bezpośredniej łączności z Radą. To się da zrobić. Zgodzą się. Muszą. Planeta zostanie wyłączona spod Konwencji Czterech. Wszystkie środki dozwolone. Sprowadzimy generatory antymaterii. Myślisz, że jest coś, co się oprze antymaterii? Nic nie ma! Nic! Nic! – krzyczałem triumfalnie, ślepy od łez.
– Chcesz go zniszczyć? – powiedział. – Po co?
– Wyjdź. Zostaw mnie!
– Nie pójdę.
– Snaut!
Patrzałem mu w oczy. „Nie", powiedział ruchem głowy.
– Czego chcesz? Czego chcesz ode mnie?
Cofnął się do stołu.
– Dobrze. Złożymy raport.
Odwróciłem się i zacząłem chodzić.
– Siadaj.
– Daj mi spokój.
– Są dwie sprawy. Pierwsza to fakty. Druga – nasze żądania.
– Teraz mamy o tym mówić?
– Tak, teraz.
– Nie chcę. Rozumiesz? Nic mnie to nie obchodzi.
– Ostatni raz wysłaliśmy komunikat przed śmiercią Gibariana. To z górą dwa miesiące. Powinniśmy ustalić dokładny przebieg pojawienia się...
– Nie przestaniesz? – Chwyciłem go za ramię.
– Możesz mnie bić – powiedział – ale ja i tak będę mówił.
Puściłem go.
– Rób, co chcesz.

– Chodzi o to, że Sartorius będzie usiłował ukryć pewne fakty. Jestem tego prawie pewien.

– A ty nie?

– Nie. Już teraz nie. To nie jest tylko nasza sprawa. Chodzi, wiesz, o co chodzi. Wykazał rozumne działanie. Zdolność organicznej syntezy najwyższego rzędu, jakiej nie znamy. Zna budowę, mikrostrukturę, metabolizm naszych ciał...

– Dobrze – powiedziałem. – Czemu przestałeś mówić? Dokonał na nas serii... serii... doświadczeń. Psychicznej wiwisekcji. W oparciu o wiedzę wykradzioną z naszych głów, nie licząc się z tym, do czego dążymy.

– To już nie fakty ani nawet nie wnioski, Kelvin. To hipotezy. W pewnym sensie liczył się z tym, czego chciała jakaś zamknięta, skryta część naszych umysłów. To mogły być – dary...

– Dary! Wielki Boże!

Zacząłem się śmiać.

– Przestań! – krzyknął, chwytając mnie za rękę. Ścisnąłem jego palce. Ściskałem coraz mocniej, aż chrupnęły kostki. Patrzał na mnie zmrużonymi oczami, bez drgnienia. Puściłem go i odszedłem w kąt. Stojąc twarzą do ściany, powiedziałem:

– Postaram się nie histeryzować.

– Mniejsza o to wszystko. Czego zażądamy?

– Ty powiedz. Nie mogę teraz. Czy powiedziała coś, zanim...?

– Nie. Nic. Co do mnie, uważam, że teraz powstała szansa.

– Szansa? Jaka szansa? Na co? Aa... – powiedziałem ciszej, patrząc mu w oczy, bo zrozumiałem nagle. – Kontakt? Znowu Kontakt? Małośmy jeszcze – i ty, ty sam, i cały ten dom wariatów... Kontakt? Nie, nie, nie. Beze mnie.

– Dlaczego? – spytał całkiem spokojnie. – Kelvin, ty wciąż, a teraz bardziej jeszcze niż kiedykolwiek, instynktownie traktujesz go jak człowieka. Nienawidzisz go.

– A ty nie...? – rzuciłem.

– Nie. Kelvin, przecież on jest ślepy...

– Ślepy? – powtórzyłem, niepewny, czy dobrze usłyszałem.

– Oczywiście, w naszym rozumieniu. Nie istniejemy dla niego tak, jak dla siebie nawzajem. Powierzchnia twarzy, ciała, którą widzimy, sprawia, że poznajemy się jako indywidua. To jest dla niego przezroczystą szybą. Wnikał przecież do wnętrza naszych mózgów.

– Więc dobrze. Ale co z tego? Do czego zmierzasz? Jeżeli potrafił ożywić, stworzyć człowieka, który nie istnieje, poza moją pamięcią, i to tak, że jej oczy, ruchy, jej głos... głos...

– Mów dalej! Mów dalej, słyszysz!!!

– Mówię... mówię... Tak. Więc... głos... z tego wynika, że może w nas czytać jak w książce. Wiesz, co chcę powiedzieć?

– Tak. Że gdyby chciał, mógłby się z nami porozumieć?

– Naturalnie. Czy to nie jest oczywiste?

– Nie. Zupełnie nie. Przecież mógł wziąć tylko receptę produkcyjną, która nie składa się ze słów. Jako utrwalony zapis pamięciowy jest ona strukturą białkową. Jak główka plemnika czy jajo. Tam nie ma przecież, w mózgu, żadnych słów, uczuć, wspomnienie człowieka to obraz, spisany językiem nukleinowych kwasów na wielkomolekularnych kryształach asynchronicznych. Więc on wziął to, co było najwyraźniej wytrawione w nas, najbardziej zamknięte, najpełniejsze, najgłębiej odciśnięte, rozumiesz? Ale wcale nie musiał wiedzieć, czym to jest dla nas, jakie to ma znaczenie. To tak, jakbyśmy potrafili stworzyć symetriadę i rzucili ją w ocean, znając architekturę, technologię i materiały budowlane, ale nie rozumiejąc, po co, czemu ona służy, czym dla niego jest...

– To możliwe – powiedziałem. – Tak, to możliwe. W takim wypadku on wcale... może w ogóle nie chciał podeptać nas tak i zgnieść. Może być. I tylko niechcący...

Usta zaczęły mi latać.

– Kelvin!

– Tak, tak. Dobrze. Już nic. Ty jesteś dobry. On też. Wszyscy są dobrzy. Ale dlaczego? Wytłumacz mi. Dlaczego? Po coś to zrobił? Co jej powiedziałeś?

– Prawdę.

– Prawdę, prawdę! Co?

– Przecież wiesz. Chodź teraz do mnie. Będziemy pisać raport. Chodź.

– Czekaj. Czego ty chcesz właściwie? Chyba nie zamierzasz zostać na Stacji...?

– Chcę zostać. Tak.

Stary mimoid

Siedziałem u wielkiego okna i patrzałem w ocean. Nie miałem nic do roboty. Raport, opracowany w pięć dni, był teraz wiązką fal, pędzącą przez próżnię gdzieś za gwiazdozbiorem Oriona. Kiedy dotrze do ciemnej mgławicy pyłowej, która rozprzestrzenia się na obszarze ośmiu trylionów sześciennych mil i pochłania każdy sygnał i promień światła, natrafi na pierwszy z łańcucha przekaźników. Stąd, od jednej radioboi do drugiej, skokami liczącymi miliardy kilometrów będzie mknął po krzywiźnie olbrzymiego łuku, aż ostatni przekaźnik, metalowa bryła, pełna ciasno upakowanych, precyzyjnych instrumentów, z wydłużonym pyskiem kierunkowej anteny, skupi go raz jeszcze i ciśnie dalej w przestrzeń, ku Ziemi. Potem upłyną miesiące i taki sam pęk energii, ciągnąc za sobą bruzdę udarowych zniekształceń w grawitacyjnym polu Galaktyki, wystrzelony z Ziemi, dopadnie czoła kosmicznej chmury, prześliźnie się, wzmacniany wzdłuż naszyjnika wolno dryfujących boi, i z nie zmniejszoną chyżością pomknie ku podwójnym słońcom Solaris.

Ocean pod wysokim, czerwonym słońcem był czarniejszy niż kiedykolwiek. Ruda mgła stapiała jego styki z niebem, ten dzień był wyjątkowo parny, jakby zapowiadał jedną z owych niezmiernie rzadkich i ponad wyobrażenie gwałtownych burz, które kilka razy do roku nawiedzają planetę. Są podstawy do przypuszczenia, że jedyny jej mieszkaniec kontroluje klimat i burze te sprowadza sam.

Jeszcze przez kilka miesięcy miałem patrzeć z tych okien, z wysokości obserwować wschody białego złota i znużonej czerwieni, od czasu do czasu odzwierciedlane w jakiejś płynnej erupcji, w srebrzystym bąblu symetriady, śledzić wędrówkę nachylonych pod wiatr, smukłych chyżów, napotykać na pół zwietrzałe, osypujące się mimoidy. Pewnego dnia wszystkie ekrany wizofonów zaczną łopotać światłem, cała, martwa od dawna, sygnalizacja elektronowa ożyje, uruchomiona impulsem, wysłanym z odległości setek tysięcy kilometrów, zwiastując zbliżanie się metalowego kolosa, który z przeciągłym grzmotem grawitorów opuści się nad ocean. Będzie to Ulysses albo Prometeusz, albo jakiś inny z wielkich krążowników dalekiego zasięgu. Kiedy z płaskiego dachu Stacji wejdę po trapie, zobaczę na pokładach szeregi biało opancerzonych, masywnych automatów, które nie dzielą z człowiekiem pierworodnego grzechu i są tak niewinne, że wykonują każdy rozkaz, aż do całkowitego zniszczenia siebie lub przeszkody, która stanie im na drodze, jeżeli tak zaprogramowana została ich oscylująca w kryształach pamięć. A potem statek ruszy, bezszelestnie, szybszy od głosu, pozostawiając za sobą sięgający oceanu stożek rozłamanych na basowe oktawy grzmotów, i twarze wszystkich ludzi rozjaśni na chwilę myśl, że wracają do domu.

Ale ja nie miałem domu. Ziemia? Myślałem o jej wielkich, zatłoczonych, huczących miastach, w których zgubię się, zatracę prawie tak, jak gdybym uczynił to, co chciałem zrobić drugiej czy trzeciej nocy – rzucić się w ocean, ciężko falujący w ciemności. Utonę w ludziach. Będę milkliwym i uważnym, a przez to cenionym towarzyszem, będę miał wielu znajomych, nawet przyjaciół, i kobiety, a może nawet jedną kobietę. Przez pewien czas będę sobie musiał zadawać przymus, aby uśmiechać się, kłaniać, wstawać, wykonywać tysiące drobnych czynności, z których składa się ziemskie życie, aż przestanę je czuć. Znajdę nowe zainteresowania, nowe zajęcia, ale nie oddam im się cały. Niczemu ani nikomu, już nigdy więcej. I być może, będę patrzał w nocy tam, gdzie na niebie ciemność pyłowej chmury jak czarna zasłona powstrzymuje blask dwóch słońc, pamiętając wszystko, nawet to, co myślę teraz, i wspomnę z pobłażliwym uśmiechem, w którym będzie odrobina żalu, ale i wyższości, moje szaleństwa i nadzieje. Wcale nie uważam tego siebie z przyszłości za coś gorszego od Kelvina, który gotów był na wszystko dla sprawy zwanej Kontaktem. I nikt nie będzie miał prawa mnie osądzić.

Do kabiny wszedł Snaut. Rozejrzał się, popatrzał potem na mnie, wstałem i podszedłem do stołu.

– Chciałeś coś?

– Zdaje się, że nie masz nic do roboty...? – spytał, mrugając. – Mógłbym ci dać, wiesz, są pewne obliczenia, nie najpilniejsze wprawdzie...

– Dziękuję ci – uśmiechnąłem się – ale to niepotrzebne.

– Jesteś tego pewien? – spytał, patrząc w okno.

– Tak. Rozmyślałem o różnych rzeczach i...

– Wolałbym, żebyś tyle nie myślał.

– Ach, to zupełnie nie wiesz, o co chodzi. Powiedz mi, czy... wierzysz w Boga?

Spojrzał na mnie bystro.

– Co ty? Kto wierzy jeszcze dziś...

W jego oczach tlał niepokój.

– To nie jest takie proste – powiedziałem umyślnie lekkim tonem – bo nie chodzi mi o tradycyjnego Boga ziemskich wierzeń. Nie jestem religiologiem i może niczego nie wymyśliłem, ale nie wiesz przypadkiem, czy istniała kiedyś wiara w Boga... ułomnego?

– Ułomnego? – powtórzył, unosząc brwi. – Jak to rozumiesz? W pewnym sensie bóg każdej religii był ułomny, bo obarczony ludzkimi cechami, powiększonymi tylko. Bóg Starego Testamentu był na przykład żądnym czołobitności i ofiar gwałtownikiem, zazdrosnym o innych bogów... greccy bogowie przez swą kłótliwość, waśnie rodzinne byli nie mniej po ludzku ułomni...

– Nie – przerwałem mu – mnie idzie o Boga, którego niedoskonałość wynika nie z prostoduszności jego ludzkich stwórców, ale stanowi jego najistotniejszą, immanentną cechę. Ma to być Bóg ograniczony w swojej wszechwiedzy i wszechmocy, omylny w przewidywaniu przyszłości swoich dzieł, którego bieg ukształtowanych przezeń zjawisk może wprawić w przerażenie. Jest to Bóg... kaleki, który pragnie zawsze więcej, niż może, i nie od razu zdaje sobie z tego sprawę. Który skonstruował zegary, ale nie czas, jaki odmierzają. Ustroje czy mechanizmy, służące określonym celom, ale one przerosły te cele i zdradziły je. I stworzył nieskończoność, która z miary jego potęgi, jaką miała być, stała się miarą jego bezgranicznej klęski.

– Niegdyś, manicheizm – zaczął, wahając się, Snaut. Podejrzliwa rezerwa, z jaką zwracał się do mnie w ostatnim czasie, znikła.

– Ale to nie ma nic wspólnego z pierwiastkiem dobra i zła – przerwałem mu natychmiast. – Ten Bóg nie istnieje poza materią i nie może się od niej uwolnić, a tylko tego chce...

– Podobnej religii nie znam – powiedział po chwili milczenia. – Taka nie była nigdy... potrzebna. Jeśli cię dobrze rozumiem, a obawiam się, że tak, to myślisz o jakimś bogu ewoluującym, który rozwija się w czasie i dorasta, wznosząc się na coraz to wyższe piętra potęgi do świadomości jej bezsiły? Ten twój Bóg to istota, która weszła w boskość jak w sytuację bez wyjścia, a pojąwszy to, oddała się rozpaczy. Tak, ale Bóg rozpaczający to przecież człowiek, mój drogi? Chodzi ci o człowieka... To nie tylko kiepska filozofia, to nawet kiepska mistyka.

– Nie – odpowiedziałem z uporem – nie chodzi mi o człowieka. Może być, że pewnymi rysami odpowiadałby tej prowizorycznej definicji, ale to tylko dlatego, że jest pełna luk. Człowiek, wbrew pozorom, nie stwarza sobie celów. Narzuca mu je czas, w którym się urodził, może im służyć albo buntować się przeciw nim, ale przedmiot służby czy buntu jest dany z zewnątrz. Aby doświadczyć całkowitej wolności poszukiwania celów, musiałby być sam, a to się nie może udać, gdyż człowiek nie wychowany wśród ludzi nie może się stać człowiekiem. Ten... mój to musi być istota pozbawiona liczby mnogiej, wiesz?

– Ach – powiedział – że ja od razu...

I wskazał ręką za okno.

– Nie – sprzeciwiłem się – i on nie. Najwyżej jako to, co ominęło w swoim rozwoju szansę boskości, zbyt wcześnie zasklepiwszy się w sobie. On jest raczej anachoretą, pustelnikiem kosmosu, a nie jego bogiem... On się powtarza, Snaut, a ten, o którym myślę, nigdy by tego nie zrobił. Może powstaje właśnie gdzieś, w którymś zakątku Galaktyki, i niebawem zacznie w przystępie młodzieńczego upojenia gasić jedne gwiazdy i zapalać inne, zauważymy to po jakimś czasie...

– Jużeśmy zauważyli – rzekł kwaśno Snaut. – Novae i Supernovae... czy to są według ciebie świeczki jego ołtarza?

– Jeżeli chcesz to, co mówię, traktować tak dosłownie...

– A może właśnie Solaris jest kolebką twego boskiego niemowlęcia – dorzucił Snaut. Coraz wyraźniejszy uśmiech otoczył jego oczy cienkimi zmarszczkami. – Może on jest właśnie w twoim rozumieniu pierwociną, zalążkiem Boga rozpaczy, może jego witalne dziecięctwo przerasta jeszcze o góry jego rozumność, a to wszystko, co zawierają nasze biblioteki solarystyczne, jest tylko wielkim katalogiem jego niemowlęcych odruchów...

– My zaś przez pewien czas byliśmy jego zabawkami – dokończyłem. – Tak, to możliwe. I wiesz, co się udało? Stworzyć zupełnie nową hipotezę na temat Solaris, a to naprawdę nie byle co! I od razu masz wytłumaczenie niemożliwości nawiązania Kontaktu, braku odpowiedzi, pewnych – nazwijmy je tak – ekstrawagancji w postępowaniu z nami; psychika małego dziecka...

– Rezygnuję z autorstwa – mruknął, stając przy oknie. Przez dłuższą chwilę patrzyliśmy w czarne falowanie. U wschodniego horyzontu rysowała się we mgle blada, podługowata plamka.

– Skąd ci się wzięła ta koncepcja ułomnego Boga? – spytał nagle, nie odrywając oczu od zalanej blaskiem pustyni.

– Nie wiem. Wydała mi się bardzo, bardzo prawdziwa, wiesz? To jedyny Bóg, w którego byłbym skłonny uwierzyć, którego męka nie jest odkupieniem, niczego nie zbawia, nie służy niczemu, tylko jest.

– Mimoid... – powiedział całkiem cicho, innym głosem Snaut.

– Co mówisz? A tak. Zauważyłem go już przedtem. Bardzo stary.

Obaj patrzyliśmy w przymglony rudo horyzont.

– Polecę – odezwałem się niespodzianie. – Tym bardziej że nigdy nie opuściłem jeszcze Stacji, a to dobra okazja. Wrócę za pół godziny...

– Co mówisz? – otworzył oczy Snaut. – Polecisz? Dokąd?

– Tam – wskazałem majaczącą we mgle, cielistą plamę. – Cóż to szkodzi? Wezmę mały helikopter. Byłoby śmieszne, wiesz, gdybym – na Ziemi – musiał się przyznać kiedyś, że jestem solarystą, który nigdy nawet nogi nie postawił na solaryjskim gruncie...

Podszedłem do szafy i zacząłem przebierać między kombinezonami. Snaut obserwował mnie, milcząc, aż rzekł:

– Nie podoba mi się to.

– Co? – odwróciłem się z kombinezonem w rękach. Ogarnęło mnie od dawna nie zaznane podniecenie. – O co ci chodzi? Karty na stół! Boisz się, że coś... nonsens! Daję ci słowo, że nie. Nawet o tym nie pomyślałem. Nie, naprawdę nie.

– Polecę z tobą.

– Dziękuję ci, ale wolę sam. To jednak coś nowego, coś zupełnie nowego – mówiłem szybko, wciągając kombinezon. Snaut mówił coś jeszcze, ale nie bardzo go słuchałem, szukając potrzebnych rzeczy.

Poszedł za mną na lotnisko. Pomagał mi wytoczyć maszynę z boksu na środek startowej tarczy. Kiedy wkładałem skafander, spytał nagle:

– Czy słowo ma jeszcze dla ciebie jakąś wartość?

– Wielki Boże, Snaut, ty wciąż? Ma. I dałem ci je już. Gdzie są rezerwowe butle?

Nic już nie powiedział. Kiedy zamknąłem przezroczystą kopułkę, dałem mu ręką znak. Uruchomił podnośnik, wyjechałem wolno na wierzch Stacji. Motor zbudził się, zaszumiał przeciągle, trójśmigło zawirowało i aparat uniósł się dziwnie lekko, pozostawiając w dole coraz mniejszy, srebrzysty dysk Stacji.

Byłem pierwszy raz sam nad oceanem; wrażenie zupełnie inne od tego, którego doświadczało się u okien. Może sprawiła to także niskość lotu; sunąłem zaledwie kilkadziesiąt metrów nad falami. Teraz dopiero nie tylko wiedziałem, ale czułem, że naprzemienne, tłusto lśniące garby i rozpadliny otchłani poruszają się nie jak morski przypływ czy chmura, ale jak zwierzę. Bezustanne, choć nadzwyczaj powolne, skurcze umięśnionego, nagiego kadłuba – tak to wyglądało; odwracający się sennie grzbiet każdej fali płonął czerwienią pian; kiedy wykonałem skręt, żeby wyjść dokładnie na kurs dryfującej z nadzwyczajną powolnością wyspy mimoidu, słońce uderzyło mnie prosto w oczy, zadrgało błyskawicami krwi w wypukłych szybach, a sam ocean stał się atramentowosiny z cętkami ciemnego ognia.

Koło, jakie zatoczyłem nie dość wprawnie, wyniosło mnie daleko na podwietrzną, a mimoid został w tyle, jako rozległa, jasna plama, odcinająca się od oceanu nieregularnym konturem. Stracił nadaną mu przez mgły różową barwę, był żółtawy jak zeschła kość, na chwilę znikł mi z oczu, zamiast niego zobaczyłem w oddali Stację, wiszącą pozornie tuż nad samym oceanem, niczym ogromny, staroświecki zeppelin. Powtórzyłem manewr, wytężając całą uwagę: masyw mimoidu, ze swą stromą, groteskową rzeźbą rósł na kursie. Wydało mi się, że mogę zaczepić o najwyższe z jego bulwiastych występów, i podciągnąłem helikopter tak gwałtownie, że tracąc szybkość, cały się zakołysał; ostrożność zbyteczna, bo zaokrąglone szczyty dziwacznych wież przepłynęły nisko w dole. Zrównałem lot maszyny z dryfującą wyspą i wolno, metr po metrze, jąłem wytracać wysokość, aż kruszejące szczyty wzniosły się nad kabiną. Nie był wielki. Od końca do końca liczył bodaj trzy czwarte mili, a szeroki był na kilkaset ledwo metrów; w niektórych miejscach ukazywał przewężenie, zwiastujące, że rychło się tam przełamie. Musiał stanowić odłamek formacji bez porównania większej; wedle solaryjskiej skali był to drobny odprysk, szczątek, liczący Bóg raczy wiedzieć ile tygodni i miesięcy.

Odkryłem – pomiędzy żyłowatymi wyniosłościami zerwany nad samym oceanem – jak gdyby brzeg, kilkadziesiąt kwadratowych metrów dość spadzistej, ale płaskiej niemal powierzchni, i skierowałem tam maszynę. Lądowanie okazało się trudniejsze, niż sądziłem, o mały włos byłbym zawadził śmigłem o wyrastającą w oczach ścianę, ale udało mi się. Zgasiłem natychmiast motor i odrzuciłem kopułkę w tył. Zbadałem jeszcze, stojąc na skrzydle, czy helikopterowi nie grozi osunięcie się w ocean; fale lizały zębatą krawędź o kilkanaście kroków od mego lądowiska, ale stał pewnie na szeroko rozstawionych płozach. Zeskoczyłem na... „ziemię". To, co wziąłem przedtem za ścianę, o którą prawie że zawadziłem, było olbrzymią, jak rzeszoto podziurawioną, błoniasto cienką, kostną płytą, ustawioną sztorcem, przerośniętą podobnymi do galeryjek zgrubieniami. Szeroka na kilka metrów szczelina dzieliła skosem całą tę kilkupiętrową płaszczyznę, ukazując – podobnie jak jej wielkie, nieregularnie rozrzucone otwory – perspektywę głębi. Wspiąłem się na najbliższe, pochyłe przęsło ściany, stwierdzając, że buty skafandra są nadzwyczaj chwytne, a sam skafander nie utrudnia wcale poruszeń, i znalazłszy się jakieś cztery piętra ponad oceanem, zwrócony w głąb szkieletowatego krajobrazu, teraz dopiero mogłem objąć go dokładnie wzrokiem.

Podobieństwo do archaicznego, na pół obróconego w gruzy miasta, jakiejś egzotycznej osady marokańskiej sprzed wieków, zwalonej trzęsieniem ziemi czy innym kataklizmem, było zdumiewające.

Najwyraźniej widziałem kręte, częściowo zasypane i zatarasowane odłamami wąwozy ulic, ich zawiłe, strome zbiegi ku brzegowi, omywanemu mazistą pianą, wyżej ocalałe blanki, bastiony, ich obłe osady, a w wypukłych i zaklęsłych ścianach czarne otwory, podobne do zgruchotanych okien czy fortecznych wylotów. Cała ta wyspa-miasto, przechylona ciężko w bok, jak na wpół zatopiony okręt, sunęła przed siebie bezsensownym, nieprzytomnym ruchem, obracając się bardzo powoli, o czym świadczył pozorny ruch słońca na firmamencie, wzniecającego leniwe przeczołgiwanie się cieni pomiędzy zakamarkami ruin; czasem wymykał się spośród nich słoneczny promień, sięgając miejsca, w którym stałem. Wspiąłem się jeszcze wyżej, ryzykując już sporo, aż z zadartych i przewieszonych nad moją głową wyrośli zaczął osypywać się strugami miałki gruz; spadając, wypełnił wielkimi kłębami pyłu kręte wąwozy i uliczki; mimoid nie jest naturalnie skałą i jego podobieństwo do wapienia znika, gdy się ujmie odprysk w rękę; jest daleko lżejszy od pumeksu, drobnokomórkowy, niezwykle przez to powietrzny.

Byłem już tak wysoko, że poczułem jego ruch: nie tylko płynął przed siebie, popychany uderzeniami czarnych mięśni oceanu, nie wiadomo skąd, nie wiadomo dokąd, ale przechylał się też, raz w jedną, a raz w drugą stronę, nadzwyczaj powoli, każdemu z tych wahadłowych chybnięć towarzyszył przeciągły, lepki szum burych i żółtych pian ściekających z wynurzanej krawędzi. Ten ruch kołyszący został mu nadany bardzo dawno, chyba u narodzin, zachował go dzięki swojej olbrzymiej masie; obejrzawszy z mego napowietrznego stanowiska ile mogłem, ostrożnie zlazłem w dół; i wtedy dopiero – dziwna rzecz – zorientowałem się, że mimoid zupełnie mnie nie ciekawi, że przyleciałem tu na spotkanie nie z nim, ale z oceanem.

Usiadłem na szorstkiej, spękanej powierzchni, mając kilkanaście kroków za sobą helikopter. Czarna fala wpełzła ciężko na brzeg, rozpłaszczając się i tracąc jednocześnie barwę; kiedy się cofnęła, po krawędzi calizny spływały drżące nitki śluzu. Obsunąłem się jeszcze niżej i wyciągnąłem rękę ku następnej. Powtórzyła wówczas wiernie ów fenomen, doświadczony przez ludzi pierwszy raz nieomal przed wiekiem: zawahała się, cofnęła, oblała moją dłoń, nie dotykając jej jednak, tak że między powierzchnią rękawicy a wnętrzem zagłębienia, które od razu zmieniało konsystencję, stając się z płynnego prawie mięsiste, pozostała cienka warstewka powietrza. Uniosłem wówczas wolno rękę, fala, a raczej jej wąska odnoga, poszła za nią w górę, wciąż okalając moją dłoń coraz jaśniej przeświecającym, brudnozielonkawym otorbieniem. Wstałem, bo inaczej nie mogłem podnieść wyżej ręki; przesmyk galaretowatej substancji napiął się jak rozchybotana struna, ale się nie urwał; podstawa całkowicie rozpłaszczonej fali jak dziwne, cierpliwie końca tych doświadczeń oczekujące stworzenie przylgnęła do brzegu wokół moich stóp (także ich nie dotykając). Wyglądało to, jak gdyby z oceanu wyrósł ciągliwy kwiat, którego kielich otoczył moje palce, stając się dokładnym, choć nie dotykającym ich negatywem. Cofnąłem się. Łodyga zadrżała i jakby niechętnie wróciła w dół, elastyczna, chwiejna, niepewna, fala wezbrała, wciągając ją w siebie, i znikła za krawędzią brzegu. Powtarzałem tę grę, aż znowu jak przed stu laty któraś z kolei fala obojętnie odpłynęła, jakby syta nowego wrażenia, i wiedziałem, że na przebudzenie jej „ciekawości" musiałbym czekać kilka godzin. Usiadłem jak poprzednio, ale jak gdyby odmieniony tym z teorii tak dobrze znanym zjawiskiem, które wywołałem; teoria nie mogła, nie potrafiła oddać realnego przeżycia.

W pączkowaniu, wzroście, rozprzestrzenianiu się tego żywotworu, w każdym z jego ruchów z osobna i we wszystkich naraz przejawiała się jakaś – chciałoby się powiedzieć – ostrożna, ale nie płochliwa naiwność, kiedy usiłował zapamiętale i szybko poznać, ogarnąć nowy, spotkany nieoczekiwanie kształt i w pół drogi musiał się cofnąć, kiedy groziło przekroczenie tajemniczym prawem ustanowionych granic. Jak niewypowiedzianie kontrastowała owa zwinna ciekawość z ogromem, który sięgał w blaskach wszystkich horyzontów. Nigdy jeszcze nie odczuwałem tak jego olbrzymiej obecności, silnego, bezwzględnego milczenia, oddychającego miarowo falami. Zapatrzony, osłupiały, schodziłem w niedostępne, zdawałoby się, regiony bezwładu i w narastającej intensywności zatraty jednoczyłem się z tym płynnym, ślepym kolosem, jakbym bez najmniejszego wysiłku, bez słów, bez jednej myśli wybaczał mu wszystko.

Przez cały ostatni tydzień zachowywałem się tak rozsądnie, że nieufny błysk oczu Snauta przestał mnie w końcu prześladować. Zewnętrznie byłem spokojny, w skrytości nie uświadamiając sobie tego jasno, oczekiwałem czegoś. Czego? Jej powrotu? Jak mogłem? Każdy z nas wie, że jest istotą materialną, podległą prawom fizjologii i fizyki i że siła wszystkich razem wziętych naszych uczuć nie może walczyć z tymi prawami, może ich tylko nienawidzić. Odwieczna wiara zakochanych i poetów w potęgę miłości, która jest trwalsza niż śmierć, owo ścigające nas przez wieki „finis vitae sed non amoris" jest kłamstwem. Ale to kłamstwo jest tylko daremne, nie śmieszne. Być natomiast zegarem odmierzającym upływ czasu, na przemian roztrzaskiwanym i składanym od nowa, w którego mechanizmie, gdy konstruktor pchnie tryby, zaczyna wraz z ich pierwszym ruchem iść rozpacz i miłość, wiedzieć, że jest się repetierem męki, tym głębszej, im staje się przez wielość powtórzeń komiczniejsza? Powtarzać istnienie ludzkie, dobrze, ale powtarzać je tak, jak pijak powtarza oklepaną melodię, wrzucając coraz nowe miedziaki w głąb grającej szafy? Ani przez chwilę nie wierzyłem, że ten płynny kolos, który wielu setkom ludzi zgotował w sobie śmierć, z którym od dziesiątków lat daremnie usiłowała nawiązać chociażby nić porozumienia cała moja rasa, że on, unoszący mnie bezwiednie jak ziarnko prochu, wzruszy się tragedią dwojga ludzi. Ale działania jego kierowały się ku jakiemuś celowi. Prawda, nawet tego nie byłem całkiem pewien. Odejść jednak, znaczyło przekreślić tę, może nikłą, może w wyobraźni tylko istniejącą szansę, którą ukrywała przyszłość. A więc lata wśród sprzętów, rzeczy, których dotykaliśmy wspólnie, w powietrzu pamiętającym jeszcze jej oddech? W imię czego? Nadziei na jej powrót? Nie miałem nadziei. Ale żyło we mnie oczekiwanie, ostatnia rzecz, jaka mi po niej została. Jakich spełnień, drwin, jakich mąk jeszcze się spodziewałem? Nie wiedziałem nic, trwając w niewzruszonej wierze, że nie minął czas okrutnych cudów.

Zakopane, czerwiec 1959 – czerwiec 1960

Spis treści